D1501466

Morris Goodman et Pat Garnett

L'HOMME MIRACLE

Un récit d'inspiration, de motivation et de courage

Les éditions Un monde différent ltée
3400, boulevard Losch, bureau 8
Saint-Hubert (Québec)
Canada J3Y 5T6
(514) 656-2660

Cet ouvrage a été publié en langue anglaise sous le titre original :
THE MIRACLE MAN, AN INSPIRING STORY OF MOTIVATION AND
COURAGE
Copyright ©, 1985 by Prentice-Hall, Inc.
Englewood Cliffs, N.J.

©, Les éditions Un monde différent ltée, 1989
Pour l'édition en langue française

Dépôts légaux : 3e trimestre 1989
Bibliothèque nationale du Québec
Bibliothèque nationale du Canada

Conception graphique de la couverture :
MICHEL BÉRARD

Version française :
MESSIER & PERRON INC.

Photocomposition et mise en pages :
LES ATELIERS C.M. INC.

ISBN : 2-89225-158-3

Ce livre est dédié à tous les grands motivateurs qui ont fait oeuvre de pionniers et exploré un domaine très peu connu ; ce qui m'a permis de réussir en dépit de probabilités infimes. Je le dédie aussi à tous les gens dont le métier est de venir en aide aux autres : médecins, infirmières, chercheurs, thérapeutes, qui bénéficient aujourd'hui des efforts de plusieurs générations. Je leur dois tellement, et j'espère que, grâce à ce livre, je pourrai rembourser une partie de ma dette.

Table des matières

Remerciements   9

Préface 11

Avant-propos 13

Chapitre 1   Vivre 15

Chapitre 2   Communiquer 31

Chapitre 3   Respirer. 45

Chapitre 4   Me déplacer 73

Chapitre 5   Parler 91

Chapitre 6   Manger 107

Chapitre 7   Marcher. 127

Chapitre 8   Accepter l'agréable et le difficile. 159

Chapitre 9   À la maison pour Noël 169

Chapitre 10   Un nouveau départ 207

Chapitre 11   Dehors enfin 231

Épilogue   243

Appendice, cartes codées et modes d'emploi 249

Bibliographie   261

Remerciements

Selon un vieux proverbe chinois, tous les gens que nous rencontrons laissent leur marque dans notre vie. Je désire exprimer ma plus profonde appréciation aux personnes suivantes qui ont tissé leur empreinte sur la trame de ma vie.

Ma famille : À ma femme Sandy qui est restée à mes côtés à travers la tourmente et les traumatismes ; à Pat Waldo, ma soeur, qui a fait bien plus que son devoir dans les moments les plus difficiles ; à Sam et Jeanette Fink, mon père et ma belle-mère, qui ne m'ont jamais abandonné ; à ma chère et regrettée mère, Dare, qui a prouvé que rien ne surpasse l'amour maternel ; et à tous mes autres parents qui m'ont appuyé et visité.

Mes amis : À mon grand ami Landon Browning, qui a été plus qu'un frère pour moi ; à Doug Martin, pour toute l'aide apportée à mon entreprise ; à Mel Friedman et Joe Leibowitz, qui ont réglé les aspects financier et juridique de la question ; à Fred Day, mon associé, qui m'a appuyé ; à Bill Hermann, Karl Steen, le docteur Thomas Voshell et à tous les membres de l'Association des assureurs-vie de Norfolk pour leurs cartes et leurs visites ; à Page Scott et Ray Taylor qui m'ont tiré de l'avion et sauvé la vie ; et à mon plus cher ami, le docteur Leonard Oden, qui est davantage un père qu'un ami pour moi.

Les professionnels de la santé : Au docteur Berkley Rish, neurochirurgien dont la compétence est sans égale ; au docteur Richard Whitehill, qui a pris le relais lors de mon transfert à Charlottesville ; aux docteurs Thomas Spicuzza et Richard Auld pour tous les soins prodigués pendant ma réhabilitation à Woodrow Wilson ; à toutes les infirmières de l'hôpital général de Norfolk, de l'hôpital de l'université de la Virginie, The Towers, et Woodrow Wilson pour leurs soins et leur gentillesse ; à Duane Anderson, mon conseiller à Woodrow ; à tous les gens qui ont travaillé si fort avec moi lors de ma thérapie : Yaffa Liebermann, Lorna Christenson, Julie Westerhaus, Dave Summer, Diane Petry et Meg ; à Ruth Bogart, mon infirmière personnelle, qui m'a aidé plus que je ne pourrai jamais le lui rendre ; et un merci très spécial au docteur Jack Kenley, le médecin le plus désintéressé et le plus dévoué qu'il m'ait été donné de rencontrer.

Ceux qui m'ont aidé à rédiger ce livre : À mon cher ami Zig Ziglar, qui m'a encouragé à entreprendre la rédaction de ce livre et m'a aidé à l'agencer au début ; à Frank E. Sullivan, CLU, pour son aide et son inspiration ; à Gerhard et Laura Gschwandtner qui ont tout rassemblé et travaillé à longueur de journée pour mettre en branle ce projet et vendre le manuscrit ; et à Pat Garnett, un écrivain des plus doués, pour toute l'aide consentie pour rendre ce livre plus lisible.

Préface

Morris Goodman était au sommet de sa carrière de représentant.

Âgé d'à peine 30 ans, il avait déjà fondé sa propre entreprise, Morris E. Goodman et associés. De plus, il était en bonne voie de se mériter le trophée du premier rang dans sa profession, une récompense réservée aux meilleurs représentants en assurances.

Et Goodman avait réalisé un autre rêve. Il venait tout juste d'acquérir un avion monomoteur. Survolant la très belle région de la baie de Chesapeake, le 10 mars 1981, il avait la sensation d'être au sommet du monde. Il dominait, comme un oiseau des mers, le paysage sauvage et vierge et admirait le reflet du soleil sur les eaux calmes ; il irradiait en millions de diamants étincelants. Lorgnant vers le bas, il rêvait d'acquérir l'une de ces terres, un domaine surplombant la baie.

En quelques minutes à peine, les rêves de Morris Goodman s'estompèrent. Comme il s'apprêtait à se poser à l'aéroport Scott, le moteur de l'avion fut pris de ratés et tomba en panne. De l'oiseau léger et agile qu'il était, l'avion se transforma en une masse métallique dont Goodman était captif.

Lors de l'écrasement, Morris eut le cou fracturé et des blessures tellement graves qu'on ne crut pas qu'il pourrait survivre. Et s'il y parvenait, ce serait pour quelque temps seulement, dans un état purement végétatif.

Même si le corps de Morris Goodman était à peu près détruit, son esprit était plus fort que jamais. Incapable de parler, de manger ou de bouger, ou même de respirer sans l'aide d'un respirateur, Goodman était déterminé à retrouver l'usage de toutes ses fonctions physiques. *L'homme miracle* est le récit quotidien de son

11

application des principes de la pensée positive et de la force de volonté pure, non seulement pour survivre, mais pour recommencer à vivre pleinement. Pour Morris Goodman, chaque douleur, chaque humiliation et chaque obstacle insurmontable a dû être affronté tête première. Manger un cornet de glace, prononcer un mot, tenir un crayon et se redresser bien droit, toutes ces petites actions quotidiennes que nous tenons pour acquises, étaient une lutte constante pour Goodman.

Pour se fortifier contre les frustrations journalières de la vie à l'hôpital, Goodman écoutait des cassettes de motivation. Tout comme les paroles de Norman Vincent Peale, Zig Ziglar et Bob Proctor l'avaient inspiré pour réaliser ses objectifs dans la vente, ils le stimulaient désormais à atteindre son nouvel objectif : vivre une vie bien remplie et satisfaisante. « Si je peux faire un pas, se disait-il, je peux avancer de mille pas. Si je peux prononcer un mot, je peux articuler tous les mots. »

Au grand étonnement de Goodman cependant, il constata que ses efforts pour reprendre la maîtrise de sa vie rencontraient l'opposition de médecins incapables de voir au-delà de la réalité de sa situation. Pour outrepasser leurs attentes limitées, Goodman dut parfois se battre contre eux, refuser leurs conseils et prendre des risques au péril même de la vie qu'il tentait de retrouver.

En trois mois cependant, l'homme que ces médecins avaient considéré comme un être végétatif pouvait rester assis dans un fauteuil roulant, parler et respirer de lui-même. Un an après l'accident il marchait et vivait chez lui. Au bout de deux ans, il était enfin capable de s'adonner aux passe-temps qu'il aimait plus que tout : la chasse et la pêche.

Dès le départ, les médecins avaient surnommé Goodman « l'homme-miracle. » Mais ce « miracle », on pouvait l'expliquer par la foi, la motivation et le courage humains. Avec l'appui de sa famille, d'amis et de messages de motivation imprégnés dans chaque fibre de son être, Goodman mit lui-même au point les méthodes qui allaient lui permettre d'accomplir de véritables prouesses. Il affirme d'ailleurs qu'en se fondant sur ces mêmes principes de la pensée positive, il est possible pour quiconque le veut d'accomplir des miracles, quels que soient les objectifs ou les obstacles.

Avant-propos

Voici l'histoire vécue du courageux combat d'un homme contre la paralysie généralisée, et de sa victoire en dépit de probabilités infimes ! Au cours de sa lutte, cet homme a conquis son « mont Everest » personnel.

Le philosophe grec Épictète écrivait : « Les hommes ne sont pas influencés par ce qui les entoure, mais par leur façon de percevoir tout cela. » Et le jour tragique où l'avion de Morris Goodman s'est écrasé pour le confronter avec la mort, sa vie a pris un virage inattendu. Lorsqu'ils se retrouvent paralysés à partir du cou, la plupart des gens sont complètement découragés. Incrédules, ils ferment les yeux, et ne les ouvrent que pour se sentir submergés par une vague de colère, de frustration, de mécontentement, de culpabilité, de dépression et de vide. Ces vagues d'émotions s'observent généralement quand les gens voient leur vie brisée, leurs rêves et leur avenir détruits. Mais Morris Goodman a choisi, lui, de ne pas penser à tout ça, et de se créer au contraire de nouveaux rêves et de nouveaux lendemains.

Dans son livre intitulé *Pathfinders*, Gail Sheehy explique comment les personnes exceptionnelles surmontent les difficultés de la vie pour trouver le bien-être. Comme conseiller en réhabilitation auprès de Morris Goodman, j'ai eu l'immense privilège de faire partie de ce processus. Cet ouvrage permet à d'autres personnes de le partager.

Voici l'histoire véridique de l'incroyable cheminement d'un homme, de la tragédie à la réhabilitation, et bien au-delà.

Duane Anderson
Conseiller en réhabilitation

Chapitre 1

Vivre

Il n'y a pas de situations désespérées ;
Il n'y a que des hommes désespérés.

Anonyme

Survolant des champs de verdure, je ressentais l'exquise sérénité d'une âme libérée des problèmes terrestres. Sa voix était familière, bien que différente de tout ce que j'avais déjà entendu ; réconfortante mais ferme, comme celle d'un parent formulant une règle importante ; puissante sans être terrifiante. Je la sentais tout autant que je l'entendais, même si je n'avais aucune notion de ma propre existence physique... ou de la Sienne.

La voix provenait à la fois d'en haut et de derrière moi, alors que j'observais de haut l'épouvantable scène. Je tentai de me retourner, de voir à qui appartenait la voix, mais en vain. Avec une attitude paisible et détachée, j'observai l'équipe de sauveteurs, leurs pronostics remplissant l'air d'une odeur de mort, et un policier qui attendait de noter le moment exact où le décès surviendrait, crayon et calepin à la main. Mon corps brisé baignait dans son sang. L'équipe médicale luttait pour me sauver la vie. Et la voix ne me laissait aucun répit.

« Tu dois retourner à ton corps. Tu as encore bien des choses à terminer, » me disait-elle.

Je ne voulais pas quitter l'atmosphère de tranquillité dans laquelle je baignais, mais je n'eus pas le temps d'y réfléchir.

Tout à coup, j'eus une sensation de vitesse à couper le souffle, et je me vis progressant dans un tunnel obscur en direction d'une lumière intense. Des projections de ma vie, comme des scènes de cinéma, apparaissaient dans la noiceur, se déroulant de plus en plus vite. Les images étaient découpées très nettement, comme par le bistouri d'un chirurgien. À ma gauche défilaient des scènes de bonheur et de réussite : une caille rapportée par mon premier chien de chasse, Mutt ; mon acceptation par la Métropolitaine comme représentant en assurances à plein temps ; mon accession à la Million Dollar Roundtable ; l'obtention de mon brevet de pilote ; mon premier voyage de pêche à bord de mon nouveau bateau, Miss Sash. Et à ma droite, comme pour atténuer l'impact de ces scènes agréables, j'apercevais le spectre de la mort et de l'agonie : les derniers moments de mon père, mon oncle James après sa crise cardiaque, le pauvre vieux Mutt que l'on euthanasiait, la voiture détruite dont j'avais échappé 15 ans auparavant, les funérailles de deux autres oncles que j'avais beaucoup aimés. À l'approche de la sortie du tunnel, les images se brouillèrent à une vitesse toujours plus accentuée.

Désormais conscient de la présence de l'ambulance, j'étais à nouveau vivant. En route du terrain d'aviation situé près du cap Charles, en Virginie, vers l'hôpital Nassawaddox, l'ambulancier Ray Taylor disait : « Tiens bon, mon vieux ; tu vas t'en sortir. » Puis ce fut la douleur, une douleur intolérable. Le moindre cahot était une véritable torture me ramenant à la cruelle réalité de mon corps brisé.

Après un examen effectué dans l'agitation à l'hôpital de Nassawaddox, l'équipe médicale décida que mes possibilités de survivre seraient accrues si j'étais transporté à un hôpital plus important. Mais cela était risqué. Peut-être ne supporterais-je pas le trajet de 65 km jusqu'à l'hôpital général de Norfolk. Dieu merci ils décidèrent de prendre le risque. On me remit à bord de l'ambulance et en route.

Nous roulions lentement, afin de m'éviter de souffrir autant que possible, cependant, ma tension artérielle et mon pouls baissèrent dramatiquement. La douleur était désormais secondaire. « Tu ferais mieux d'accélérer, il ne tiendra pas le coup, » déclara quelqu'un. Roulant ensuite à près de 60 km/h, nous avons bénéficié d'une escorte policière à la fin du pont-tunnel de la baie de Chesapeake, et la douloureuse randonnée franchit enfin le seuil de l'hôpital.

L'équipe de plus d'une demi-douzaine de préposés aux soins d'urgence, hautement spécialisés, attendait mon arrivée. Mon médecin de famille, le docteur Andy Fekete, un chirurgien spécialiste du rein et un ami, le docteur Eugene Poutasse et un très talenteux neurochirurgien, le docteur Berkley Rish, se joignirent à l'équipe médicale d'urgence. On examina les radiographies prises à Nassawaddox et on découvrit, pour la première fois depuis l'accident, que j'avais le cou fracturé.

Cette terrible journée avait commencé comme un beau rêve. C'était le 10 mars 1981. Moins de 24 heures plus tôt, j'avais acheté mon avion, un Cessna 172. En traversant en voiture le tunnel de la baie de Chesapeake cet après-midi-là, je me rappelais mon premier vol solo. (Je n'avais que quelques heures de cours à mon actif, mais j'effectuais des exercices d'atterrissage impeccables ce jour-là). Après un certain temps, mon instructeur, Harold Tarkington, était revenu à la base, avait posé l'appareil sur la pelouse et était sorti.

« Que diable faites-vous ? lui demandai-je.

— Il est à vous, répondit Harold.

— Attendez un instant. Je ne suis pas prêt ! protestai-je.

— Tout ira très bien, dit Harold. Rappelez-vous d'utiliser la chaleur du carburateur, d'être attentif et de rester à 244 m d'altitude, et tout ira très bien. » Sur ces mots, il referma la portière. « Je vais vous observer, et si tout va bien, je vous ferai des signes, et vous pourrez tenter un autre atterrissage.«

L'avion se trouvait à l'intersection de deux pistes, le vent dans le dos. J'étais censé roulé jusqu'à la bonne piste et décoller avec un vent de front. Dans mon emballement, je l'oubliai. Je me retrouvai roulant à toute vitesse avec le vent *dans le dos*; les arbres approchaient rapidement et l'avion refusait de décoller. Fermant les yeux, je tirai de toutes mes forces sur la manette. L'appareil s'arracha enfin du sol, mais je ressentis un choc et j'entendis toutes sortes de bruits.

Quand j'ouvris les yeux, des branches d'arbres étaient suspendues aux ailes. Mon coeur battait à une vitesse folle. L'altimètre m'indiqua que j'avais grimpé à 914 m. J'interrompis l'ascension et je tentai de me calmer. Dans une conversation coeur-à-coeur avec Dieu, je déclarai que j'y réfléchirais avant de monter une autre fois à bord d'un avion, à condition bien sûr de revenir sur terre ! Je me calmai suffisamment pour me poser. Après toutes sortes de bonds sur la piste, j'immobilisai enfin l'appareil.

Harold était là, debout au milieu de la piste, agitant nerveusement les bras.

« Voulez-vous que je recommence ? » lui demandai-je. Sa réponse est impubliable. J'imagine que j'avais causé assez de dommages pour le moment.

Eh bien, j'ai tenu ma promesse de ne pas tenter le destin… pendant un certain temps. Mais je commençai bientôt à trouver des excuses, comme nous le faisons tous. Si je pouvais passer

19

à travers cette difficulté, plus rien ne pourrait m'arrêter. Je repris mes leçons, j'obtins mon brevet puis je concentrai mes efforts sur la maîtrise des insruments et je complétai cette phase de ma formation.

À la suite de ce premier vol solo, je connus ma part de pannes de moteur et de décollages difficiles. Mais l'exubérance que je ressentais en survolant les vagues de l'océan et en sillonnant le ciel bleu transcendait toute crainte.

Un ami, Doug Martin, devait venir avec moi ce mardi-là, mais un rendez-vous d'affaires imprévu l'obligea à y renoncer. Je me dirigeai donc seul vers mon destin.

Le temps était clair et calme ; un temps parfait pour une randonnée au-dessus du paradis. Page Scott, un fermier et un ami qui possède une petite piste d'atterrissage recouverte de pelouse, fit le plein et prépara mon avion. Je retirai ma veste et ma cravate ; j'étais impatient de décoller. Après une vérification d'usage, je fis vrombir le moteur et je me mis en position de décollage. Les roues de l'appareil quittèrent bientôt le sol et je pris mon envol, libre et majestueux comme une bernache du Canada. Je montai à 244 m et me dirigeai vers la baie de Chesapeake. En survolant la crique de Cherrystone, je fus frappé, comme toujours, par la beauté, sauvage et vierge, qui se déroulait sous mes pieds. Je me rappelai de belles journées de chasse et de pêche. Un jour je posséderai une partie de ces terres, me disais-je. Je construirai une maison au bord de l'eau et je finirai mes jours dans ce paradis.

Je tournai vers le nord, longeant la baie en direction de Kellam Field. Je me posai en douceur sur la courte piste gazonnée, puis, après avoir fait le plein (82 l de carburant), je décollai à nouveau. Me dirigeant vers la mer, j'atteignis les îles Barrier, de merveilleuses bandes de sable et de verdure côtière, où je descendis à 8 m, presque au niveau de l'eau. Cela me donnait toujours la sensation d'être une mouette frôlant la crête des vagues.

Une fois rendu à Fisherman's Island, je remontai à 244 m et je m'apprêtai à rentrer. Le soleil se couchait, se reflétant sur l'eau — un million de diamants juste pour moi. J'étais en paix avec l'univers.

Cinq minutes plus tard, le terrain de Scott était en vue, je me préparai à atterrir. Après avoir tourné en rond autour du terrain afin d'étudier la direction du vent, j'amorçai mon approche. Il était assez difficile d'atterrir sur cette piste ; elle n'avait que 396 m de longueur et il fallait passer au-dessus de fils électriques, alors l'approche devait être lente. Je réduisis ma vitesse à 120 km/h et j'inclinai les ailerons de 20 degrés. Après un dernier virage, je donnai un angle maximum aux ailerons et je maintins un régime de 2 200 tours minutes, réduisant ma vitesse entre 105 et 113 km/h. Tout allait rondement.

Soudain, sans aucun avertissement, le moteur perdit de sa puissance. Le régime tomba à 800. J'aperçus les fils électriques devant moi, au niveau du pare-brise. De l'oiseau que j'étais à peine 10 min auparavant, j'étais maintenant devenu une masse de métal lourdement attirée vers le sol. Alors c'est à cela que la mort ressemble, pensai-je. Sans la moindre panique, je poussai les gaz à fond et je m'apprêtai à redresser les ailerons, déterminé à éviter le pire. Le moteur refusa de répondre. Jurant comme un marine, je percutai les fils électriques et j'assistai à l'impact du nez de l'avion percutant le sol. Tout devint noir.

Plus bas, sur la piste, Page observait attentivement mon approche. Constatant que je n'avais pas assez d'altitude pour éviter les fils, il cria nerveusement : « Remonte, Morris, REMONTE ! » Puis il s'abrita derrière sa maison, alerté par une sorte de sifflement, et il évita de justesse un câble à haute tension qui fendait l'air, toujours relié à un pylône métallique. Avec une sorte de grondement, le câble écrasa un côté de la voiture de la fille de Page.

Ray Taylor se trouvait dans le hangar de Page, travaillant à son propre avion quand il entendit le grondement et se rendit compte qu'une panne de courant s'était produite. Il se rua à l'extérieur pour voir ce qui se passait, et fut accueilli par une vision de cauchemar.

Ce qui restait de l'avion gisait sens dessus dessous. Sous l'impact, il avait basculé et les ailes étaient arrivées à plat sur le sol. Chacune des ailes contenait un réservoir d'essence, mais les deux réservoirs avaient miraculeusement tenu le coup. Des étincelles partout ; les câbles emprisonnaient l'appareil comme la toile d'une araignée noire. Plusieurs câbles avaient enflammé la pelouse.

S'emparant d'un extincteur, Page s'empressa d'éteindre l'incendie avant qu'il n'atteigne l'avion. Puis il mit hors tension le système d'alimentation électrique et le démarreur afin d'éviter tout risque d'incendie ou d'explosion.

« Aide-moi à le sortir par le pare-brise ! » cria Page à Ray. Ensemble, ils m'extirpèrent de la carcasse et m'étendirent sur le sol.

Page alerta les sauveteurs et téléphona à un médecin de la localité. Ray entreprit de me faire la respiration artificielle. J'étais mort sur le coup et il tentait de me ramener à la vie. Il lui fallut cinq à sept terribles minutes avant que mon corps réagisse à ses efforts. Page venait tout juste de raccrocher le combiné quand le téléphone sonna.

« À quelle heure Morris rentrera-t-il pour dîner ? » lui demanda ma femme Sandy. Page, qui était généralement un homme calme, avait du mal à garder son sang-froid.

« L'avion de Morris vient de s'écraser, et l'ambulance est en route. Je te passe Mary ; je dois retourner sur le terrain ! » cria Page en remettant brusquement le combiné à sa femme. Puis il se rua à l'extérieur pendant que Mary expliquait à Sandy qu'elle irait la chercher dans 45 minutes pour l'amener à l'hôpital.

Quelques minutes seulement après l'écrasement, les sauveteurs et le docteur Thomas Hardman arrivaient dans la petite ville de Cape Charles. On m'installa rapidement à bord de l'ambulance, et nous nous mîmes en route pour Nassawaddox, situé 25 km plus loin. Vingt-deux minutes après l'écrasement, j'entrais dans la salle d'urgence.

J'avais été mort ; je m'étais senti séparé de mon corps ; je m'étais vu, ravagé et sanglant, étendu dans la salle d'urgence de Nassawaddox. Et maintenant j'étais vivant. Pendant mon transfert vers l'hôpital général de Norfolk et mon entrée en salle d'urgence, je pouvais entendre les propos inquiets et craintifs de mes amis. Les mouvements du personnel hospitalier me confirmaient la gravité de la situation. La douleur devenait intolérable, mais je persistais à me dire que tout allait s'arranger.

Il m'aurait été si facile de m'abandonner au sommeil paisible et sans douleur que l'on appelle la mort : tout le monde s'y attendait. Au cours de mon transport à l'hôpital général de Norfolk, ma moelle épinière avait dû s'endommager. La moitié des muscles et des ligaments de mon cou étaient détruits. Mon cou était fracturé au niveau de la première et de la seconde vertèbre. J'avais eu la mâchoire fracassée, et j'avais l'impression que tous les os de ma figure étaient fracturés. Mais je ne m'étais pas cassé une seule dent ! Je devais avoir la bouche ouverte au moment de l'impact ; j'avais juré contre cet avion jusqu'à ce que je touche le sol.

Mon larynx et mes cordes vocales étaient écrasés, et je ne pouvais pas parler. Les nerfs de mon diaphragme étaient tellement endommagés qu'il ne fonctionnait plus, alors je dus subir une trachéotomie (on introduisit un tube après avoir pratiqué une incision sur le devant du cou) et on me brancha à un respirateur. Je ne pouvais respirer par mes propres moyens.

J'étais incapable d'avaler, ce réflexe était aussi grièvement endommagé, alors on décida de me nourrir par intraveineuse. Mes intestins, ma vessie et mes reins ne fonctionnaient pas non plus.

Si je ne mourais pas au cours des prochains jours, mon avenir s'annonçait peu reluisant : mon état serait végétatif.

Je savais qu'il me faudrait du temps, de la détermination et du courage pour survivre. Il m'aurait été facile de prendre un billet pour le premier vol vers l'au-delà. Le coût n'aurait pas été très élevé. Mais je ne suis pas un acheteur, mais un vendeur. Je persistai à me convaincre que n'importe qui pouvait décider de prendre la fuite. Mais au contraire, tenir le coup et lutter serait un défi très intéressant. Si l'ange de la mort venait me chercher, il allait devoir faire face au plus grand combat de sa carrière.

Sans aucune hésitation, je pris ma décision. Je choisis de me battre et de vivre. Et, comme le confirmera quiconque me connaît, une fois que j'ai pris une décision, je ne change pas d'idée. Toute ma vie on m'a accusé d'être entêté, et c'est probablement juste. Mais sitôt que je me dote d'un plan d'action, je me fixe un but à atteindre, je remue ciel et terre pour le réaliser. La capacité de travailler à la réalisation d'un but unique et d'y consacrer 100 % de mes énergies mentales, voilà ce qui fait que je suis encore de ce monde aujourd'hui.

À l'arrivée de l'ambulance à l'hôpital général de Norfolk, de nombreux amis et parents se trouvaient assemblés aux portes de la salle d'urgence. Grâce au téléphone, la plupart de ceux qui me sont chers avaient entendu parler de l'accident et étaient venus voir ce qu'ils pouvaient faire. La personne que l'on retira de l'ambulance surprit sans doute tout le monde. J'étais méconnaissable ; j'avais le visage sanglant et enflé, les yeux noircis et le cou gonflé.

Le médecin de ma mère était l'un de ceux qui espéraient avoir des nouvelles de mon état. Ce qu'il vit confirma ses pires craintes ; j'allais probablement mourir bientôt. Cela allait sans doute provoquer le trépas de ma mère. Au cours des dernières années, elle avait subi un accident cardiaque et plusieurs dépressions nerveuses. Cela allait la tuer à coup sûr.

Avec beaucoup de courage, Pat Waldo, ma soeur, se rendit chercher maman, consciente qu'elle risquait de mourir sur place. S'adressant à son amie Pat Webb et à ma tante Herzberg, elle leur dit : « Je m'attends à des doubles funérailles. Nous allons enterrer mon frère, et le lendemain ce sera ma mère. » Quand ma soeur se rendit à l'hôpital en compagnie de maman, elle demanda à Pat Webb de s'informer de ma condition. Si j'étais mort, il lui faudrait préparer maman d'abord. Les regards de chagrin et de sympathie risquaient de constituer un choc trop important. La situation s'avérait délicate, même si j'étais encore vivant. Pat Webb revint à la voiture.

« Il est vivant, mais son état est extrêmement critique, » dit-elle.

J'ai dû finir par m'évanouir dans la salle d'urgence de l'hôpital de Norfolk. Je me réveillai dans un décor de science-fiction. Des fils reliaient mon corps à d'étranges machines qui clignotaient et laissaient entendre des bruits bizarres, donnant à la pièce sombre une apparence d'un autre univers. Étais-je toujours vivant ? Oui. Grâce à ces créatures métalliques, mes fonctions vitales étaient maintenues : respiration, pompage, circulation, surveillance. Mon cerveau ne pouvait plus contrôler le chaos des impulsions nerveuses et le fonctionnement des organes vitaux.

Au début, seules ma femme et ma soeur avaient le droit de me rendre visite à l'unité des soins intensifs. Les traits de Sandy me confirmèrent que j'étais encore sur terre. La peur et la tristesse étaient réelles. Je pouvais entendre et j'étais tout à fait conscient de ce qui se disait, mais je ne pouvais que cligner des paupières pour leur montrer que j'étais conscient de leur présence. Le 14 mars, le docteur Rish leur avait dit, que je n'avais conscience de rien et que je ne pouvais répondre à leurs questions.

« Tu sais que tu vas mourir, n'est-ce pas ? » me demanda ma soeur.

J'ouvris démesurément les yeux, choqué et incrédule.

« Il comprend, il comprend ! » cria Pat au médecin en courant dans le couloir. « Je viens de lui dire qu'il allait mourir et je lui ai fait une peur bleue.

— Il est psychotique, répondit le médecin. Il ne comprend rien à ce que vous dites. »

C'était la première fois que je dépassais les attentes et expertises de mes médecins. Ils fondaient leurs opinions sur les résultats de tests et sur des cas antérieurs. Je modulais les miennes sur la volonté pure, une volonté de vivre et de guérir complètement.

Le concept classique de la pensée positive — une conviction profonde en ce potentiel illimité que chacun de nous possède — m'avait permis d'accéder au sommet du succès dans la vente avant mon accident. En 1980, j'étais éligible à l'exclusif *Top of the Table club*. Je faisais partie des 300 meilleurs agents d'assurances du monde libre. Cette année-là, pour faire partie du club, un membre devait vendre 8 000 000 $ d'assurances permanentes. Je m'étais fixé un objectif de 15 000 000 $ pour 1981 et j'étais en bonne voie de réussir : j'avais déjà conclu 4 000 000 $ de ventes et je prévoyais un autre 4 000 000 $ au moment de mon accident. Mais un tel succès semblait très peu envisageable au cours de l'été de 1970. J'avais abandonné mes études universitaires, et je n'avais pas le moindre but.

Le changement se produisit à l'achat d'un livre de poche intitulé *Réfléchissez et devenez riche** de l'auteur Napoleon Hill. Le livre resta là, non touché dans ma chambre, pendant une semaine. Mais aussitôt que j'en entrepris la lecture, il devint une obsession. Après les 10 premières pages, j'étais gagné. Je ne pus dormir avant de l'avoir terminé. Puis je le relus, en soulignant les mots et les phrases clés. À la troisième lecture, je pris des notes. Le message du livre était simple. Tout ce que l'esprit de l'homme peut concevoir et croire, il peut le réaliser.

J'avais des membres de ma parenté dans le secteur de l'assurance, et je connaissais leurs succès et la vie aisée qu'ils menaient,

---

* Publié sous format de cassette aux éditions Un monde différent

mais jusqu'à ce jour je ne m'étais consacré à aucun travail spécifique. Serais-je à la hauteur? Je ne m'étais jamais considéré comme un représentant. Après avoir lu et relu le livre de Hill, j'étais convaincu de pouvoir faire tout ce que je voulais.

Les résultats des tests révélèrent que je n'avais aucune aptitude pour la vente, mais ces tests ne comportaient aucun élément permettant de mesurer l'ambition, la persistance, l'initiative, la volonté, la motivation, l'attitude et des centaines d'autres éléments intangibles. Plus on me disait que je ne pouvais pas vendre d'assurances, plus j'étais certain de le pouvoir. Mon oncle Myer Herzberg eut pitié de moi et m'obtint un rendez-vous avec Fred Bashara de la Métropolitaine après que d'autres compagnies m'eurent informé que je n'étais pas fait pour ce genre de travail. Si Fred m'avait jugé sur ma seule apparence, les choses ne seraient pas allées plus loin. Je me présentai avec les cheveux longs et vêtu d'un pantalon bleu marine, d'un veston sport de couleur rose, d'une chemise rayée et d'une cravate rayée. J'ai dû lui dire ce qu'il fallait cependant, car il accepta de me mettre à l'essai. Je ne le déçus pas. Je fis partie de la *Million Dollar Roundtable* — un seul agent sur 150 environ se qualifie chaque année — dès la première année.

En 1973, je commençai à m'intéresser à la planification fiscale et immobilière, et je me mis à lire et à étudier tout ce que je pouvais trouver sur le sujet. Des collègues me mirent en garde, m'informant qu'il me faudrait une période de transition de plusieurs années avant de pouvoir en tirer de quoi vivre. Mais je cessai de vendre de l'assurance-vie et j'amorçai un changement de 10 semaines, avec très peu de revenus. Ma compagnie menaça de me congédier. Mais ma détermination donna de bons résultats. Cette année-là je doublai ma production, qui allait augmenter régulièrement au cours des années suivantes.

Mais désormais, c'est la vie qui était l'enjeu, et non pas un nouveau client ou une augmentation des primes. Des années de messages de motivation me revinrent en mémoire. Les mots célèbres de Norman Vincent Peale, «Les seules personnes qui n'ont pas de problèmes sont dans les cimetières», avaient désormais une signification plus importante à mes yeux. Pour moi, le moment était venu d'évaluer l'intensité de ma confiance en moi-même. Le doute n'avait pas sa place, pas plus que l'hésitation ou l'incertitude. Ne pas réaliser cet objectif signifiait ne plus jamais réaliser aucun objectif.

L'auteur et motivateur, Bob Proctor, me revint souvent à l'esprit pendant cette période difficile. Je me rappelais deux phrases qui me donneraient la force d'ignorer les prophéties peu encourageantes des gens qui m'entouraient : « Si tu ne peux te voir faisant quelque chose, tu ne le feras jamais » et « On ne peut dépasser les limites que l'on s'impose si l'on n'améliore pas son image personnelle. » Si mes attentes devaient régir ma vie, il me faudrait viser haut !

Je devais non seulement être déterminé à atteindre mes objectifs, mais il me fallait aussi lutter contre les prévisions négatives de mes médecins. Leur désir de m'éviter tout faux espoir aurait pu me tuer. Ils voulaient m'épargner des déceptions. Ils étaient conscients des probabilités et s'efforçaient de me les expliquer. Ils voulaient que je sois réaliste. Je refusais d'accepter *leur* réalité ; je voulais créer la mienne.

Zig Ziglar, le motiveur qui m'a inspiré plus que tout autre, a formé un terme pour décrire cette situation : sinda, c'est-à-dire « sensible aux influences négatives des autres. » Des études démontrent que les attentes négatives des autres se réalisent souvent. Les enseignants, patrons, conjoints, parents, médecins limitent souvent une personne. Si vous acceptez de telles limites, vous ne les dépasserez jamais. Mais c'est à vous de vous en défaire. Faites appel à la confiance en soi, et vous irez aussi loin que vous le désirez.

Je m'étais débarrassé de ces limites. Il ne me restait plus qu'à aller de l'avant. D'un clignement des paupières, j'acceptai de subir une opération qui n'avait jamais été tentée, et qui comportait une chance de survie sur mille. Sans cette opération, de l'avis des experts, j'allais devoir rester alité et j'allais probablement dépérir et mourir. En subissant l'opération et à condition qu'elle réussisse, toujours de l'avis des experts, je serais capable de m'asseoir dans un fauteuil roulant... un jour. Je n'eus aucune hésitation quand le médecin me demanda mon approbation. Je me dis que j'allais jouer un tour à tout le monde et m'en tirer, pour poursuivre ensuite ma guérison.

À l'exception de ma belle-mère, personne ne partageait mon optimisme.

Quand on me transporta de l'unité des soins intensifs à la salle d'opération, le couloir était rempli des visages de mes amis et des membres de ma famille. Tous croyaient qu'ils me voyaient vivant pour la dernière fois. Mes oncles Pete et Sydney allèrent prier pour moi. Ma femme demeura auprès de ses parents. Ma belle-mère disait à tous que j'allais m'en tirer, mais cela semblait impossible à croire.

L'opération dura près de neuf heures. On remplaça les ligaments endommagés de mon cou par des pièces d'un plastique spécial. Mon cou fut stabilisé de la première à la quatrième vertèbre cervicale. Tout était maintenu en place grâce à des fils métalliques. Tout cela était si exigeant pour mon corps déjà considérablement affaibli, et le traumatisme était si grave qu'il allait falloir un miracle pour que je survive.

Quand les médecins quittèrent la salle d'opération, ils ne se rendirent pas compte de la présence de la mère de ma femme. Essuyant la sueur de son front, un des médecins se tourna vers un collègue et dit : « Je ne comprends pas que ce gars soit vivant après tout ce que nous lui avons fait. Je n'ai jamais rien vu de pareil de toute ma vie. »

J'avais survécu en dépit des probabilités.

Le docteur Rish informa ma famille que j'avais passé à travers l'intervention. Il souligna que les 48 prochaines heures seraient critiques. Le résultat dépendait de la lutte que j'allais livrer. Mes chances de survie étaient toujours très minces.

Et qu'arriverait-il si je m'en sortais ? L'avenir n'était pas très rose.

« S'il survit, il sera paralysé, » expliqua le docteur Rish.

« Il ne pourra que cligner des paupières pendant le reste de ses jours. Ce que je peux vous dire de plus encourageant, c'est que dans 20 mois il pourrait, et j'insiste sur le mot pourrait, se tenir dans un fauteuil roulant sans être attaché. » J'étais presque assuré de finir mes jours dans un centre spécialisé et de vivre une vie courte et inutile.

On me brancha à nouveau à des monstres mécaniques qui me servaient d'organes vitaux. La solitude était pire que la douleur. Je n'étais séparé des autres patients et de nombreuses infirmières que par une distance de quelques pieds, mais je me sentais isolé, coupé du monde extérieur. Incapable de communiquer avec autrui, j'étais privé de la stimulation dont mon cerveau avait tant besoin. Il m'aurait été facile de laisser errer mon imagination et de me créer des scénarios de peur et de désastre. Pour une raison ou une autre, les pensées négatives et destructives se multiplient sans aucun effort. Ce sont les images positives et constructives qui nécessitent une quantité énorme d'énergie mentale.

Je pouvais abandonner, et personne ne me l'aurait reproché. J'avais tellement souffert. Je détenais si peu de raisons de vivre. Une vie d'angoisse et d'humiliation m'attendait. J'aurais moins d'autonomie qu'un nouveau-né. Et j'allais constituer un poids énorme pour ma famille et mes amis.

Mais ce n'était pas ce que *je voyais*. Je croyais de tout mon coeur et de toute mon âme que je serais normal un jour, que je ne serais pas branché à des machines, que je parlerais, qu'on ne m'alimenterait pas à l'aide de tubes, que je ne serais pas confiné à un fauteuil roulant, que je ne passerais pas le reste de ma vie en institution. J'allais vivre. Je savais que le combat serait long et difficile. Il me faudrait compter sur ma propre foi : personne d'autre n'était assez fou pour penser que Morris puisse redevenir une vraie personne.

J'avais déjà contré le destin. Ma carrière en faisait foi, mon opération aussi. À partir de ce moment, j'allais m'envisager moi-même comme la personne que j'étais, et non comme l'invalide que tous les autres voyaient. Et jour après jour, je me répétais une histoire. Je l'avais entendue dans le cadre d'une conférence de Zig Ziglar. Elle s'était déroulée au cours de la Seconde Guerre mondiale et cette histoire me donna le courage de continuer. La voici :

Pendant une campagne sanglante, le général Creighton W. Abrams jr et ses troupes furent complètement encerclés par l'ennemi. Il convoqua ses officiers supérieurs afin de discuter de la question. Plutôt que d'adopter une attitude négative, le général annonça : «Nous avons maintenant une occasion que nous n'avons jamais eue depuis le début de cette campagne. Pour la première fois, nous avons la chance d'attaquer l'ennemi dans toutes les directions. »

Chacun des mes organes endommagés, chaque os fracturé et chaque membre inutilisable était mon ennemi. Je pouvais les laisser me détruire ou les affronter, un à la fois. Ainsi commença mon combat pour la vie.

Chapitre 2

Communiquer

L'isolement est le pire des conseillers.

Miguel de Unamuno

Enfin, le 17 mars arriva, le jour de mon transfert de la solitude de ma chambre à l'aire ouverte de l'unité des soins intensifs. Je n'avais passé que sept jours dans cette chambre privée, mais cela m'avait semblé une éternité. On m'installa en compagnie de neuf autres patients, juste en face du bureau des infirmières. L'endroit était clair et bourdonnant d'activité, et non plus obscur et fermé. Auparavant, il pouvait s'écouler deux heures sans que je ne voie personne, mais maintenant il se trouvait des médecins et des infirmières partout. Je ne pouvais communiquer verbalement, mais je commençais à me sentir en contact avec mon environnement. Dépassée cette aliénation où je m'étais cru confiné, j'avais désormais la sensation d'entretenir des rapports chaleureux avec les autres.

Le seul membre dont j'avais l'usage, ma jambe droite, devint mon moyen de demander de l'aide. Ensuite les infirmières essayaient de deviner ce dont j'avais besoin. Elles me posaient des questions auxquelles je répondais en clignant des paupières : un clignement pour oui, deux pour non. La plupart du temps nous réussissions, même si le procédé était épuisant, frustrant et lent. Ma soeur et moi avions beaucoup plus de facilité à communiquer ; on aurait dit qu'elle lisait dans mes pensées. Avec sa formation en éducation spécialisée, Pat savait à quel point cela était épuisant. Elle entreprit la mise au point d'un nouveau système assez simple pour être assimilé rapidement, bien que suffisamment détaillé pour que l'on puisse déterminer mes besoins avec un minimum de questions.

Mon état se stabilisait, et on me permit de recevoir plus de visiteurs. J'avais de plus en plus besoin de communiquer avec ces gens, qui parfois parcouraient de longues distances pour me voir, et j'étais impatient de voir le système de communication au point, prêt à être utilisé.

Le jour de la Saint-Patrick, le code était prêt et il connut un succès instantané. (Voir les divers codes et leurs clés à la fin du livre). Il y avait d'abord la « carte du corps » : une grande feuille de carton où l'on avait dessiné la silhouette d'un corps, divisé en éléments numérotés. Nous nous servions de ce carton lorsque je ressentais de la douleur. Les questions d'ordre général, auxquelles je répondais par oui ou par non en clignant des paupières, déterminaient si l'on parlait du dos ou du devant du corps, et si la douleur se situait au-dessus ou au-dessous de la ceinture. Puis nous localisions la douleur sur la carte en procédant par élimination.

Une seconde carte portait le titre de « Sujets clés » et comportait une liste de sujets que nous devions aborder fréquemment. Il y avait aussi une carte « personnes » où étaient consignés les noms de membres de la famille, d'amis, de personnes liées au travail et du personnel médical ; cette carte s'accompagnait d'une autre carte où étaient consignés les numéros de téléphones.

La « carte-alphabet » était la plus importante de toutes. Pendant les trois mois qui suivirent, elle me permit de communiquer avec le monde extérieur. Contrairement aux cartes que l'on utilise habituellement dans les hôpitaux et les centres de réhabilitation, qui ne comportent que deux groupes de lettres, A à M et N à Z, la carte conçue par ma soeur avait été divisée en quatre parties, chacune d'elles comportant deux lignes. En clignant des paupières pour indiquer la partie que je désirais, je pouvais rapidement éliminer plusieurs lettres, ce qui m'évitait d'avoir à rejeter une à une la moitié des lettres de l'alphabet.

Une fois familier avec ce code, je me limitai à cligner des paupières seulement quand on m'indiquait la partie désirée. Puis, selon ma réponse affirmative ou négative, ma soeur savait sur quelle ligne la lettre recherchée se trouvait. Bientôt nous étions capables de trouver la lettre voulue bien plus vite : je n'avais qu'à fixer mon regard sur cette lettre.

Après 10 minutes d'exercices, la plupart des gens pouvaient facilement « parler » avec moi. Pendant la première semaine, Pat me servit d'interprète auprès des visiteurs. Ensuite mes amis, les infirmières et les médecins se familiarisèrent suffisamment avec le système pour donner une brève leçon aux nouveaux-venus.

Si j'excepte les membres de ma famille, Doug Martin a été un de mes premiers visiteurs. C'était l'ami qui était supposé m'accompagner le jour de l'accident. En entrant dans la salle des soins intensifs, il regarda chaque patient, s'efforçant de me trouver. Mais j'étais méconnaissable. On m'avait rasé la tête lors de ma dernière opération, mon visage et mon cou étaient si enflés qu'ils avaient deux fois leur taille normale, et mes yeux étaient exorbités et noirs.

« Où est Morris ? » demanda Doug. Mon apparence lui causa un choc. Je suis certain qu'il s'était posé bien des questions depuis le jour de l'accident, car il devait m'accompagner et avait dû changer ses projets à la dernière minute.

Après avoir parlé de mon état, nous avons parlé de mon entreprise. Doug m'assura qu'il ferait le nécessaire pour que tout aille bien jusqu'à ma guérison. Au moment de l'accident, j'avais plusieurs dossiers en cours avec la Union Mutuelle, une compagnie que Doug représentait. Son aide allait être inestimable au cours des prochains mois.

Je faisais du courtage pour le compte de plusieurs compagnies et mes clients étaient d'importantes corporations et des gens aisés de plusieurs États, alors il allait être très difficile de mettre de l'ordre dans mes finances. J'avais mis sur pied, au cours des huit dernières années, une importante entreprise dans le secteur de la planification fiscale et immobilière. Je gagnais un salaire de plus de 100 000 $ et il était réaliste pour moi de compter atteindre un revenu d'un demi-million d'ici cinq ans. À l'exception de commissions modestes, ce projet s'était effondré à la suite de l'accident.

Landon Browning, un autre ami, était un ex-associé. Il en connaissait plus long que quiconque sur mon entreprise. Alors quand il me rendit visite, je lui confiai tout. Il s'occupa de maintenir mon entreprise à flot alors qu'elle menaçait de sombrer irrémédiablement.

Melvin Friedman, éminent avocat de Virginia Beach et partenaire de pêche, joua également un rôle majeur dans la gestion de mon casse-tête financier. Ma femme Sandy n'était pas au courant de ma situation financière. Je me rendais compte brusquement qu'elle serait incapable de survivre financièrement à moins que quelqu'un ne lui vienne en aide. Avec son accord, je retins les services de Mel. Il pourrait agir de manière impartiale à titre de tierce personne et suggérer les décisions qui s'imposaient en se fondant sur des données juridiques valables. Cela me soulagea.

Mais il restait encore un pas majeur à franchir. Il était urgent de déclarer faillite. Mel comprenait. Il avait dû être horrifié en prenant connaissance de ma situation financière. Au cours des derniers mois, j'avais perdu des centaines de milliers de dollars en spéculant sur l'or et l'argent. Pour couvrir mes pertes, j'avais emprunté de grosses sommes de plusieurs banques. J'avais été obligé de prendre une deuxième et une troisième hypothèque sur ma maison. J'en étais rendu à avoir besoin de 7 500 $ par mois pour tout payer. Mais j'étais quand même confiant de pouvoir tout arranger et rembourser mes dettes.

J'avais une grande capacité de revenus. Les affaires allaient très bien. J'avais plusieurs contrats importants en vue qui allaient me rapporter beaucoup d'argent. Mais je ne pouvais plus me raconter d'histoires. Sans moi, les contrats en cours ne seraient jamais signés. Ils nécessitaient des connaissances spécialisées que moi seul possédais. Tout était axé sur une question de confiance entre mes clients et moi. Il m'était impossible de confier ces dossiers à une autre personne.

La faillite! C'était presque impensable. Toute ma vie, je m'étais flatté de l'excellent taux de crédit dont je bénéficiais auprès de nombre d'institutions prêteuses de la région de Tidewater. J'étais en mesure d'emprunter beaucoup plus que ne le justifiaient mes revenus, et ce, sur une simple signature. Les banquiers me faisaient confiance. Je leur avais démontré par le passé que lorsque je promettais de rembourser un prêt à une date donnée, je tenais parole. Jamais on n'avait pu me faire de reproches en ce sens.

Mais désormais tout était différent. Ma principale préoccupation était d'assurer la survie financière de ma femme. Quelques mois plus tôt, j'avais annulé une police d'assurance qui m'aurait rapporté 2 500 $ par mois en cas d'invalidité. J'avais prévu de prendre une meilleure assurance, mais j'avais sans cesse remis au lendemain mon examen médical. Il était trop tard.

Heureusement, j'avais 1 600 000 $ d'assurance-vie. Les primes de ces polices s'élevaient à plus de 30 000 $ par année, mais une clause d'incapacité prévoyait que les compagnies devaient payer les primes pendant tout le temps où je ne pouvais travailler. La valeur de ce capital s'accroissait de plus de 30 000 $ annuellement. Cela allait permettre à Sandy de bénéficier d'un revenu de 2 500 $ par mois pour sa subsistance. Cependant, les premiers versements n'allaient être faits qu'après une période initiale de six mois.

En attendant, je voulais assurer la sécurité de Sandy. Certaines rentrées d'argent provenaient de renouvellement de polices d'assurance-vie vendues dans le passé. Quand un agent en vend une, il touche une commission la première année, puis une commission additionnelle chaque année où la police demeure valable. Elle avait donc des revenus. Mais à la suite d'une déclaration de faillite, tous mes renouvellements iraient aux banques. Si j'avais su tout cela à l'époque, je ne sais pas si le stress m'aurait été supportable.

Et il y avait l'accident lui-même. Il fallait que je m'assure que tout le monde comprenne que l'écrasement était imputable à une panne mécanique, et non pas à une erreur de pilotage. Je communiquai à Page Scott, témoin de l'écrasement : « Écrasement pas ma faute — panne de moteur — maintenu 2 200 tours — baisse à 800 tours — donné toute la puissance — tours pas augmenté. » Cette brève explication m'enleva un terrible poids. Page déclara qu'il comprenait et qu'il allait s'occuper de la situation.

Le temps s'écoule étrangement à l'hôpital. Les minutes semblent durer des heures si personne ne vous tient compagnie, quand vous attendez de passer des radiographies, étendu sur une table dure comme de la pierre, quand des médecins et des techniciens palpent votre peau enflée pour évaluer les dommages et les progrès, quand des infirmières exécutent des tâches nécessaires, mais très personnelles, comme vous donner des bains ou stimuler vos intestins.

Certains jours semblaient durer une éternité. Je ressentais de constantes et atroces douleurs. Je dormais peu souvent et très mal. Au début, quand je fermais les yeux, je revivais l'écrasement : c'était toujours les mêmes images qui revenaient sans cesse. Je voyais les fils électriques, puis l'avion piquer du nez vers le sol, puis l'obscurité. Ou alors je revoyais le tunnel, la lumière et les images de ma vie, aussi claires que la première fois.

Sitôt mon état stabilisé, ces visions se firent moins fréquentes. Mais mon sommeil était interrompu par les divers traitements que l'on m'administrait : les prises de sang, les radiographies, les bains, les changements de la literie, la rotation de mon corps pour éviter les lésions à l'épiderme. La nuit et le jour n'existaient plus. Tout ce qui importait, c'était la question : « Combien de temps avant les visites ? »

Chaque jour, pendant les heures de visite de l'après-midi et de la soirée, le temps passait très vite. Les quelques heures dont je disposais pour voir ma femme et le reste de ma famille et de mes amis semblaient s'écouler en quelques secondes. Généralement un flot constant de personnes me rendaient visite. Le fait de savoir que tant de gens se préoccupaient de ma santé m'était d'un plus grand secours que n'importe quelle drogue ou n'importe quel traitement, car cela provoquait la guérison « de l'intérieur ». Cela me donnait encore plus de force, de volonté de lutter pour ma vie, tant pour tout ce monde que pour moi.

Sandy, ma femme, venait presque chaque jour. Les jours où elle ne venait pas, je constatais à quel point j'avais besoin d'elle et combien j'aurais été perdu sans elle. Le contact de sa main, le rayonnement de son rassurant sourire me disaient que nous surmonterions ensemble cette difficulté.

Je n'oublierai jamais la première visite de ma mère à la suite de l'accident. Elle souffrait d'un léger rhume, alors elle portait un masque chirurgical. Au moment où elle me vit, elle se mit à pleurer. Je lui fis dire par Pat de ne pas se faire de soucis, que j'allais m'en tirer. En clignant des paupières, je lui dis : « Je suis coriace ; je vais m'en sortir. »

Puis je lui demandai de me faire une promesse. Je lui dis que je souhaitais qu'elle cesse de fumer. Elle fumait sans cesse, et je savais qu'elle se tuait un peu plus chaque jour. Si je devais m'en tirer, je voulais qu'elle survive aussi. Avant de partir ce jour-là elle accepta, de cesser de fumer.

Les parents de ma femme avaient toujours été aussi près de moi que des parents naturels. Quand les autres avaient perdu l'espoir que je survive à l'opération, madame Fink avait affirmé à tout le monde que je m'en sortirais. Elle savait que je n'étais pas du genre à abandonner. Et pourtant, mon état était des plus inquiétants. Un soir, alors que mes beaux-parents allaient partir, ils ont pleuré. Et j'ai pleuré avec eux. Non pas de pitié, de désespoir ou de peur, mais d'amour, d'espoir et de courage.

J'avais quelques compagnons que je n'étais pas obligé de quitter après les heures de visite : ma radio portative et mes cassettes. La chaîne de radio locale, WNIS, mettait en ondes une émission que j'avais toujours appréciée. Les voix de ceux qui appelaient dissipaient une partie de mon ennui. Sans mes lunettes, qui s'étaient brisées lors de l'accident et n'avaient pas encore été remplacées, la pièce et les gens étaient flous. Alors la radio était relaxante, car je n'avais pas à m'arracher les yeux pour regarder mes interlocuteurs.

Mes cassettes musicales étaient populaires auprès des infirmières. Les favoris semblaient être Kenny Rogers et John Denver. C'était fantastique de voir l'entrain des membres du personnel, qui chantonnaient tout en exécutant des tâches parfois désagréables.

Je me mis aussi à écouter mes cassettes de motivation : Zig Ziglar, Bob Proctor, le docteur Peale et d'autres orateurs qui m'avaient déjà aidé dans des moments de doute et de stress. Dans mon secteur d'activités, je ne pouvais laisser voir aux clients que je n'allais pas bien, et je ne pouvais tourner le dos à la paperasserie qui m'attendait. Et ce n'était pas non plus un travail de 9 h à 5 h. Les rapports constants avec les gens, les voyages fréquents et le fait de manipuler des millions sont exigeants pour n'importe quel représentant. Mais je devais projeter une image énergique et confiante face à tous mes clients. Confieriez-vous la stabilité de votre entreprise ou le destin de vos héritiers à une personne qui semble épuisée, dont les traits sont ravagés ou le timbre de voix est amorphe ?

L'écoute de mes cassettes me rendait conscient de l'énergie supplémentaire inhérente en chacun de nous. Nous n'avons qu'à découvrir comment l'utiliser. Comme le dit Zig Ziglar : « Quand vous actionnez un commutateur électrique, vous ne créez pas d'énergie électrique. Vous libérez simplement une puissance qui existe déjà. » Je crois qu'il se trouve un tel commutateur, un commutateur mental, en chacun de nous. Ceux qui ont réussi ont appris à actionner ce commutateur. J'étais déterminé à utiliser toute l'énergie dont je disposais afin de redevenir un être humain normal.

Nous tenons tellement de choses pour acquises dans la vie quotidienne. Combien de fois vous êtes-vous plaint du temps qu'il vous faut pour vous raser et prendre une douche ? Ce sont des corvées pénibles, nuisibles presque. Mais si on ne peut faire ces choses soi-même, et qu'elles sont douloureuses en plus, on comprend à quel point tout cela est en fait compliqué.

Chaque matin, mes draps étaient changés, j'étais lavé et rasé. Chacune de ces activités était très éprouvante pour moi. Le pire, c'était le rasage.

Mon front était engourdi, mais tous les nerfs de ma figure étaient vivants et ma peau était hypersensible. Le moindre contact était extrêmement douloureux. Les rasoirs peu coûteux fournis par l'hôpital et l'utilisation de savon au lieu de crème à raser pour lubrifier devinrent insupportables. Je m'étais toujours préoccupé d'être bien rasé, mais j'envisageai sérieusement de porter la barbe. Mais Sandy n'était pas d'accord, alors nous avons essayé mon rasoir électrique. Mais cela nécessitait trop de pression et de friction. Ma soeur m'acheta des rasoirs jetables et de la crème à raser. Cela fit merveille. Je devais encore faire face à la torture de me laisser rouler sur le côté pour les changements de draps et le bain, mais le rasage était au moins devenu supportable.

Un matin, peu après ma toilette rituelle, le docteur Rish me rendit visite. Je l'accueillis par un large sourire malgré mon inconfort.

«Comment vous sentez-vous aujourd'hui?» me demanda-t-il.

Je clignai une fois des paupières pour indiquer que j'allais bien. Il me demanda alors de suivre des yeux une lumière. Il glissa un oreiller sous la partie gauche de ma tête pour ajuster la position de mon cou.

Puis il s'en prit aux infirmières. Cette situation était intolérable; mon cou devait être droit en tout temps, leur dit-il.

Puis se tournant à nouveau vers moi, le médecin me dit: «Essayez de bouger les orteils du pied droit.» J'essayai, mais sans succès.

«Et maintenant, le pied gauche,» poursuivit-il. Je n'eus pas plus de succès.

Puis il partit, et les infirmières eurent un soupir de soulagement. Le personnel infirmier de l'hôpital était excellent, mais le docteur Rish avait une réputation de perfectionniste. Les infirmières craignaient toutes sa présence parce qu'elles savaient que si quelque chose n'était pas fait précisément selon ses directives, il n'hésiterait pas à leur en parler. Je dois dire qu'il était rassurant de savoir que l'on devait bien s'occuper de moi, sans quoi... Défilèrent ensuite les spécialistes des yeux, du nez et de la gorge. Ils examinèrent ma gorge. Après avoir anesthésié l'intérieur de mon nez à l'aide de bâtonnets ouatés, ils m'introduisirent un long tube noir dans la narine droite. L'une des extrémités de ce tube était muni d'une lumière, et l'autre d'une lentille. Moins de 30 secondes plus tard, le médecin retira le tube : ma gorge était encore trop enflée pour lui permettre d'évaluer les dommages. L'inflammation de mon larynx écrasé et de mes cordes vocales allait devoir diminuer avant une prochaine tentative.

Plusieurs matins plus tard, j'avais du mal à respirer en m'éveillant. J'étais encore tout à fait dépendant d'un respirateur, alors il pouvait s'agir d'une situation très grave ; c'est du moins ce que je pensais. Les spécialistes furent mandés et après un bref examen, ils découvrirent que j'avais contracté une double pneumonie. En une demi-heure, une équipe brancha une machine qui pompait des médicaments dans mes poumons.

Cela devait enrayer la congestion et l'infection. Ils promirent de venir m'examiner quelques heures plus tard.

Dix minutes plus tard, le docteur Rish vint m'informer de nouvelles radiographies à subir. Je devenais de plus en plus frustré : il s'apprêtait à nouveau à partir, et j'avais besoin de lui parler. Il y avait tellement de choses que je voulais lui dire, et j'avais tellement de questions à lui poser. Je clignai rapidement des paupières pour attirer son attention.

« Y a-t-il quelque chose que vous souhaiteriez me dire ? » demanda-t-il. Je voulais crier « Oui ! », mais je ne pouvais que cligner des paupières une fois pour le dire.

Se tournant vers l'infirmière, il demanda : « Savez-vous comment communiquer avec lui en utilisant ses cartes ? » Elle lui répondit par l'affirmation.

« D'accord, ne perdons pas de temps, » ordonna-t-il. L'infirmière tendit la main pour prendre ma carte, et je constatai que ma chance était là. Mais je savais qu'il ne pourrait rester longtemps.

« Très bon médecin, » lui dis-je à l'aide de clignements. Souriante, l'infirmière se tourna vers le docteur Rish et lui transmit le message. Le visage du médecin s'éclaira. S'apprêtant à partir, il me dit qu'il allait prendre bien soin de moi. La motivation n'est pas une voie à sens unique.

Après le départ du médecin, l'infirmière me confia que j'avais accompli davantage avec trois mots que tout le personnel infirmier n'en avait fait en trois ans. À partir de ce jour, le docteur Rish et moi eûmes des rapports plus étroits que ceux plus habituels entre médecin et patient. Je l'avais touché.

C'était le moment des radiographies.

« Vous n'avez pas peur, n'est-ce pas ? » demanda le docteur Rish.

Je clignai des paupières deux fois, mais au fond j'étais terrorisé. Qu'allaient-ils trouver ? Ils me transportèrent au département des radiographies et me demandèrent de patienter un peu. Quinze minutes plus tard, le docteur Rish se présenta, l'air en colère. Il demanda pourquoi je n'étais pas sur la table. Tout à coup, le service tout entier s'anima.

« Tenez bon, et nous vous aurons ramené à votre chambre sans même que vous vous en rendiez compte » me dit-il sur un ton rassurant.

Premièrement, le docteur Rish et un radiologiste examinèrent mon diaphragme. Il ne fonctionnait pas. Cela signifiait que je ne pouvais pas respirer par mes propres moyens.

Ensuite, ils me firent avaler, voulurent que j'ouvre grand la bouche, mais ma mâchoire était si endommagée que je pouvais à peine l'ouvrir assez pour introduire une minuscule seringue dans ma gorge. On y versa un peu de teinture, et on me demanda de l'avaler. J'essayai à plusieurs reprises, mais en vain. Les résultats de ces tests confirmèrent mes pires appréhensions. Ce serait plus difficile que je l'avais cru, mais j'étais encore certain de pouvoir surmonter tous les obstacles.

« C'est tout pour aujourd'hui, » me dit l'infirmière. On me ramena à ma chambre. Dieu merci, c'était presque l'heure des visites.

« Comment vas-tu, l'ami ? » C'était la voix du docteur Leonard Oden, un grand ami qui avait passé avec moi plusieurs belles journées de chasse et de pêche. Je l'avais connu à l'âge de 13 ans, quand j'avais fait redresser mes dents. Puis après la mort de mon père — je n'avais que 17 ans — il s'était montré comme un père pour moi. Il avait cinq filles et aucun fils, alors nous comblions tous deux un vide dans la vie de l'autre.

Len n'avait jamais eu de mal à s'exprimer, mais en me voyant il demeura bouche bée. Il me regarda avec stupeur. Une infirmière mit un terme à ce lourd silence en lui expliquant comment utiliser les cartes pour communiquer avec moi. Peu de temps après, nous revivions le bon vieux temps, nous rappelant une fois encore les merveilleux moments passés ensemble dans la nature. Ces souvenirs me permirent de mieux visualiser l'avenir, à travers les marais, le fusil à l'épaule, ou dans une embarcation à taquiner le poisson. Telle est la puissance de guérison de la communication entre amis. Avant que Len ne parte, je lui indiquai que j'avais besoin de rejoindre quelqu'un qui pourrait accélérer ma guérison.

Le dorteur Curtis Shears. directeur de l'institut de recherche en nutrition d'Angleterre à Gloucester, était depuis longtemps l'ami du docteur Oden. Nous avions tous les trois fait plusieurs voyages de pêche lors de sa visite annuelle d'une ou deux semaines chez Len. Chaque fois je lui avais posé des questions, essayant de tirer le plus possible de renseignements de cet homme incroyable. Âgé de près de 80 ans, le docteur Shears se défendait comme une personne de 40 ans. Il m'a un jour confié qu'il vivrait jusqu'à 150 ans, et je l'ai cru.

Dans le cadre de son travail à l'institut, le docteur Shears, à l'instar de collègues nutritionnistes américains, peut déterminer l'équilibre en vitamines et en minéraux de l'organisme d'une personne, et ce, à partir d'un simple cheveu. Sitôt connus les déficiences et les excès, il est aisé de concevoir une diète alimentaire appropriée aux besoins nutritifs de la personne étudiée.

Je faisais analyser un de mes cheveux tous les six mois et j'ajustais ma diète selon les recommandations données. Je crois vraiment que je dois ma survie à la phase critique après l'écrasement au fait que j'avais maintenu pendant des années un équilibre nutritionnel impeccable.

Mais désormais, tout ce que je recevais, c'était du glucose, de l'eau sucrée. J'avais besoin d'un expert pour rétablir l'équilibre chimique de mon organisme et recouvrer la santé.

Trente minutes à peine après le départ de Len, un thérapeute pulmonaire entra, prêt à commencer le traitement de mes poumons. La pneumonie avait produit de tels ravages que ma respiration était devenue très difficile. Toute respiration profonde me causait une cuisante douleur à la poitrine. Le thérapeute me tourna sur le côté et se mit à frapper du poing la droite de ma cage thoracique ! C'était incroyablement douloureux, et j'avais l'impression d'être revenu au Moyen Âge. Mais mes poumons devaient être débarrassés du mucus qu'ils contenaient, sinon je risquais de me noyer dans mes propres fluides.

Après 15 minutes environ, je fus tourné sur le côté droit et le processus recommencé. Puis on introduisit un gros tube noir par l'orifice laissé dans ma gorge lors de ma trachéotomie ; le tube se rendit jusque dans mes poumons. Le tube se terminait par une sorte de sac de la forme d'un ballon de football. En pressant ce ballon, le thérapeute envoyait de l'air dans mes poumons, ce qui décollait encore plus de mucus accumulé.

Le tube retiré, il fut remplacé par un autre, branché à une machine faisant office d'aspirateur pour débarrasser mes poumons de leur mucus. Le tube était transparent.

Fasciné, je vis une épaisse substance jaune remplir le tube. J'avais ainsi la preuve de la nécessité du traitement, et la douleur de la thérapie me devint plus supportable.

J'eus néanmoins un choc à l'annonce d'un traitement à subir aux quatre heures. Il me faudrait quatre mois de traitements et plusieurs opérations avant que mes poumons fonctionnent à nouveau sainement.

Tout au long de cette difficile période, je ne cessai d'espérer. En fait, un ami avec lequel j'avais chassé l'oie au mois de novembre précédent, Verlin Griffin, me rendit un jour visite et je confiai à Pat le message suivant à son intention : «Je te rendrai visite en novembre et nous irons chasser le chevreuil.» Verlin se borna à sourire. Nul ne croyait que j'allais survivre, alors pour ce qui était de la chasse... Mais je me voyais chassant et pêchant, et cela me donnait la force et le courage d'aller de l'avant. J'étais certain de reprendre mes activités de plein air un jour.

Cependant, les médecins déclarèrent qu'à cause des dommages nerveux subis, mon diaphragme ne fonctionnerait plus jamais. Même si l'on parvenait à guérir la pneumonie, je serais branché à un respirateur pour le reste de mes jours. Mais ce n'était pas mon intention.

Je fermai les yeux et je m'efforçai de faire la liste de mes problèmes, par ordre d'importance. Après des heures de profondes réflexions, je décidai que mon objectif premier serait de respirer par mes propres moyens. Je ne pourrais envisager de redevenir actif qu'à condition de me libérer de cette machine.

Chapitre 3

Respirer

On dit que l'on traite les gens exactement tels qu'on les perçoit. Je voulais que les gens me perçoivent non pas comme une sorte de légume, mais comme un homme qui se tiendrait à nouveau debout un jour.

Morris Goodman

Petit garçon, j'aimais marcher dans les bois et chasser l'écureuil. Mon oncle possédait une ferme à la campagne, où je passais tous mes moments libres. Je me souviens d'une colline recouverte de noyers, d'érables, de marronniers et de chênes. Mon oncle me disait que certains d'entre eux avaient 200 ans. Je ramassais leurs fruits et je les examinais, émerveillé à la pensée que ces grands arbres aient eu des débuts aussi modestes.

Plusieurs années plus tard, j'y voyais un message d'une grande inspiration. Pour devenir un chêne géant, un fruit devait être planté dans l'obscurité de la terre, nourri par la terre et par le ciel pour émerger un jour sous la forme d'une plante minuscule. Ce petit arbre devait survivre à plusieurs tempêtes et épreuves dont il sortait sans cesse plus fort.

Comme le jeune chêne, il me faudrait traverser plusieurs tempêtes au cours des prochains mois et des prochaines années. Et j'allais être sans cesse plus fort, chaque tempête me préparant à la suivante. Un jour je serais aussi grand et victorieux que ces chênes géants.

Une fois encore, les inhalothérapeutes se présentèrent pour me frapper à la cage thoracique, ou du moins le pensais-je. Mais ils poussaient un étrange appareil qu'ils branchèrent. Il s'agissait d'une sorte de gros vibrateur utilisé pour décongestionner ma poitrine et ma cage thoracique. Ce nouveau traitement provoquait un malaise à peine perceptible, même si l'aspiration du mucus était encore extrêmement douloureux.

Pourquoi n'ont-ils pas utilisé le vibrateur depuis le début, me demandais-je. Je me dis que ce n'était peut-être pas aussi efficace pour dégager le mucus ou il existait une autre raison. Je ne découvris l'explication que bien plus tard. L'hôpital ne possédait qu'un vibrateur. S'il était disponible pour le traitement, on l'utilisait. Mais beaucoup d'autres patients avaient besoin de cette machine. Il était dérangeant de penser à la souffrance causée par le manque de cette machine vitale dans un complexe médical de plusieurs millions de dollars. Je promis qu'un jour je ferais don d'un ou deux de ces vibrateurs et que j'épargnerais ainsi à d'autres patients une torture non nécessaire.

Les inhalothérapeutes partirent, et j'indiquai à l'infirmière que je voulais écouter la radio. Pendant les deux heures qui suivirent, j'écoutai un match de basket-ball opposant l'université de la Virginie à celle du Maryland, et j'échappai temporairement à la réalité de mon état.

À la fin du match, je concentrai à nouveau mon attention sur ma situation. Après une heure environ, une pensée me vint, une pensée puissante et persistante. C'était comme une voix venant du fond de moi qui répétait sans cesse : «Respire profondément, respire profondément.» À l'époque, j'étais encore branché au respirateur, qui respirait pour moi. Mais ma respiration était très faible.

Je découvris bientôt que je pouvais respirer avec le respirateur, c'est-à-dire inhaler un peu d'air et gonfler mes poumons autant que je le pouvais. Ma poitrine était douloureuse, mais je continuai. Après 100 respirations, je m'arrêtai pour voir si mes poumons pouvaient se gonfler d'eux-mêmes. Rien ne se produisit. Mais la voix continuait à dire : «Tu dois continuer à essayer.»

Toute la nuit je restai éveillé, répétant le processus : 100 respirations profondes, un repos de cinq minutes, 100 autres respirations, un autre bref repos.

Quand arriva le matin, je m'exerçais encore. Je n'étais pas fatigué, mais ma douleur à la poitrine était devenue très importante. Convaincu que je faisais quelque chose qui allait m'aider à me rétablir, je savais que je devais supporter la douleur. C'était comme si Dieu m'avait parlé, et je n'avais pas le droit de remettre en question son jugement.

Ma foi ne vacilla jamais. Malgré des possibilités à peu près inexistantes, je refusai d'envisager d'abandonner. À ma connaissance, personne n'avait jamais réussi ou même tenté cela. Rien ne m'indiquait que cela était bon. Mais je disposais de beaucoup temps et d'un intense désir de surmonter ma dépendance du respirateur. Un petit fruit avait été planté dans mon esprit, et il me faudrait du temps et beaucoup de soins pour qu'il puisse à son tour porter des fruits. En attendant, il fallait le nourrir et empêcher que les vents du désespoir ne le déracinent. Je ne confiai pas aux médecins mon projet. Ils m'auraient sans doute dit que j'étais complètement irréaliste ; je n'allais pas les laisser piétiner mon fruit pour ensuite me demander pourquoi il était mort.

Ce même matin, le 21 mars, une nouvelle infirmière entra dans ma chambre. Les spécialistes des poumons avaient décidé que j'avais besoin de subir une bronchoscopie, me dit-elle, et elle était venue me demander mon approbation. On avait aussi besoin de l'approbation de ma femme, et les documents pertinents allaient être préparés afin qu'elle y appose sa signature à l'heure des visites.

« Aimeriez-vous savoir ce que c'est qu'une bronchoscopie ? » me demanda l'infirmière.

Certaines personnes ne veulent pas savoir ce qu'on compte leur faire ou ont une totale confiance en leurs médecins. Peut-être aussi m'aurait-elle expliqué la procédure de toute façon et me posait-elle la question par simple habitude. Mais j'étais déterminé à comprendre le sens de cette opération avant de donner mon accord.

L'infirmière m'expliqua qu'il s'agissait en gros d'une procédure destinée à débarrasser mes poumons de leur mucus. D'abord, on retirerait le bouchon de ma trachéotomie. Ensuite, ma gorge serait anesthésiée, puis on introduirait jusque dans mes poumons un tube de la grosseur d'un crayon, muni d'une lumière à une extrémité et d'une lentille grossissante à l'autre. Le chirurgien tenterait d'extraire tout le mucus qu'il pourrait voir. On me dit que je ne ressentirais qu'un léger malaise, mais c'était une fausseté et j'allais m'en rendre compte très vite. Je ne pouvais refuser l'intervention. Ma vie en dépendait.

Je regardais les infirmières s'affairer, se préparant à l'intervention, et je pensai à quel point j'étais occupé avant l'écrasement. Quel contraste entre l'être débordant d'énergie et d'enthousiasme que j'avais été et le prisonnier immobile que j'étais devenu.

Je me rappelai aussi les paroles de Bob Proctor : « Qu'est-ce que l'homme, sinon son esprit ? Tout le reste, l'âne ou la vache le possède. » Je regardai tout autour de moi, et je constatai que tout ce qui se trouvait dans la pièce : lit, horloge, fenêtre, instruments et appareils médicaux, avait déjà été une simple idée dans l'esprit de quelqu'un. Si l'esprit était assez puissant pour concevoir tout cela, je pouvais être certain de trouver des solutions à mes problèmes.

C'est alors que je pensai à Thomas Edison. Sur l'une de ses cassettes, Zig Ziglar raconte une histoire concernant le jeune Edison et son refus d'abandonner. Cet inventeur diligent travaillait depuis des années sur l'ampoule incandescente. Après plus de 10 000 essais, un jeune reporter lui demanda comment il se sentait après 10 000 échecs. Edison rétorqua : « Vous et moi ne voyons pas les choses de la même manière. J'ai réussi à trouver 10 000 choses qui ne fonctionnent pas. » Il lui fallut plus de 4 000 expériences de plus avant de trouver une combinaison efficace.

Nous devons de la reconnaissance à Edison pour sa merveilleuse invention. Mais peut-être n'aurait-elle jamais vu le jour, n'eut été de la pensée positive, de l'acharnement et de la foi de cet homme. Chaque fois que je regardais les lumières du plafond, j'étais plus résolu. J'étais déterminé à donner à ma vie la chance qu'Edison avait donnée à son ampoule.

« Tu n'es pas inquiet, n'est-ce pas ? » demanda Sandy en arrivant, à 14 h.

Je clignai deux fois des yeux pour indiquer que non, mais mes yeux ont dû me trahir. Pour poursuivre mon projet de guérison, il me faudrait subir cette opération, et chaque intervention chirurgicale était très exigeante pour mon système.

« J'ai parlé à l'infirmière, et elle m'a dit qu'il s'agissait d'une procédure toute simple. Elle m'a dit qu'il ne subsistait aucune raison de s'inquiéter, » déclara Sandy, s'efforçant de me rassurer. Mais j'avais entendu prononcer ces paroles tellement de fois au cours des derniers jours, que je ne les entendais plus.

Sandy se rendit signer les documents. À son retour, après 15 minutes qui me semblèrent durer une éternité, elle me dit que tout était prêt et qu'elle allait rester jusqu'après l'opération pour s'assurer que j'allais bien.

Presque aussitôt, deux infirmières vêtues de vert chirurgical firent leur entrée. L'une d'elles était la femme qui m'avait expliqué la procédure ; elle me dit : « Détendez-vous et faites-nous confiance. Nous allons prendre bien soin de vous. »

Quelques minutes plus tard, deux médecins se présentèrent, habillés pour la chirurgie.

« Nous sommes prêts à commencer, » dit l'un d'eux. « Je vais être aussi doux que possible. »

Je fus pris de panique. Ils ne vont quand même pas m'opérer ici, pensai-je. Eh bien, c'est précisément ce qu'ils comptaient faire. Le plus jeune des deux, interne ou étudiant sans doute, entreprit de m'enlever le tube relié à ma gorge. Une seringue fut ensuite introduite dans ma gorge pour anesthésier mes poumons. Une sensation de froid envahit ma gorge, puis ma poitrine.

Ensuite, le second médecin fit pénétrer un mince tube noir dans mes poumons. Ce tube lui permettait d'atteindre des parties de mes poumons qui n'étaient pas accessibles par les techniques habituelles de succion.

« Tout a bien été, » dit le médecin. « Nous vous avons débarrassé de beaucoup de mucus. Fermez les yeux et reposez-vous un peu, et nous viendrons vous voir plus tard. »

Ils ramassèrent leurs instruments et, comme une bande de gitans se fondant dans la nuit, ils disparurent.

La douleur persista. Plus l'effet des médicaments se dissipait, plus me montait l'impression qu'un versement d'essence avait été effectué dans ma poitrine, auquel on avait mis le feu. Était-ce là le « léger malaise » dont m'avaient parlé les infirmières ? Qu'aurais-je à supporter de plus ?

Les heures de visite du soir approchaient, et je tentai de fermer les yeux et de me reposer. Mais l'inaction était plus difficile à supporter que tout. Je repris donc mes exercices de respiration. La douleur était très intense et je dus arrêter... pour le moment. J'essaierai plus tard ce soir, pensai-je. Même si je dois consacrer beaucoup de temps, je surmonterai toutes mes incapacités et je recouvrerai complètement la santé.

Je savais maintenant qu'il était très important de chasser de mon esprit toute pensée négative. Il m'aurait été facile de commettre un suicide mental. Une ancienne lecture me rappela à quel point la façon dont on perçoit une situation est importante, plus importante parfois que la réalité même. C'est une histoire d'un psychologue, le docteur Dudley Calvert, racontée par le docteur Harold R. McAlingdon. Il est question d'un homme d'âge moyen travaillant dans le secteur ferroviaire en Russie. Il s'enferme accidentellement dans un wagon réfrigéré. Il frappe dans la porte et crie, mais personne ne l'entend. Finalement, il se résigne à son sort. Il s'asseoit. L'engourdissement le gagne. Il trace du bout des doigts un message sur le mur à l'intention de ceux qui le trouveront.

« Je m'affaiblis de plus en plus. Je commence à frissonner. Rien à faire d'autre que d'attendre. Je gèle lentement ; je vais mourir. À moitié endormi maintenant. Je peux à peine écrire. Ce sont peut-être mes derniers mots. »

En effet. Cinq heures plus tard, on ouvre la porte et on trouve l'homme, mort. Une histoire bien triste... mais ce n'est pas tout.

La température à l'intérieur du wagon était de 13 °C. Le système de réfrigération était en panne, et il y avait suffisamment d'oxygène pour respirer. L'homme était mort par sa propre faute. Il était tellement convaincu de mourir gelé que cela s'était produit.

Si l'esprit recèle une telle puissance destructive, il doit certainement posséder un grand potentiel de guérison. J'étais déterminé à concentrer tous mes efforts pour respirer par mes propres moyens. J'avais déjà atteint mon premier objectif : vivre. Grâce à l'aide de ma soeur, j'étais en contact avec mon entourage. Je progressais plus vite que quiconque l'avait prévu. Mais je devais être constamment sur mes gardes. Mes ennemis, l'épuisement, la douleur et la peur, recherchaient toujours une occasion d'ébranler ma confiance et ma santé.

Il y a une vieille fable que racontait Earl Nightingale à propos d'une vente que fit le diable. Satan avait organisé une vente de ses outils. Tout était étalé et marqué d'un prix : la rapière de la jalousie, la dague de la peur, le noeud coulant de la haine. Placé à l'écart, sur un piédestal de couleur pourpre, on pouvait voir le pieu du découragement. Il n'était à vendre à aucun prix. Le diable pouvait poursuivre son oeuvre en se passant du reste, mais il ne pouvait se gagner des âmes sans le découragement.

Le découragement peut parfois gagner l'âme d'une personne. Il peut détruire son espoir et son assurance en l'assaillant de doute et d'apitoiement pour en faire une coquille vide, inutile. Oui, je devais lutter contre de puissants ennemis, mais je savais qu'en faisant appel à toutes les ressources dont je disposais, je pourrais survivre au massacre.

Pour la première fois ce soir-là, je n'étais pas d'humeur à voir quelque visiteur que ce soit. Mes poumons et ma poitrine étaient très endoloris, et j'étais incroyablement fatigué. Mais j'accueillis ma soeur en la gratifiant d'un sourire forcé.

« Comment te sens-tu ce soir ? » demanda-t-elle.

Je lui mentis et lui indiquai que ça allait.

La soirée fut chargée. Après le départ de ma famille et de mes amis, le calme était propice à l'effet dévastateur des pensées négatives. Mais je refusai d'y succomber.

Je me répétais sans cesse que je devais me débarrasser du respirateur. Chaque fois que la machine prenait une respiration pour moi, je m'efforçais d'inhaler profondément. Je persistai pendant des heures. Selon la science moderne, mon objectif n'était pas réaliste. Mais je m'acharnais.

Au moins, je n'avais pas à me soucier des opinions des autres. Personne n'était au courant de mon difficile projet. Dans le cas contraire, on aurait tenté de me dissuader. Bien sûr, on l'aurait fait pour mon bien, mais à moins d'un engagement à 100 %, je ne suis pas certain que j'aurais continué à croire en ma réussite.

Pour la première fois depuis plusieurs jours, je commençais à ressentir de la fatigue ; non pas la fatigue résultant du stress mental ou physique, mais un désir de dormir. Cependant, les traitements habituels se poursuivaient : thérapie respiratoire à toutes les quatre heures, jour et nuit, administration de médicaments et changement des tubes d'alimentation intraveineuse. Le matin du 22 mars, j'étais encore éveillé, mais je gardai les yeux fermés dans l'espoir que le sommeil viendrait.

Tout à coup, j'eus la sensation très forte que quelqu'un me regardait. J'ouvris immédiatement les yeux et j'aperçus mon vieil ami le docteur Eugene Poutasse, éminent spécialiste du rein.

« Savez-vous qui je suis ? » demanda-t-il, et je répondis oui.

À l'époque je portais un cathéter pour uriner. Le docteur Poutasse me demanda si c'était confortable, et je lui fis une réponse affirmative.

Il décida de m'en priver pendant une journée et de voir les résultats. C'était ce qui m'était arrivé de mieux depuis mon transfert de l'isolement au poste des infirmières deux semaines auparavant. Un large sourire lui indiqua à quel point cela me faisait plaisir. Une fois le cathéter retiré, on relia un condom à une sorte de sac suspendu sous le lit. Je n'eus plus jamais besoin du cathéter. C'était un progrès majeur. J'avais l'impression que je prenais enfin du mieux, même si les progrès étaient lents.

J'allais bientôt vivre une autre première. Une femme se présenta, revêtue d'un uniforme quelque peu différent de celui des infirmières habituelles.

« Je suis votre physiothérapeute, et je travaillerai avec vous chaque jour, » expliqua-t-elle. « Êtes-vous prêt à commencer ? »

Je ne pouvais l'être davantage. Elle se mit à bouger mes bras, puis elle s'attaqua à mes jambes. Tout en travaillant, elle m'expliqua qu'elle s'efforçait de maintenir ou d'accroître la portée des mouvements de mes membres en leur faisant exécuter des rotations et des flexions. En attendant que je sois en mesure de bouger moi-même, cette activité empêcherait le raidissement de mes articulations. Elle m'encouragea à exercer ma jambe droite, dont je contrôlais déjà certains mouvements. Même si je pouvais un peu bouger la jambe gauche, il était difficile de dire si elle était en fait agitée de réflexes musculaires ou de spasmes (contractions involontaires). La thérapeute soulevait à tour de rôle chacune de mes jambes et me demandait de pousser vers le bas, mais rien ne se produisait.

Pliant ma jambe droite en direction de ma poitrine, elle me demanda de pousser dans sa direction. Je me concentrai intensément. Je crois que je la pris par surprise quand je poussai sa main. Ce n'était qu'un léger mouvement, mais pour moi c'était un grand pas, un événement d'importance.

Les médecins répétaient encore aux membres de ma famille de ne pas entretenir trop d'espoir à mon sujet. Ils croyaient que mes chances de pouvoir remarcher un jour étaient d'une sur un million. Le docteur Rish confia à ma femme que si je pouvais apprendre à rester assis dans un fauteuil roulant sans y être attaché, ce serait un miracle : je n'avais aucun sens de l'équilibre et cela ne se corrigerait sans doute jamais.

Je vais vous montrer à tous, me disais-je. Je me voyais remarchant à nouveau comme tout le monde. Aussitôt après m'être libéré du respirateur, j'allais m'attaquer à mes autres buts, et marcher sur mes deux jambes était l'un d'eux.

La matinée s'était passée rapidement, grâce au docteur Poutasse, à la physiothérapeute et à une cassette de Zig Ziglar. On en était déjà à l'heure des visites. Ma soeur arriva, de même que Landon Browning, mon ex-associé.

« Je souhaiterais discuter de certains sujets avec toi. Te sens-tu assez bien pour ça ? » demanda-t-il. Je me sentais capable de tout, alors nous avons discuté des questions qui préoccupaient Landon. Plusieurs d'entre elles ne nécessitaient qu'une réponse affirmative ou négative. Pour celles qui demandaient une réponse plus élaborée, Pat nous a servi d'interprète. Nous avons couvert beaucoup de sujets, mais cela me fatiguait énormément.

Pat et Landon partis, les spécialistes de la respiration ont effectué leur entrée. Un jour tout cela serait fini. Pour l'instant cependant, il fallait que je vive une journée à la fois.

La soirée fut assez calme. Seuls quelques parents vinrent me visiter, et je passai le reste de la nuit à écouter la radio et à exercer ma respiration. La radio était réglée sur une chaîne de musique « country », WCMS. Tout était calme et relaxant jusqu'à l'arrivée d'une infirmière qui syntonisa une chaîne diffusant une émission de rock and roll pour adolescents.

Elle ne s'était même pas donné la peine de me demander mon avis ! Avant que j'aie pu attirer son attention, elle était partie. J'étais tellement en colère, je croyais que j'allais exploser. Puis il se produisit un événement comique. Un médecin distingué qui passait par là s'arrêta et me regarda.

« Morris, vous ne croyez pas que ce genre de musique n'est plus de votre âge ? » L'ironie de la situation me fit rire. On régla éventuellement ma radio sur la bonne chaîne. Peu après minuit, je m'endormis enfin, pour la première fois depuis près d'une semaine.

En m'éveillant le lendemain matin, je me sentais reposé et débordant d'énergie. J'étais prêt à faire face à tous les défis.

Toute ma vie, j'avais manifesté un intense désir de réussir tout ce que j'entreprenais. Plusieurs de mes amis parlaient d'instinct de tueur. La seconde place ne m'intéresse pas ; il faut que je sois premier.

C'est le genre de désir profond qui donne l'énergie additionnelle dont n'importe qui a besoin pour réaliser un objectif. Pour celui qui déborde d'enthousiasme, qui est obsédé par un but, rien n'est impossible.

Je repris mes exercices de respiration avec une vigueur renouvelée. J'augmentai le nombre de mes respirations successives de 100 à 200. Je pratiquai pendant plusieurs heures, mais en vain. Cependant je refusai d'abandonner. C'était une question de survie : mes médecins, les membres de ma famille et mes amis devaient me voir comme une personne, et non comme un « légume ». Je devais atteindre mes buts par mes propres moyens, et l'appui des autres de même que la conviction de ma réussite allaient m'aider dans les moments difficiles.

Sandy arriva à midi, pendant mes traitements de physiothérapie. La thérapeute lui montra comment manipuler mes bras et mes jambes, de manière à pouvoir me faire faire des exercices entre les sessions de thérapie. Au début ma femme était timide. Peut-être craignait-elle de me faire du mal. Mais après quelques tentatives, elle travaillait comme une professionnelle.

« J'ai parlé avec le docteur Rish pendant deux heures environ hier, » me dit-elle aussitôt après le départ de la thérapeute. « C'est pourquoi je ne suis pas venue te voir. Il veut t'envoyer à Charlottesville pour des traitements plus avancés. » Elle m'expliqua ensuite que l'hôpital de l'université de la Virginie était l'un des plus réputés aux États-Unis pour les soins de la moelle épinière.

« Il y a un endroit appelé The Towers, où tu pourras nager, jouer au bowling, tirer à la carabine et faire toutes sortes d'autres activités. » Elle essayait de rendre tout cela tentant. Plus elle parlait, plus il était facile d'accepter. Aucune date n'avait encore été fixée, me dit-elle, mais c'était pour bientôt.

Ce qui m'ennuyait à propos de cet endroit, c'était la distance. Ce doit être à 400 km d'ici, pensai-je. Je serais isolé de mes amis et de ma famille. J'essayai bien de me persuader qu'ils viendraient me rendre visite souvent, mais j'avais des doutes. Et il faudrait que je m'adapte à un nouveau personnel soignant.

Alors que la date du transfert approchait, le docteur Rish venait me voir plus souvent pour me donner des explications. Je commençais à avoir hâte de partir. J'étais disposé à consacrer plus de temps à ma guérison afin de reprendre plus vite une vie normale.

Un après-midi, je confiai à ma soeur un message à l'intention du docteur Rish. « Je vais revenir dans quatre mois. Je vais entrer dans votre bureau sur mes deux jambes et je vais vous serrer la main. » Il se borna à sourire. Je suis convaincu qu'à son avis, ce serait miraculeux si dans deux ans j'entrais dans son bureau en fauteuil roulant.

Nous étions le premier avril. J'étais conscient de la date, car un calendrier était suspendu près de mon lit. Vers 11 h ce matin-là, ma physiothérapeute fit son entrée.

« Comment ça va aujourd'hui ? » demanda-t-elle. Je pris au air soucieux et je clignai des paupières à deux reprises. Cela attira son attention. Le bon vieux Morris avait toujours le sourire.

« Quelque chose ne va pas ? » demanda-t-elle. Je fis une réponse affirmative. Elle s'empara de la carte-alphabet. Je lui fis le message suivant : « Je ne puis bouger ma jambe droite ; allez chercher le médecin. »

Elle laissa tomber la carte et se rendit en toute hâte au bureau des infirmières pour demander de l'aide. Quelques secondes plus tard, deux autres infirmières se tenaient à mon chevet.

« Qu'est-ce qui ne va pas, Morris ? » s'enquirent-elles, alarmées. À force de clignements de paupières, j'épelai : « Poisson d'avril. » Puis je souris autant que je le pouvais.

Tout le monde se mit à rire. Mais j'avais l'impression qu'on avait tout autant envie de me tuer pour avoir fait cette blague !

On fixa enfin la date de mon transfert : le 6 avril, un lundi. On allait me transporter en ambulance. Sandy m'accompagnerait, et ses parents nous suivraient et m'aideraient à m'installer. J'ai eu l'impression que tout le monde est venu me rendre visite le samedi et le dimanche pour me saluer avant mon départ. Le dimanche, en soirée, j'étais si épuisé que j'étais convaincu de passer une bonne nuit de sommeil. Mais plutôt que de faire la grasse matinée, j'étais tout à fait éveillé à 6 h. J'avais une heure d'attente avant l'arrivée de l'infirmière qui devait me préparer pour le voyage. Mais je ne pouvais pas dormir, alors je fis des exercices respiratoires et je me rappelai que si j'arrêtais maintenant, il me faudrait tout recommencer à zéro.

Entre 8 h et 9 h, l'endroit que je considérais comme mon foyer depuis quelques semaines, avec mes effets personnels et les signes de l'appui moral de toutes sortes de gens redevint une simple chambre d'hôpital, meublée seulement d'un lit et d'une table. Toutes les infirmières de garde vinrent me faire leurs adieux, mais le docteur Rish ne vint pas. Peut-être était-il retenu en chirurgie. L'ambulance arriva à 9 h, et on m'y installa, avec mes tubes, mes fils et toute ma panoplie. Beaucoup d'amis étaient massés dans le couloir lors de mon passage, mais un me frappa surtout : mon grand ami Leonard Oden était venu me saluer, et il avait sans doute dû annuler ou reporter des rendez-vous pour être présent.

Parfois, la conviction que quelqu'un se soucie de soi comporte des vertus curatives qui vont bien au-delà de la médecine moderne. Quand ma civière arriva dehors, sous le soleil — la première fois depuis trois semaines — tout me semblait formidable.

Sitôt en route, l'ambulancier qui était installé à l'arrière avec Sandy et moi se familiarisa bien vite avec la carte-alphabet. Sandy lui suggéra de me demander si je souhaitais écouter une de mes cassettes. Lorsqu'il nomma John Denver, je clignai des paupières.

«J'aime aussi John Denver,» dit-il. Je me mis à cligner des paupières rapidement. «Est-ce que quelque chose vous contrarie?» demanda-t-il. Sandy l'informa que je voulais lui dire quelque chose.

«J'ai déjà été un excellent guitariste,» lui dis-je. J'ajoutai que je jouais surtout de la musique «folk» et «country».

La douce musique envahit l'ambulance alors que je regardais l'autoroute se dérouler derrière nous comme un ruban noir. Nous roulions à 135 km/h et, à cause de l'effet hypnotique, je m'endormis rapidement.

À mon réveil, environ une heure plus tard, nous étions à 25 km au sud de Richmond. Sandy m'informa que nous allions bientôt nous arrêter pour faire le plein. Nous nous arrêtâmes à une station-service, et le père de Sandy me demanda si je voulais boire quelque chose. «Oui», indiquai-je.

«Que dirais-tu d'un bon Mountain Dew bien froid?» demanda Sandy. J'étais d'accord, j'avais envie de le crier. Ce serait mon premier verre depuis mon accident.

Sandy revint avec la boisson et une paille. Je pus tout juste ouvrir la bouche suffisamment pour qu'elle y glisse la paille. Je ne pouvais pas encore avaler, et elle ne laissait couler que quelques gouttes à la fois dans ma bouche, juste pour l'humecter et la rafraîchir. Mes papilles gustatives fonctionnaient très bien! C'était tout simplement merveilleux. Mais la vue et l'odeur des aliments solides que tout le monde mangeait me rendait fou.

Ensuite nous avons repris la route, en direction des Blue Ridge Mountains et d'une nouvelle étape de ma vie. Vingt-sept jours seulement après mon accident, j'avais une sensation étrange. J'avais l'impression de laisser le vieux Morris derrière et d'emmener le nouveau Morris avec moi. Je savais que personne, pas même Sandy, ne pouvait comprendre ce que je ressentais. Dans *To Kill a Mockingbird*, Atticus Finch dit à Scout, sa fille : «On ne peut vraiment comprendre une personne qu'à condition de se mettre dans sa peau et d'y vivre un certain temps.»

Je ne souhaitais certainement à personne de se mettre dans la mienne en ce moment ! Cela aurait été un châtiment cruel et peu habituel. Mais j'aurais vraiment souhaité que quelqu'un partage ce que je ressentais.

En entrant dans la belle ville universitaire de Charlottesville, j'étais heureux d'être arrivé à destination. Le voyage de quatre heures avait été très fatiguant, et j'étais impatient de m'installer.

«C'est immense,» s'exclama Sandy alors que l'ambulance reculait en direction de l'entrée de l'urgence. Tout était bien organisé, et on me transporta au cinquième étage, dans l'aile nord, dans une chambre de quatre lits.

Après avoir rangé tous mes effets, mes beaux-parents et Sandy s'en allèrent en promettant d'être de retour après dîner. Ils promirent aussi de rester un jour ou deux, jusqu'à ce que je sois à l'aise dans mon nouveau milieu.

Le docteur Richard Whitehill arriva bientôt, me salua et m'apprit qu'il était en charge de mon cas. Chirurgien orthopédique et professeur à l'école de médecine de l'université, sa spécialité recouvrait les problèmes de la moelle épinière reliés au dos et au cou. On m'avait dit qu'il était le deuxième meilleur au monde dans son domaine. C'est une réputation plutôt impressionnante, et j'avais de la chance de voir mon sort entre pareilles mains. Mon seul grief, c'est qu'il était trop rapide. Surtout à cause du fait que j'étais condamné au silence et à l'immobilité, il m'était difficile et même frustrant d'attirer son attention.

Et un autre problème se posa bien vite : une pénurie d'infirmières. Plutôt que de me trouver dans une aire ouverte sous la constante surveillance de l'ensemble du personnel infirmier, j'étais dans une chambre en compagnie de trois autres patients. Une seule infirmière était responsable de cette chambre, de même que de deux à quatre chambres additionnelles. Cela signifiait qu'à chaque heure, une infirmière n'avait que dix minutes environ à m'accorder. Et comme je ne pouvais formuler verbalement mes besoins, il m'arrivait de rater complètement l'infirmière de service et d'avoir à attendre une heure de plus pour attirer son attention. Je savais qu'il nous faudrait trouver une solution à ce problème pour obtenir l'aide nécessaire à ma guérison.

Quand tout le monde fut parti en soirée, je repris sérieusement mes exercices de respiration. Je prenais encore 200 respirations, suivies d'un repos de quelques minutes. Rien n'indiquait que mes exercices pourraient un jour améliorer mon état, mais la voix était toujours là, me rappelant de poursuivre mes efforts. J'imagine qu'à ce point, la plupart des gens auraient déjà abandonné. Sois réaliste, se seraient-ils dit. Eh bien moi j'avais un rêve, et les rêves ne sont pas toujours réalistes. En abandonnant, je n'aurais plus eu aucune chance de le réaliser, alors je persistai.

Le 7 avril, ma première matinée au nouvel hôpital ne fut pas très différente de celles de l'hôpital général de Norfolk. Mais cela ne m'aidait pas à mieux supporter les traitements habituels.

«Je vais essayer de ne pas vous faire de mal,» me dit une jeune femme qui devait effectuer une prise de sang. Vous ne pouvez me faire de mal, pensai-je. Après ce que je venais de traverser, il fallait plus qu'une petite aiguille pour me faire du mal! On m'avait fait tellement de prises de sang au cours des dernières semaines que mes veines ne tenaient plus le coup. Chaque fois qu'une aiguille était utilisée, elles s'effondraient. Cette fois il fallut quatre tentatives avant que la femme ne réussisse.

Moins de 10 minutes plus tard, deux médecins firent leur apparition. Ils examinèrent mes poumons et me dirent qu'une équipe de spécialistes de la respiration viendrait bientôt me voir. En plus des traitements habituels administrés aux quatre heures, on allait me brancher à une machine qui entretiendrait constamment un certain taux d'humidité dans mes poumons, et ajouter des médicaments toutes les quatre heures.

On amena cette sorte d'humidificateur dans ma chambre, un tube translucide fut branché à celui de ma trachéotomie, et les médecins quittèrent la pièce après s'être assurés que tout fonctionnait bien.

J'avais à peine eu le temps de me détendre qu'une infirmière m'informa de radiographies à subir. J'espère que ce n'est pas aussi épuisant à tous les jours, pensai-je. J'appréhendais le transfert sur une civière et le voyage jusqu'au laboratoire, mais une surprise agréable m'attendait. On amena une machine à radiographie directement dans ma chambre, et je n'eus même pas à quitter mon lit.

Après le départ des techniciens, je m'apprêtai à regarder la télévision. Chaque poste noir et blanc était partagé entre deux patients, et chaque lit disposait d'une commande à distance. Je ne pouvais bouger ni mes doigts ni mes mains, alors il me faudrait me plier au choix de mon voisin. Mais pour le moment, cela n'avait pas d'importance. Trois semaines s'étaient écoulées depuis la dernière fois où j'avais eu la chance de voir ce qui se passait dans le monde.

Sandy et ses parents me rendirent visite vers 12 h et partirent à 14 h. Puis arriva le moment difficile. Il était temps pour eux de partir.

« Je reviendrai dans quelques semaines, » me dit Sandy. Ses parents promirent aussi de revenir aussitôt qu'ils le pourraient.

Après leur départ, je ressentis un vide terrible. Ils étaient bien intentionnés, mais je savais qu'une éternité s'écoulerait entre chaque visite. Je n'étais plus à 30 km, mais à 400 km de tous ceux qui m'étaient chers. Pour la deuxième fois, je fondis en larmes.

Pendant la semaine et demie qui suivit, il me fallut m'adapter à un nouvel horaire. Chaque matin, je me réveillais à 6 h 30. Entre 7 h et 7 h 30, mes médecins me rendaient visite pour s'enquérir de mes progrès. Aussitôt qu'ils étaient partis, c'était l'heure de ma thérapie respiratoire. Puis une infirmière me faisait une prise de sang. J'avais l'impression que mes bras étaient des pelotes à épingles.

Je me rappelle de la fois où une jeune novice a dû faire 16 tentatives pour réussir à prélever du sang. Finalement, découragée, elle partit chercher de l'aide. Un médecin se présenta et dut me faire la prise de sang au pied.

Après la prise de sang, une infirmière me lavait, me rasait, puis changeait mes draps.

J'étais ensuite pesé. Les médecins me surveillaient de très près, même si mon poids ne variait que de 28 g à chaque semaine. Chaque matin deux hommes apportaient à côté de mon lit un pèse-personnes qui ressemblaient à une civière, et dont la plate-forme pouvait être élevée, abaissée ou déplacée horizontalement à l'aide d'une commande électrique. Une infirmière me soulevait, et la plate-forme était glissée sous moi. Ensuite la machine me soulevait et enregistrait mon poids.

Venaient ensuite les techniciens des radiographies. J'ai subi tellement de radiographies que l'on peut me localiser à l'aide d'un compteur Geiger !

Dieu merci, les après-midi étaient plus calmes. Il y avait parfois des radiographies et des prises de sang additionnelles, mais la plupart du temps l'après-midi était plutôt tranquille. Les heures de visites étaient de 12 h à 14 h. C'était un moment triste à passer pour moi dont les amis et la famille habitaient si loin. Après une visite de l'un de mes spécialistes qui examinait mes poumons, et un autre traitement respiratoire à 16 h, l'après-midi était terminé.

Les soirées étaient des périodes de détente. Sans visites en soirée, l'aile était plutôt tranquille. J'écoutais des cassettes, je regardais la télé et j'écoutais les conversations des autres patients. Même si je ne pouvais y participer, j'aimais bien écouter pour mieux connaître mes compagnons.

Les liens d'amitié développés au cours de mon séjour de deux mois à l'hôpital universitaire sont encore solides aujourd'hui. Nous avions tous un élément en commun. Nous étions passés de l'état d'êtres humains normaux à une pâle réplique de nous-mêmes. Certains patients, comme ce garçon de 16 ans qui partageait ma chambre, allaient guérir et reprendre une vie active ; le garçon, victime d'un accident de la circulation s'était fracturé les deux jambes, mais il n'avait subi aucun dommage au dos ou à la moelle épinière. D'autres patients allaient demeurer paralysés toute leur vie, leur moelle épinière horriblement endommagée. Et d'autres encore étaient gravement atteints, mais pouvaient encore espérer retrouver leur mobilité grâce à la thérapie et à la détermination. J'étais convaincu de faire partie de cette dernière catégorie. Les médecins croyaient que je demeurerais paralysé.

Tom Elridge occupait un lit de l'autre côté de la chambre. Il était âgé de 27 ans environ et venait de Chesapeake, en Virginie, un endroit situé près de chez moi. Tom avait été atteint d'une décharge de pistolet au dos, et la balle s'était logée près de sa moelle épinière. Craignant d'aggraver la blessure, les médecins avaient décidé de ne pas extraire la balle. La souffrance qu'éprouvait Tom se voyait sur ses traits, sans compter ses plaintes, malgré les injections de morphine effectuées toutes les quatre heures.

Je pouvais comprendre Tom. Je ressentais d'intenses douleurs sur tout le corps : jambes, pieds, estomac, cou, tête, bras, mâchoire, fesses, tout cela était sensible et le moindre contact, une torture. Mais je refusais de prendre quoi que ce soit contre la douleur, craignant de développer une dépendance ou d'être amené à accepter ma condition.

Je contemplais l'aspect positif de la situation. Si la douleur persistait, les sensations aussi. Douleur signifiait guérison. Si je n'avais rien ressenti, si tous mes nerfs avaient été endommagés, je n'aurais eu aucune chance de guérison.

Le contraste entre mon apparence et l'image que je me faisais de moi est bien illustré par un incident qui est survenu le deuxième jour de mon séjour à Charlottesville. John Cordle, un quinquagénaire, fut admis dans la même chambre que moi. Il venait de Richlands, en Virginie, une ville minière située à environ 480 km de l'hôpital. John s'était fracturé le dos en coupant du bois ; un arbre était tombé sur lui.

John reçut la visite de sa femme et de ses deux fils. Ils se mirent à parler de chasse au chevreuil, et je devins très intéressé. Clignant rapidement des paupières pour attirer l'attention d'une infirmière, j'espérais communiquer mon enthousiasme à John. Une infirmière qui était familière avec ma carte-alphabet m'aida à demander à John comment il s'appelait, mais il ne répondit pas. Il ignora tout simplement ma présence. L'infirmière me dit son nom et quitta la pièce

Plusieurs mois plus tard, j'appris que John avait confié à sa femme qu'il était inutile de me dire son nom. « Cet homme sera mort demain matin, » avait-il dit. Eh bien, je n'étais pas encore prêt à partir pour l'autre monde, mais j'imagine que j'avais l'air de quelqu'un qui allait mourir d'un instant à l'autre !

Incapable de dialoguer avec John, je me retrempai dans mes souvenirs, me rappelant un jour où j'avais chassé la caille à l'âge de 18 ans. C'était une journée très froide de la mi-décembre, une journée nuageuse qui s'annonçait neigeuse. Je chassais en compagnie de mes chiens, Mutt et Prince, depuis l'aube. Je n'avais attrapé que quatre oiseaux, quand il commença à neiger. C'était la fin de l'après-midi, le temps de rentrer, mais les chiens décelèrent la présence de nouveaux oiseaux. J'en abattis trois au moment où ils s'envolaient, et les autres s'éparpillèrent dans un bois clairsemé.

C'était un endroit idéal pour Mutt et Prince, qui pouvaient retracer les oiseaux isolés. Le seul obstacle était un étang d'une largeur d'environ 76,5 m^3. L'eau glacée avait une profondeur de 2,45 m à 4,55 m, mais j'étais certain de pouvoir traverser en marchant sur des tronc d'arbres abattus.

Tenant mon fusil à bout de bras pour m'aider à garder mon équilibre, j'entrepris de traverser. Mes bottes étaient mouillées et les tronc étaient couverts de boue et de neige, alors je faisais preuve d'une prudence extrême. Alourdi par mes vêtements et mes bottes de chasse, je risquais de me noyer ou de geler à mort dans l'éventualité d'une glissade.

À mi-chemin de la traversée, j'aperçus Prince qui nageait à côté de moi, mais Mutt avait disparu. Jetant un coup d'oeil par-dessus mon épaule, je constatai avec horreur que mon chien courait vers moi et allait me faire perdre l'équilibre. Le choc se produisit, je perdis effectivement l'équilibre et je tombai à l'eau.

Dès que je remontai à la surface, l'eau me gela sur la figure. Je dus replonger à plusieurs reprises pour retrouver mon fusil. J'aurais tiré ce chien sans aucun remords, mais il eut le bon sens de se tenir à bonne distance. Après m'être sorti de l'eau et avoir repris mon souffle, je pris le chemin de retour vers la ferme, située à 12 km du lieu où je me trouvais ; je grelottais dans le soir tombant.

Je dus frapper mes bottes avec un marteau pour casser la glace qui m'enveloppait les pieds. Je ne perdis pas un orteil à cause du gel, mais ils conservèrent une certaine insensibilité pendant près de 15 mois.

Cette terrible expérience me fit-elle craindre un sport que j'adorais ? Pas du tout ! Les événements de ce genre font partie du jeu.

Revenant au présent, je me rendis compte que je ne pouvais laisser mon accident me priver de la vie au grand air que j'adorais depuis tant d'années. Non seulement pourrais-je à nouveau fonctionner normalement, mais j'allais aussi pouvoir chasser, pêcher et profiter de la vie.

Le samedi, 18 avril, je reçus une visite surprise de Pat et de Sandy. Je m'étais attendu à passer une fête de Pâques triste et solitaire, mais leur présence et le lapin de peluche blanc qu'ils m'apportaient me remontèrent le moral.

J'avais tellement de temps à rattraper que pendant trois heures, nous avons parlé sans arrêt de ce qui s'était produit au cours des deux dernières semaines. L'une de mes principales préoccupations était la pénurie d'infirmières. Je devais leur faire comprendre le sérieux de cette pénurie. Les infirmières faisaient vraiment des efforts, mais il m'arrivait de passer deux heures sans voir une seule infirmière, et quand l'une d'elles venait s'occuper de moi, elle n'avait pas le temps de tout faire.

Je leur suggérai de me trouver une infirmière privée. Landon s'occuperait de voir si mon assurance pouvait couvrir un tel coût. Et même si je devais défrayer moi-même ce coût, il me semblait que cela était indispensable à ma guérison.

Pat s'informa auprès de l'infirmière en chef et obtint son accord et les noms de plusieurs agences de la région. Sandy me promit qu'elle vérifierait la police d'assurance dès son retour à la maison. Mais j'avais toujours l'impression qu'on ne comprenait pas la gravité de la situation. J'étais isolé et sans défense. Et cela affectait tout autant mon bien-être physique que mon état mental.

Pendant les trois heures précédentes, j'avais vécu dans le passé et dans le futur. Après le départ de mes visiteuses, je me retrouvai dans le présent.

Ce soir-là j'eus droit à un nouvel infirmier. Il s'appelait Randy Amos. Au début, je ne savais que penser de cette situation inhabituelle. Mais je me rendis vite compte de sa compétence et même du boni : l'une des photos de mon mur attira son attention, et il me demanda s'il s'agissait de moi ; je m'étais fait photographier, arborant un large sourire, avec à la main un bel espadon blanc.

« Mon vieux, j'adorerais prendre un poisson comme celui-là, » dit-il. J'appris qu'il aimait la pêche autant que moi. « Je reviendrai tout à l'heure, » me dit-il avec enthousiasme. Je m'étais fait un ami.

Randy fut l'un des meilleurs infirmiers que j'eus pendant mon séjour à l'hôpital universitaire. Il se familiarisa rapidement avec la carte-alphabet, et il prit le temps de me parler chaque fois qu'il disposait d'une minute ou deux. Ces petites attentions additionnelles étaient si importantes pour moi. J'étais là, sans ma famille ni mes amis, avec un intense besoin de contacts humains, mais incapable d'établir ou d'entretenir très longtemps de tels liens, à moins qu'une personne soit assez intéressée pour me consacrer du temps et des efforts. Randy m'aida beaucoup au point de vue mental.

Certains membres du personnel infirmier s'entraînaient à saisir ma carte-alphabet, mais les contraintes de temps ne leur permettaient pas de m'en accorder beaucoup. D'autres étaient peu habitués avec le système, alors nous devions revenir aux devinettes, et je devais répondre oui ou non, à force de clignements des paupières, à leurs questions. Certains des médecins spécialistes de la respiration, de la circulation et des radiographies ne connaissaient rien à mes cartes de communication. En fait, quelques-uns d'entre eux ne pouvaient même pas comprendre l'affiche à la tête de mon lit qui indiquait qu'un clignement voulait dire oui et deux voulaient dire non. Un soir un membre de l'équipe respiratoire m'administra mon traitement de 22 h. Trente minutes plus tard, une autre technicienne se présenta.

« Avez-vous eu votre traitement de 22 h ? » me demanda-t-elle. Je clignai des paupières une fois. « Voyons un peu, un clignement veut dire non et deux signifient oui. »

Elle m'administra aussitôt un second traitement. Mes poumons étaient déjà endoloris. Si j'avais pu me servir de mes mains, je crois que je l'aurais étranglée.

Les difficultés de communication avec le personnel n'étaient pas mes seuls problèmes. Une infirmière entra un jour avec une paire de bas blancs à la main. Elle expliqua que je devais les porter la majeure partie du temps, afin de prévenir la formation de caillots de sang dans mes jambes. Au début ces bas étaient serrés et peu confortables. Après quelques heures, j'avais l'impression d'avoir marché pieds nus sur des charbons ardents. Mais un caillot pouvait me tuer, alors je devais supporter un feu qui me brûlait des genoux aux orteils 23 heures sur 24, car on m'avait accordé un repos d'une heure par jour à cause de mes plaintes. Cela devait se poursuivre pendant trois mois.

Les médecins craignaient aussi la formation d'escarres, alors ils ordonnèrent que l'on me tourne à toutes les deux heures plutôt qu'à toutes les quatre heures. On me plaçait sur le côté gauche, puis sur le dos, puis sur le côté droit, et ce, 24 heures par jour. Ajoutés aux traitements pulmonaires, tous ces déplacements ne me permettaient jamais de m'offrir une bonne nuit de sommeil. Mais on m'informa que cette procédure serait nécessaire jusqu'à ce que je devienne plus mobile, ce que l'on considérait peu probable.

Je poursuivais toujours mes exercices de respiration. Persuadé que j'obtiendrais bientôt des résultats, j'augmentai le nombre de mes respirations successives à 300. Il n'était pas question d'abandonner un jour.

Le vendredi, 24 avril, le docteur Whitehill décida qu'il me fallait une meilleure alimentation. L'alimentation intraveineuse ne suffisait plus. Le lendemain, je devais subir une gastrotomie. On pratiquerait une incision et un tube serait introduit dans mon estomac, qui permettrait de m'introduire de la nourriture et des médicaments.

L'opération se déroula sans problèmes. Quand l'effet des drogues se fut dissipé, je ressentis une petite douleur à l'estomac, mais en regard de tout ce que j'avais subi, c'était supportable.

Un tube de plastique transparent était relié à mon estomac. Il était branché à une machine qui pompait constamment une substance blanche et crayeuse, portant le nom d'Ensure, dans mon estomac. C'est ainsi que l'on me nourrissait. Plusieurs fois par jour, les infirmières débranchaient la pompe et se servaient d'une seringue pour m'administrer des médicaments directement dans l'estomac. La pression générée par la seringue me donnait l'impression que mon estomac se gonflait comme un ballon.

Je me sentais toujours comme une créature de l'espace. La pompe de l'estomac se bloquait souvent. Cela déclenchait un puissant signal sonore, et une infirmière venait corriger le problème. À ma droite, un respirateur était relié à ma gorge. À ma gauche se trouvait la pompe souvent bruyante qui m'alimentait. Au-dessus du lit, deux tubes descendaient, reliés à chacun de mes bras, et un autre à mon nez. Il me fallait toute la force dont j'étais capable pour supporter tout cela. Je devais croire à ma guérison, mais je ne pouvais échapper à la réalité de ma dépendance à toutes ces machines responsables de mes fonctions vitales.

Au cours du week-end arriva un nouveau compagnon de chambre. John le pessimiste, qui m'avait pris pour un mourant, fut transféré, et c'est John Howard Marshall qui prit sa place. Tout le monde l'appelait Howard, sauf moi : je l'appelais John. Au cours des mois qui suivirent, nous sommes devenus de bons amis.

John possédait une petite entreprise de coupe de bois près de Lynchburg, en Virginie. Comme il coupait du bois, un arbre était tombé sur lui et lui avait brisé le cou. Sa moelle épinière avait été endommagée, et la moitié inférieure de son corps était paralysée. Il pouvait bouger un peu son épaule gauche, mais ne pouvait utiliser son épaule ou son bras droit.

John venait de se construire une maison. Je me demandais comment il pourrait poursuivre ses versements et nourrir sa famille. Autrefois fier pourvoyeur, il en était désormais réduit à l'immobilité.

Il y a tant de tragédies, pensais-je, tant de souffrances. Avant mon accident, je n'étais pas vraiment conscient de l'existence de cette facette de l'humanité. Mais maintenant je me rendais compte de la fragilité du corps humain. Mais un événement unique, une seule erreur pouvait-elle ruiner la vie d'une personne ? Pas si je pouvais y changer quelque chose. J'écoutai Kenny Rogers chanter «Every hand's a winner and every hand's a loser,» la chanson-thème du film «The Gambler», et je me rappelai ces paroles de James Allen, l'expert en motivation : «Ce n'est pas la situation qui fait l'homme ; elle le révèle simplement à lui-même.» J'étais déterminé à me servir des cartes dont je disposais pour gagner la partie.

Le dimanche j'eus une visite surprise de ma soeur Pat et de ma cousine Elaine. Pat était devenue tellement à l'aise avec la carte-alphabet que j'avais l'impression de lui parler vraiment. Nous avons eu quelques minutes de conversation, puis je lui confiai un message qui fut un choc pour elle : «Sors-moi d'ici.»

«Tu veux être transféré ailleurs ? dit-elle. Pourquoi ?

— Ils ont tué mon voisin, lui signalai-je. C'était l'équipe de la thérapie respiratoire.»

Pat alla s'informer auprès des infirmières. À son retour, elle me dit que je devais avoir rêvé. Mais elle se trompait.

Quelques jours auparavant, pendant un de mes traitements, l'équipe avait discuté du cas. Dans une autre chambre, un patient avait été incapable de respirer, suffoqué par un manque d'oxygène, et l'équipe s'était rendue trop tard à son chevet. J'avais prétendu qu'il était dans ma chambre juste pour attirer leur attention. Mais j'avais peur. Plusieurs fois déjà, le tube de ma tranchée s'était bloqué, et on avait mis plus de deux heures avant que des correctifs soient apportés. J'étais convaicu que j'allais étouffer.

«Trouvez-moi une infirmière personnelle ou sortez-moi d'ici,» dis-je à Pat. J'avais besoin de quelqu'un à mes côtés en permanence, quelqu'un pour aller chercher de l'aide en cas de nécessité.

Pat me promit qu'elle prendrait des mesures au cours des prochains jours. Mais j'en avais assez des promesses. J'étais frustré et effrayé. Je voulais que des mesures soient prises sur-le-champ.

Le matin du lundi 27 avril, à mon réveil, je souffrais de graves douleurs à la poitrine. Des médecins m'examinèrent, prirent des radiographies et découvrirent que j'avais de nouveau contracté une pneumonie double. Les deux premières fois, on aurait dit qu'il s'agissait d'une infection prolongée. Mais pendant un certain temps, mes poumons avaient semblé se clarifier. Désormais il allait falloir me donner plus d'antibiotiques, et les infirmières durent me surveiller de près.

Je n'avais aucun doute quant à ma survie éventuelle. Cependant les médecins n'étaient pas aussi optimistes. Ils se demandaient combien de stress additionnel mon organisme pourrait supporter. Vers la fin de la semaine, on procéda à une nouvelle bronchoscopie. Cela donna vraiment de bons résultats. Au début du week-end, mon état s'était assez amélioré pour que je reprenne mes exercices respiratoires. J'avais pris un congé d'une semaine et je ne voulais plus perdre de temps. Quelque chose me disait que mes efforts allaient être récompensés sous peu.

Shannon, le garçon de 16 ans qui s'était fracturé les jambes, fut transféré. Il fut remplacé ce même week-end par Tom Bates. Tom était tombé d'un toit. Il s'était fracturé les deux bras et les deux poignets, mais n'avait pas subi de blessures au dos, au cou ou à la colonne. Sa guérison allait demander du temps mais rien n'était irréparable.

Tom avait les bras et les mains dans le plâtre, mais il pouvait se servir de ses doigts pour actionner la commande à distance du téléviseur. On aurait dit qu'il regardait toujours trois émissions à la fois : une chaîne pendant 10 minutes, puis passait à une autre, puis à une troisième. Cela m'amusait au début, mais après un certain temps je croyais devenir fou. Pour regarder une émission entière, je devais attendre que Tom s'endorme. Le reste du temps, je n'accordais aucune attention à la télévision, car je savais qu'au moment où je commencerais à m'intéresser à une émission, l'écran allait me présenter autre chose. J'avais là une autre raison de supporter le long processus de ma guérison. Cela me rappelait le peu de contrôle que j'avais sur ma vie. Il me fallait tout reprendre en mains, même si cela devait prendre des années ! Et personne ne m'en ferait démordre.

Le mercredi, on me fit subir une longue série de radiographies. On me déposa sur une civière et on me transporta au laboratoire. Une heure se passa avant que l'on commence vraiment les radiographies. La table sur laquelle j'étais étendu était dure comme du béton, et je dus y passer une autre heure. Au retour à ma chambre, j'avais des douleurs partout.

Puis il se produisit quelque chose de stupéfiant. Je constatais soudain à quel point mon lit était confortable ! Jusque-là, j'étais persuadé d'avoir le pire lit au monde. Mais comparativement à la civière et à la table des radiographies, il était merveilleux. Le lit n'avait pas changé, mais ma perception du lit, elle, s'était modifiée. Désormais, j'allais devoir comparer mes douleurs et mes déceptions à quelque chose de pire : j'avais été mort pendant quelques minutes, et aujourd'hui j'étais au moins vivant et mon état était stable. Je voyais de nombreux autres patients qui n'avaient aucun espoir de remarcher un jour, leurs vertèbres ayant été fracturées. Mais mes vertèbres à moi avaient été seulement écrasées, je ressentais certaines sensations et pouvais bouger un peu.

Ce soir-là j'avais un bon moral, et je décidai de faire un effort de plus pour réaliser mon objectif premier : respirer par mes propres moyens. Je fis deux séries de 300 respirations profondes suivies d'une période de repos. Rien ne se produisit. Morris, me dis-je, jamais de ta vie tu n'as abandonné au milieu d'une difficulté. Continue. Je pris 300 autres respirations et je m'arrêtai.

Ça marchait ! Je sentis mes poumons se gonfler à trois reprises. Je me dis alors que je l'avais peut-être imaginé. J'entrepris une nouvelle série de 300 respirations. À nouveau mes poumons se gonflèrent trois fois d'eux-mêmes ! Je n'étais pas fou en fin de compte.

Tom et moi regardions un match éliminatoire de basket-ball opposant des équipes de Boston et de Philadelphie. Je continuai mes séries de 300 respirations consécutives suivies d'une pause. Chaque fois mes poumons respiraient d'eux-mêmes à trois reprises. Le match se termina à une heure tardive, mais j'étais encore bien éveillé. Je poursuivis mes exercices jusqu'aux petites heures du matin, puis je m'endormis. En m'éveillant, je recommençai. Est-ce que ça fonctionnerait ? Oui ! J'étais encore loin de pouvoir me passer du respirateur, mais je m'étais au moins prouvé que cela était possible. Je n'osais pas en parler aux médecins. S'ils m'avaient dit qu'il s'agissait d'un hasard, sans aucune importance véritable, j'aurais eu du mal à continuer. Je voulais savourer ma première petite victoire, et je savais qu'ils seraient éventuellement muets d'étonnement. Je leur en parlerai quand j'aurai fait plus de progrès, me dis-je.

Chapitre 4

Me déplacer

L'action favorise la motivation.

Zig Ziglar

La tête me tournait à la pensée de tout ce que j'allais faire une fois libéré du respirateur. Je pourrais peut-être commencer à circuler dans un fauteuil roulant à condition de me libérer d'une machine de plus, me disais-je. En fait, j'allais essayer le fauteuil roulant avant de respirer totalement par moi-même. Mais je dus d'abord supporter l'ajout d'un nouvel appareil à ma collection.

Je n'oublierai jamais la première matinée suivant mes premières respirations. C'était le 30 avril. Après mes prises de sang et ma toilette habituelles, le docteur Mark Bolander vint me voir. Il était en période de formation et assistait le docteur Whitehill. Contrairement au docteur Whitehill, qui débordait d'énergie et n'avait jamais le temps de parler, le docteur Bolander était calme et détendu. Il prenait toujours quelques minutes pour me parler.

« Morris, nous allons vous fixer quelque chose à la tête pour que votre cou demeure droit, » m'expliqua-t-il. « Vos radiographies indiquent que votre cou ne s'aligne pas comme prévu, et cela nous préoccupe. Alors nous avons décidé de vous installer un appareil spécial pour régler le problème. »

Je me demandais quel pouvait être cet appareil. J'allais bientôt le découvrir, à mon plus grand malheur.

Un homme répondant au nom de Richard se joignit au docteur Bolander. D'abord, on m'introduisit profondément des aiguilles de chaque côté du crâne afin de m'injecter un produit anesthésiant. Puis ensuite, une barre métallique de chaque côté de ma tête fut placée dans une position verticale. Relié à ces barres, un mince ruban métallique m'entourait la tête, maintenu en place par quatre vis enfoncées directement dans mon crâne. Ma tête devait être insensible, mais la douleur fut si grande que je crus m'évanouir. Du sang coulait des plaies faites par les vis, et j'étais convaincu que mon crâne allait éclater.

Ensuite, on posa un plastron de plastique moulé autour de ma cage thoracique. Sur chacune de mes épaules, un autre moule rappelant les épaulettes des joueurs de football était relié à ma poitrine et à mon dos. Finalement, les barres placées de chaque côté de ma tête furent fixées au plastron à l'aide de vis, et on serra et ajusta le tout. On aurait dit que tout cela avait été fait sur mesures. Ah oui, c'est pour cette raison que l'on avait pris les mensurations de la partie supérieure de mon corps une semaine auparavant !

Le docteur Bolander sifflotait une mélodie joyeuse en terminant le travail. Comment pouvait-il être aussi joyeux après m'avoir fait une telle chose ? Maintenant, je suis vraiment cloué au lit, me dis-je.

Mais le médecin et Richard n'avaient pas fini ; c'était ensuite le tour de John Marshall. John avait observé toute l'opération, sans paraître s'en faire outre mesure. Il ne se rendait sans doute pas compte que j'étais incapable de crier, et que j'avais été dans l'impossibilité de manifester quelque signe d'émotion ou de douleur que ce soit.

Bientôt John se plaignait, puis il se mit à crier. Il formula même quelques insultes à l'endroit du docteur Bolander, mais le médecin prit le tout avec un grain de sel.

John et moi étions assez contents de les voir partir. Nous avions assez souffert pour le moment. Une infirmière se présenta et me donna un injection, et je dormis jusqu'à 20 h ce soir-là.

Mon crâne était encore lancinant, mais je décidai de reprendre mes exercices respiratoires. À ma grande surprise, je constatai que mes poumons se gonflaient 10 fois après 300 respirations. Je faisais des progrès, mais c'était encore trop tôt pour en parler aux sceptiques. Le fait de respirer 2 jours sur 51 n'était pas très reluisant ; il me faudrait être patient et attendre.

Le lendemain, premier mai, j'eus un nouveau visiteur. Un homme assez jeune portant un veston sport et une cravate entra dans ma chambre.

« Je suis le rabbin Sheldon Ezring du temple réformiste Beth Israël, » dit-il. « Votre tante Lena a parlé de vous à l'un de mes amis et m'a demandé de vous rendre une visite. »

Après avoir lu l'affiche qui surplombait mon lit et qui décrivait mon système de communication à l'aide de clignements des paupières, il commença à me poser des questions. Quelques minutes plus tard, une infirmière entra et lui demanda s'il voulait essayer d'utiliser ma carte-alphabet. Il était étonnant. Il l'apprit en un temps record, et une longue conversation s'ensuivit.

« Nous aimions tous deux les sports : baseball, football, basket-ball. Il me demanda mes prévisions concernant le match éliminatoire qui devait avoir lieu le soir même, et je déclarai que je favorisais Philadelphie.

« Je crois que je vais aussi parier sur Philadelphie ce soir, » dit-il. Je ne pouvais en croire mes oreilles. Un rabbin qui pariait. Décidément, ce gars me plaisait.

Notre conversation s'orienta vers mon accident. Il était particulièrement intéressé à mon expérience puisque j'étais mort pendant sept minutes.

« Je suis solide. Je vais m'en sortir, lui indiquai-je.

— Vous savez, je le crois aussi, » dit-il. Il semblait vraiment sincère. Au cours des deux mois suivants, il me rendit de fréquentes visites. Mes conversations avec lui furent toujours agréables et intéressantes, et le temps qu'il m'accorda toujours si généreusement fut pour moi inestimable.

Cet après-midi-là, Carolyn Ford, qui faisait partie du service de physiothérapie, me rendit visite. Elle, ou une autre physiothérapeute, Maureen Yocum, allaient venir quotidiennement exercer mes jambes, mes bras et mes mains pour éviter que mes articulations ne se raidissent. Cela était si douloureux que je voyais des étoiles, mais je savais que cette thérapie était nécessaire.

On appelait affectueusement Carolyn « Carolina », du nom de cet État du Sud, car elle avait un accend du Sud. Elle était toujours souriante et heureuse. Mais ce jour-là, elle était vraiment rayonnante. Maureen se joignit bientôt à elle.

« Aujourd'hui nous avons une surprise pour vous, dit-elle. Nous allons vous installer dans un fauteuil roulant. » J'étais emballé.

Ils placèrent un fauteuil roulant près de mon lit. Puis une infirmière vint les aider.

J'étais resté étendu sur le dos depuis un certain temps, alors elles vérifièrent ma tension avant de me placer en position assise. On me plaça à un angle de 45 degrés, puis on reprit ma tension. On me demanda comment je me sentais, je répondis par un clignement pour indiquer que j'allais bien, et on me plaça en position assise.

«Est-ce que la tête vous tourne ?» demanda-t-on. Je répondis par la négative, et on entreprit de m'asseoir dans le fauteuil. Maureen tenait le fauteuil, et Carolina entreprit de me soulever. Comment va-t-elle y arriver, me demandai-je. Je ne suis pas très lourd, mais elle pèse à peine 45 kg ! C'était une simple question de technique. Elle me prit par la taille, coinça mes genoux contre les siens et me mit debout. Puis elle me retourna simplement et me déposa dans le fauteuil.

Je n'avais aucun équilibre, alors on me plaça une courroie autour de la taille pour m'empêcher de tomber vers l'avant. Ensuite fut installé le réservoir d'oxygène derrière le dossier de mon fauteuil, et fixées les bouteilles de soluté. On débrancha la machine qui m'alimentait et celle qui était reliée à mes poumons.

«Vous pouvez vous passer de ces machines pendant quelques minutes,» dit-elle. «Êtes-vous prêt à vous balader ?»

Avant que je puisse répondre, nous étions partis. J'ai dû faire le tour de l'étage plusieurs fois. À notre retour dans la chambre 30 minutes plus tard, j'étais un autre homme. Pour la première fois depuis mon accident, je n'étais plus cloué à mon lit. Quel progrès me disais-je, émerveillé.

J'avais désormais atteint le stade où mes poumons pouvaient se gonfler 20 fois d'eux-mêmes à la suite d'une série de respirations. J'étais encore loin de pouvoir me passer du respirateur, mais je faisais des progrès. Je pratiquais ma respiration et je passais un samedi tranquille quand une infirmière entra.

«J'ai de bonnes nouvelles,» annonça-t-elle. «Vous aurez une infirmière personnelle à compter de ce soir.» J'étais enchanté. À 19 h 30, l'infirmière était là, et nous avons passé la moitié de la nuit à faire connaissance. J'ai dû l'épuiser une fois qu'elle a su utiliser ma carte-alphabet. J'avais enfin quelqu'un qui pouvait s'occuper de moi, et j'en profitais pleinement. Elle n'était pas aussitôt assise que je lui confiais autre chose à faire.

À mon réveil le dimanche matin, elle était partie. Je voulus savoir si elle reviendrait le soir. L'infirmière du matin me promit de s'informer.

L'après-midi s'écoula plutôt lentement. À l'heure du dîner (pas pour moi, mais pour les autres), je ne savais toujours pas si j'aurais une infirmière pour la nuit. Je pensais à la manie que nous avons presque tous de vivre à toute vitesse, sans prendre le temps d'apprécier ce que nous avons. Je me promis qu'une fois remis sur pied (littéralement), j'allais prendre le temps de savourer les petits plaisirs que la vie comporte. Les journées me semblaient si longues que j'avais l'impression d'avoir subi mon accident très longtemps auparavant. En fait, il était survenu à peine huit semaines avant. Mais cela me semblait une éternité.

« Je vais veiller sur vous cette nuit, » me dit une femme au moment où je terminais mes méditations. Il nous fallut à nouveau faire connaissance. J'allais devoir rencontrer plusieurs autres infirmières.

Le lundi matin, je subis mes traitements routiniers. Mais au cours de l'après-midi, j'eus droit à une nouvelle expérience.

« Êtes-vous prêt pour une autre balade ? » me demanda Carolina. Quelques minutes plus tard, nous étions dans le couloir et nous nous dirigions vers les ascenseurs. Où allons-nous, me demandais-je. Elle savait que je m'interrogeais, alors elle me donna des explications.

« Nous allons en bas, au service de physiothérapie, » dit-elle. Maintenant j'étais vraiment emballé.

Je fus très impressionné par la salle de physiothérapie. On aurait dit un gymnase rempli de toutes sortes de machines. On plaça mon fauteuil à côté d'une table recouverte d'un mince matelas, et une seconde thérapeute se joignit à Carolina.

« Nous allons vous placer sur le matelas, » dit-elle. Elles me soulevèrent. Pendant que j'étais étendu sur le matelas, elles exercèrent mes bras et mes jambes. Ensuite elles m'assirent sur le bord du matelas.

« Voyons si vous pouvez rester assis par vos propres moyens, » dit Carolina.

J'essayai, mais chaque fois qu'elles me lâchaient, je retombais comme Humpty Dumpty. Ca va être plus difficile que je l'imaginais, me dis-je.

« Ne vous découragez pas, » dit Carolina. « C'est parfaitement normal après avoir passé tant de temps alité. Nous ferons une nouvelle tentative demain ou dans deux jours. »

En revenant vers ma chambre, je refusai de trop réfléchir à mes difficultés. L'inquiétude et l'anxiété sont des émotions qui demandent trop d'énergie ; je me rendais compte qu'elles ruineraient mes chances de progrès. Je devais prendre des mesures positives, et non pas me sentir désespéré et impuissant. M.R.

Kopmeyer a écrit : « Les « j'ai » et « je n'ai pas » sont toujours liés aux « j'ai fait » et « je n'ai pas fait. » Je n'allais certainement pas regretter de n'avoir pas agi !

De retour dans ma chambre, je me demandais pourquoi tant de gens échouent. J'en vins à la conclusion qu'ils ne manquent pas d'intelligence, mais de volonté. La volonté consiste à être disposé à payer le prix de l'objectif que l'on poursuit. Il me faudrait peut-être des jours pour réapprendre à rester assis par mes propres moyens, et je savais que je ne remarcherais pas avant plusieurs mois. Les médecins ne croyaient pas que je puisse jamais remarcher, mais je savais qu'avec suffisamment de volonté, je pourrais supporter les difficiles heures de thérapie.

Je me rappelai une histoire racontée par Kopmeyer qui montre comment l'esprit l'emporte sur le corps lorsqu'on sent que l'on doit faire quelque chose. C'est l'histoire de réfugiés fuyant un pays ravagé par la guerre. Tard le soir, un petit groupe d'hommes se réunirent dans un village. Ils comptaient tenter de s'échapper pour se faire une nouvelle vie ailleurs. Une femme les supplia de lui permettre de les accompagner, de la sauver et de sauver son nouveau-né. Ils commencèrent par refuser. Ils craignaient qu'elle soit incapable de les suivre et qu'elle anéantisse leurs chances de réussite. Mais finalement, ils donnèrent leur accord. Ils transporteraient l'enfant à tour de rôle.

La chaleur était torride, et même les hommes les plus jeunes et les plus capables commencèrent à montrer des signes de fatigue. Un vieillard tomba d'épuisement. « Je ne peux faire un pas de plus, » dit-il. « Vous devez continuer sans moi. » La femme marcha jusqu'à lui et lui remit son enfant. « Tu ne peux abandonner maintenant, » lui dit-elle. « C'est à ton tour de porter mon enfant. » Puis elle se retourna et, sans jamais regarder derrière, elle rejoignit le groupe. Quelques temps plus tard, elle se retourna et aperçut le vieillard qui avançait, tenant l'enfant dans ses bras.

Ce vieillard avait surmonté son épuisement physique et avait trouvé la force de continuer en se persuadant qu'il avait une responsabilité à assumer. J'avais une responsabilité envers moi-même, ma famille et mes amis ; invalide, j'allais être frustré, incapable de faire ce qui avait de la valeur dans la vie, et j'allais être à la charge de tous, qu'ils l'admettent ou non. Et j'avais une autre responsabilité, envers les autres personnes qui avaient subi des blessures comme moi. Je voulais leur donner de l'espoir et un exemple à suivre.

Le lendemain, on me donna un nouveau nom, qui m'est resté depuis. Alors que j'attendais d'être examiné par les oto-rhinolaryngologistes, deux chirurgiens me rendirent une visite. Ils se mirent à parler de mon cas et déclarèrent qu'ils ne pouvaient croire que j'aie survécu à un tel accident. L'un d'eux me donna le nom «d'homme miracle». Je venais d'hériter d'un surnom.

Même si je faisais très peu de mouvements lors de mes séances de physiothérapie, cela me fatiguait beaucoup. L'appareil qui emprisonnait ma tête et ma cage thoracique nuisait à tout ce que nous faisions. J'avais du mal à étendre complètement les bras, mes épaules étant emprisonnées si étroitement. La friction de mes omoplates contre le plastron était douloureuse. Mon équilibre était affecté par le poids de l'appareil qui enserrait ma tête.

C'est alors que je pensai aux chevaliers de la Table ronde. S'ils pouvaient monter à cheval revêtus de lourdes armures, je pouvais certainement apprendre à demeurer assis en portant cet appareil.

Le 5 mai, un mardi, j'eus ma séance de physiothérapie habituelle au début de l'après-midi et je réintégrai ma chambre. Il était quinze heures et j'avais à peine eu le temps de me reposer lorsque Carolina entra dans ma chambre... assise dans un fauteuil roulant motorisé. Tout le monde, infirmières y compris, était intéressé par le fauteuil. On n'en voyait pas souvent, et tout le monde était curieux de savoir où irait cette étrange machine et qui allait s'en servir.

Carolina roula jusqu'à mon lit et se leva. « Êtes-vous prêt pour une balade ? » Je ne me doutais pas de ce qui m'attendait, mais j'étais disposé à tout essayer. Dès que je fus rendu dans le couloir, elle me posa une attelle destinée à maintenir mon pouce et mes autres doigts séparés et étendus. Ensuite elle me mit dans la main un petit bâton qu'elle relia au levier de commande du fauteuil.

Cela me permettait de piloter MOI-MÊME le fauteuil ! Pour avancer, je n'avais qu'à pousser le levier vers l'avant. Pour reculer, il suffisait de le tirer vers l'arrière. Un léger mouvement vers la gauche ou la droite me permettait d'aller dans la direction de mon choix.

« Êtes-vous prêt à faire un essai ? » me demanda Carolina. Je fis signe que oui ; elle mit le fauteuil sous tension et s'éloigna.

Quelle expérience ! Je devais me concentrer intensément, mais je pouvais avancer la main en bougeant l'épaule. Je pouvais aussi bouger suffisamment et déplacer ma main d'un côté ou de l'autre pour contrôler la direction du fauteuil. Mais malgré tous mes efforts, je ne pus retirer la main suffisamment pour que le fauteuil puisse reculer ou s'arrêter.

Alors je heurtai beaucoup de murs. Cela était éprouvant pour mes orteils, car j'étais pieds nus. Mais j'étais comme un enfant avec un nouveau jouet. J'avais acquis une certaine mobilité et un peu de liberté.

Carolina revint environ une heure plus tard. « Ce fauteuil sera à vous pour un certain temps, » dit-elle. « Le service de réhabilitation nous l'a prêté, et je dois le leur rapporter demain. Mais faites-moi confiance : je vais tout arranger. »

Cette nuit-là j'eus du mal à m'endormir. Le fauteuil avait provoqué une montée d'adrénaline. Et ma respiration progressait. Maintenant, après 300 respirations, mes poumons se gonflaient d'eux-mêmes à 90 reprises. Les spécialistes avaient noté une amélioration remarquable de ma respiration, mais ils ne pouvaient expliquer le phénomène. Je ne fis rien pour les aider. Au cours des deux derniers mois, j'avais échappé à la mort et j'étais demeuré en contact avec mon environnement ; ma respiration s'améliorait et je pouvais me déplacer par mes propres moyens. Je n'allais laisser personne mettre un terme à mon rêve.

Le jeudi 7 mai, je commençai à échapper à la dépendance du respirateur. À la suite d'un examen des spécialistes pulmonaires, l'un des médecins me dit : « Nous avons décidé de réduire le fonctionnement de votre respirateur. Au début, vous aurez l'impression de ne pas recevoir assez d'air. Mais nous pensons que vous pourrez le tolérer. S'il y a quelque problème que ce soit, informez-en une infirmière et nous viendrons vous voir. »

Ils ajustèrent le respirateur de manière à ce qu'il se charge de 70 % de ma respiration, mes poumons, des 30 % restants. Les médecins ne comprenaient pas comment cela était possible, car mon diaphragme ne fonctionnait pas. Je voulais respirer par mes propres moyens, et il m'importait peu de savoir quels muscles étaient mis à contribution.

Je devenais de plus en plus capable de faire fonctionner le fauteuil roulant motorisé. J'avais même réussi à apprendre à arrêter l'engin sans percuter des objets solides. Il m'arrivait cependant des mésaventures. Parfois mon bras était agité de spasmes et le fauteuil s'emballait. Je heurtais des civières et des chaises, et quelqu'un venait me tirer de ma fâcheuse position. Mais je pouvais au moins me rendre dans des endroits où il y avait un peu plus de monde. J'avais été confiné à un espace restreint pendant trop longtemps, et ce peu de liberté avait tellement d'importance pour moi.

Ce même jeudi, quand je réintégrai ma chambre après la séance de thérapie, une autre surprise m'attendait.

«Bonjour. Je m'appelle Nancy,» me dit une jolie jeune femme qui attendait mon arrivée. «Je suis venue voir si je peux vous aider à communiquer avec les gens. Je fais partie du service de la thérapie du langage.»

Nancy Lumsden resta pendant près d'une heure et demie. Elle n'eut aucune difficulté avec ma carte-alphabet et la conversation fut longue. Son attitude agréable et joyeuse me remonta le moral.

La pensée de me mettre à la poursuite d'un autre but m'emballait. Je concentrerais toujours mes énergies sur ma respiration, mais lorsque j'aurais réussi, je voulais m'attaquer à mon élocution. La carte-alphabet était très utile pour le moment, mais je n'allais pas l'utiliser toute ma vie. Le fauteuil motorisé était une étape en attendant que je puisse marcher, mais ne pouvait remplacer la mobilité, et les cartes gardaient mon esprit alerte et me permettait de pratiquer la conversation, mais ne pourraient jamais remplacer la parole que j'avais déjà si bien maîtrisé.

Le vendredi après-midi, après la fin des heures de visite, lorsque les couloirs furent relativement déserts, j'eus la chance de faire un peu d'exploration dans mon nouveau véhicule. Carolina m'apporta mon fauteuil, me conduisit dans le couloir et me demanda de m'arrêter au bureau des infirmières quand j'aurais fini. Je partis donc, et je tournai à droite, pour explorer un nouveau territoire. Au bout du couloir, j'arrivai face à face avec un grand miroir. J'essayai d'arrêter, mais en vain, et j'effectuai un brusque virage à gauche, ratant le miroir de justesse.

Je savais que je devais revenir sur mes pas ; le miroir m'attirait comme un aimant. Avec beaucoup de soin, je manoeuvrai dans le couloir pour me diriger vers le miroir.

Cette fois je m'arrêtai juste devant. Pour la première fois depuis mon accident, j'eus l'occasion de me voir. La personne qui me regardait dans les yeux était un étranger.

J'avais toujours soigné ma tenue vestimentaire et ma coiffure. Je me trouvais plutôt bien de ma personne. Mais maintenant je voyais une personne dont les cheveux descendaient jusqu'aux épaules et n'avaient pas été lavés depuis deux mois. Ils étaient emmêlés et gras. Mes favoris descendaient jusqu'au menton. Je ne portais pas un costume fait sur mesures et une cravate, mais une veste de plastique qui ressemblait à une camisole de force. Je ne portais pas de chemise.

J'étais cependant persuadé que l'homme était toujours le même. Dix ans plus tôt, à l'occasion d'une assemblée dirigée par l'expert en motivation Bob Proctor, fondateur de la corporation XOCES, j'avais entendu un très beau poème intitulé *The man in the Glass* (L'homme dans le miroir).

Lorsque vous obtenez ce que vous voulez dans votre lutte personnelle
Et que le monde fait de vous le roi d'un jour,
Placez-vous devant un miroir et regardez-vous
Et voyez ce que cet homme a à dire.
Car rappelez-vous que ce n'est pas votre père, votre mère ou votre femme
Que vous devez juger ;
L'homme dont le verdict compte le plus dans votre vie
Est celui qui vous renvoie son image dans la glace.
Certains vous portent peut-être aux nues
Et croient que vous êtes un merveilleux copain,
Mais pour l'homme dans la glace, vous n'êtes qu'un triste individu
Si vous ne pouvez le regarder dans les yeux.
Il est celui à qui vous devez plaire ; le reste ne compte pas,
Car il sera à vos côtés jusqu'à la fin.
Et vous avez réussi votre test le plus dangereux et le plus difficile
Si l'homme dans la glace est votre ami.
Vous pouvez peut-être tromper le monde entier dans la vie
Et entendre chanter vos louanges.
Mais vous n'aurez finalement que regrets et larmes
Si vous avez trompé l'homme dans la glace.

L'image que l'on a de soi a tellement d'importance dans la vie. C'est une image mentale qui nous accompagne partout ; elle est faite de nos victoires et de nos défaites, de nos triomphes et de nos humiliations passées. Et c'est elle qui déterminera notre réaction à une situation, nos pensées, nos sentiments, nos actes et même nos compétences.

Mais cette image n'est pas coulée dans le béton ; nous pouvons la modifier. Elle est formée d'expériences, et nous pouvons influer sur nos expériences. La science a prouvé que le système nerveux central ne peut faire la différence entre une expérience réelle et une expérience imaginée. Si nous sommes incapables, physiquement, de ressentir une expérience, nous pouvons nous en créer une mentalement.

James Allen disait un jour : « L'individu est toujours là où ses pensées le portent. » Je pouvais choisir la voie de l'inquiétude et arriver à un cul-de-sac — devenir un légume — ou je pouvais opter pour celle de l'assurance et atteindre ma destination, en redevenant un être humain tout à fait fonctionnel.

Je revins brusquement au présent. Après quelques minutes de promenade dans le couloir, je réintégrai ma chambre et on m'aida à me remettre au lit. La personne que j'avais vue dans la glace n'allait pas ralentir mes progrès. Avec beaucoup de travail ardu et de détermination, mon image extérieure finirait par correspondre à mon image mentale.

Le samedi, Sandy, Pat et ma mère me rendirent visite. C'était la première fois que ma mère me voyait depuis que j'avais quitté Norfolk. À cause de son état de santé, je savais que le voyage de cinq heures l'avait beaucoup fatiguée, mais elle n'en laissa rien voir. Elle me semblait en très bonne forme.

Ashley, la petite fille de trois ans de Pat, était aussi venue. Aussitôt qu'elle entra la chambre, elle se mit à pleurer. Je venais de me regarder dans le miroir, et j'imaginais qu'avec tous les tubes et les machines auxquelles j'étais branché, je pouvais comprendre sa réaction. Je ne ressemblais certainement pas du tout à l'oncle Morris. Il lui fallut quelques minutes pour se calmer, mais elle resta à l'écart le reste de la journée.

J'indiquai à Pat que j'avais quelque chose à lui dire. « Dis à l'infirmière d'apporter la chaise motorisée, » lui signalai-je. Elle avait l'air confuse, mais elle partit à la recherche d'une infirmière. Juste au moment où une infirmière entrait pour m'interroger à propos de la chaise, Carolina fit son entrée. Ce qu'elle faisait là un samedi, je n'en sais rien, mais c'était fantastique. Quelques minutes plus tard, j'étais installé et prêt à partir.

Dans le couloir, Carolina expliqua à Pat et Sandy le fonctionnement du fauteuil. Elle leur confia que, dans l'éventualité d'un problème, elles n'avaient qu'à couper l'alimentation électrique à l'aide d'um commutateur placé sur le bras du fauteuil. On partit, Pat suivant derrière avec le réservoir d'oxygène.

À mi-chemin du couloir, la valve de mon réservoir d'oxygène lâcha. Elle laissait échapper un sifflement, comme si elle allait exploser. Pat lâcha prise et lança des cris de détresse. Carolina arriva en courant et corrigea la situation. Une fois le calme revenu, Pat me dit que j'étais blanc comme un drap. Tout ce que je sais, c'est que si la panne s'était prolongée davantage, il aurait fallu changer mon pantalon.

Le dimanche, c'était la fête des Mères, mais la famille était rentrée chez elle après les heures de visite du samedi. J'étais triste de manquer la petite réunion familiale que nous avions chaque année. L'an prochain j'y serai, me dis-je.

J'eus cependant de bonnes nouvelles ce jour-là. On décida de réduire mon respirateur à 60 %, Et mes traitements allaient avoir lieu toutes les six heures, et non plus toutes les quatre heures. Je faisais des progrès rapides.

Ernie Bens n'était pas aussi chanceux. Tom Bates était rentré chez lui cet après-midi — finis les changements constants de chaîne de télé — et avait été remplacé par un jeune garçon. Ernie s'était fracturé la colonne en tombant d'un arbre alors qu'il jouait avec des amis.

Ernie était aussi épileptique. Cela compliquait vraiment son cas, car chaque fois qu'il avait une crise, il se débattait beaucoup et avait beaucoup de mal à respirer. Les médecins craignaient qu'à la suite d'une crise il casse les tiges qui maintenaient son dos en place et qu'il ait besoin d'une nouvelle intervention. Deux semaines plus tard, leurs craintes se matérialisèrent. Et je ne me souviens pas que Ernie ait jamais reçu de visiteurs. Je crois que ses parents étaient séparés et habitaient très loin. Je plaignais vraiment le pauvre garçon.

Le sentiment d'isolement et de solitude ressenti quand on est cloué pendant un certain temps sur un lit d'hôpital, loin de chez soi, est terrible. C'était presque insupportable, et je voyais des amis ou des membres de ma famille presque chaque semaine. Pauvre Ernie, j'éprouvais de la compassion pour lui.

Je n'oublierai jamais de ma vie le lundi 11 mai. J'ai failli faire mourir de peur deux personnes, l'une d'elles étant votre humble serviteur. J'avais eu une séance de physiothérapie le matin, alors je disposais de mon après-midi. Carolina m'aida à m'installer dans mon fauteuil électrique et me conduisit dans le couloir.

« Gare à la vitesse, Richard Petty, » me dit-elle avant de tourner les talons.

Je connaissais assez bien le fauteuil maintenant et j'avais l'habitude de rouler très vite lorsque la voie était libre. Ce fauteuil était assez rapide. Les infirmières s'enlevaient de mon chemin quand elles me voyaient venir. Je roulais à une bonne vitesse quand je tournai le coin.

Devant moi se trouvait Dolores Dabney, assise dans son fauteuil, s'occupant de ses affaires, complètement sans défense. Elle s'était fracturé le cou, et elle était paralysée. Quand elle me vit foncer sur elle, elle ne put que crier. Je ne pouvais crier. Je tentai désespérément de l'éviter, mais il était trop tard. À grand vacarme, je la heurtai de plein fouet et je la renversai.

« S'il vous plaît, vous m'écrasez la jambe, » criait-elle. Avec toute la concentration dont j'étais capable, je retirai la main suffisamment pour faire reculer le fauteuil. Nous eûmes tous deux un soupir de soulagement.

Tout à coup ma main fut agitée de spasmes. Je fonçai de nouveau sur elle. Elle était si effrayée qu'elle demeura muette. Elle était blanche comme un drap, et elle écarquillait les yeux.Elle devait certainement croire que j'étais un psychopathe échappé de l'aile psychiatrique, et que je tentais de la tuer.

Finalement une infirmière vint à notre aide. À la suite de cet accident, chaque fois que la patiente m'entendait venir, elle appelait une infirmière et demandait à être enfermée dans sa chambre.

Tôt le lendemain matin, les spécialistes des poumons m'examinèrent et réduisirent de nouveau mon respirateur, à 50 % cette fois. Ils étaient stupéfaits des progrès accomplis en deux jours seulement. Ils partirent en secouant la tête d'incrédulité.

Après la physiothérapie, je partis pour ma promenade quotidienne. Après quelques minutes passées dans les couloirs, je commençai à m'ennuyer. Je décidai d'explorer un nouvel endroit.

Se trouvait une porte conduisant à un escalier et une fenêtre donnant sur l'extérieur au bout du couloir. Me sentant audacieux, je décidai d'explorer ce nouveau lieu et de jeter un coup d'oeil sur le monde extérieur. Je frappai assez violemment la porte, qui s'ouvrit, et je fonçai directement sur le rebord de la fenêtre ; mes orteils prenaient vraiment un dur coup depuis que j'étais devenu mobile ! Mais le point de vue était agréable, et je demeurai à cet endroit pendant 20 minutes. Mon oxygène se raréfiant, je m'apprêtai à retourner à ma chambre.

Avec grand soin, je parvins à faire demi-tour, ce qui n'était pas facile. Puis j'aperçus l'escalier à ma gauche. Je ne sais pas pourquoi je ne l'avais pas vu avant, mais il me rendait très nerveux. J'essayai de faire avancer le fauteuil pour retourner dans le couloir.

Soudain ma main eut un spasme et, comme un manège de parc d'amusement, le fauteuil se mit à tourner sur lui-même. Finalement, je heurtai la rampe, évitant les marches par quelques pouces seulement. Le moteur s'emballa et les roues tournaient sur place ; si ma main faisait un mouvement vers l'arrière, j'allais tomber dans l'escalier et ç'en serait fini de moi. Incapable d'appeler à l'aide, je restai là, espérant que quelqu'un passerait et me trouverait.

Une infirmière vint à mon secours et elle dit : « Je crois qu'il est temps de retourner à votre chambre ; c'est assez pour aujourd'hui. » Je n'avais pas envie de la contredire.

J'apprenais que ma mobilité était, compte tenu de mon état — incapable d'appeler à l'aide, bénéficiant d'une quantité limitée d'oxygène, inapte à contrôler parfaitement les mouvements de mes mains — plutôt risquée. Mais la vie elle-même est risquée, et c'était précisément ce que je souhaitais : vivre. Je m'étais rendu jusque-là, et je n'allais pas commencer à être trop prudent et à anéantir mes chances de vivre vraiment. Exister ne me suffisait pas.

Ce soir-là je franchis un grand pas en vue de ma guérison, même si je ne m'en rendis compte que beaucoup plus tard. L'infirmière en chef m'informa que j'aurais la visite d'une autre infirmière personnelle. Au cours des 10 derniers jours, j'en avais eu plusieurs. Ça recommence, pensai-je.

C'était peu encourageant que de me familiariser avec des infirmières puis de les voir s'en aller. On me donnait toutes sortes d'excuses, mais le problème, c'était moi. J'avais besoin de soins constants et je n'étais certainement pas un cas « ordinaire ». Je n'avais pas très hâte de recommencer le processus de familiarisation une fois de plus.

Mais Ruth Bogard était différente. À première vue, elle n'était pas très impressionnante : la soixantaine, petite, frêle, une coiffe d'infirmière posée sur le dessus de la tête. Elle travaillait à temps partiel pour la firme Manpower, et j'avais certains doutes quant à ses qualifications. Mais ces doutes furent de courte durée.

Ruth ne mit pas beaucoup de temps à prouver qu'elle pouvait faire le travail. Elle s'affirma dès le départ et s'efforça de me prodiguer tout le confort possible. En fermant les yeux pour dormir ce soir-là, j'espérais qu'elle allait rester plus de deux jours.

Elle resta. Au cours du mois et demi qui suivit, les soins qu'elle me prodigua facilitèrent et accélérèrent ma guérison. Bien sûr, je n'étais pas conscient de ce fait à l'époque. Pour moi, ce n'était qu'une autre infirmière qui partirait probablement le matin pour ne plus revenir.

Avant de m'endormir, je pensai à tous les progrès effectués jusque-là, au-delà des attentes de tous. J'étais vivant. J'étais capable de communiquer en utilisant la carte-alphabet. J'assumais 50 % de ma respiration. J'étais mobile ; je ne marchais pas, mais je n'étais plus cloué au lit. J'avais encore beaucoup de chemin à parcourir, mais je progressais. Le moment était venu de me fixer un nouvel objectif. Si je voulais progresser plus rapidement, il me fallait parler aux gens de ce qui se passait en moi. La carte exigeait du temps et il fallait que les gens apprennent à l'utiliser. Mon nouvel objectif devait être de retrouver la capacité de parler. Je continuerais à exercer ma respiration, à assister aux séances de physiothérapie et à améliorer ma conduite du fauteuil électrique, mais toute mon énergie, toute ma détermination devaient être axées sur l'apprentissage de la parole.

Chapitre 5

Parler

Le discours est le propre de la civilisation.
Même tout à fait contradictoires, les paroles
favorisent la communication ; c'est le silence
qui isole.

Thomas Mann

Chaque jour semblait marquer le début d'une nouvelle aventure. Le 13 mai, un mercredi, fut le jour qui me vit vraiment progresser vers mon nouvel objectif. J'avais eu un après-midi agréable. Doug Martin m'avait rendu visite et était resté près d'une heure. Et il était arrivé quelques minutes après que le rabbin Ezring fut parti pour le lunch. Le fait de savoir que tant de gens se préoccupaient de mon bien-être était bien plus efficace que tous les médicaments que les médecins pouvaient me prescrire. Ces manifestations d'amour, de compréhension et de sympathie étaient les éléments les plus importants de ma vie.

Après le départ de Doug, j'étais allé en physiothérapie. Je pouvais maintenant m'asseoir sans tomber pendant cinq secondes. Je sais que cela semble peu important, mais pour moi c'était une réalisation majeure. Cela signifiait qu'il m'était possible de garder mon équilibre. Quand je réintégrai ma chambre, Nancy, la thérapeute de la parole, avait une surprise pour moi.

«Je vous ai apporté quelque chose que vous pourrez essayer,» me dit-elle. L'étrange machine qu'elle me présentait était un ordinateur. Elle m'expliqua qu'en programmant des chiffres dans l'ordinateur, on pouvait former des mots et des phrases. Il suffisait ensuite d'appuyer sur une touche, et l'ordinateur disait ce que vous lui aviez confié. Une commande au pied pouvait être utilisée pour programmer la machine et comme je pouvais bouger mon pied droit, Nancy croyait que c'était une bonne idée.

Dans le couloir, assis dans mon fauteuil roulant, on m'installa près de l'ordinateur. Mon pied ne pouvant atteindre la commande, Nancy s'empara de magazines et les plaça sur le plancher, et elle déposa la commande sur la pile. Les magazines glissaient constamment et la commande tombait sur le plancher, mais le problème fut finalement réglé. Cependant, le système était plutôt difficile à utiliser.

Il y avait un livre qui ressemblait à un dictionnaire et qui contenait des milliers de mots, chacun accompagné d'un code. Chaque lettre, nombre ou son avait son propre code. Par exemple, le mot « moi » pouvait correspondre au nombre 566, et le mot « vous » au nombre 765.

Après avoir programmé le nombre correspondant au mot désiré, il était possible d'entreprendre la construction de phrases.

Nancy partit, me disant qu'elle allait revenir dans une demi-heure environ. À son retour, elle me demanda si j'avais appris quelque chose. Je clignai une fois des paupières, ce qui voulait dire oui. Elle sourit et me demanda de lui montrer mes progrès.

J'appuyai du pied à plusieurs reprises sur la commande pour programmer une phrase, et Nancy regardait, encouragée.

« D'accord, faites-moi entendre tout ça, » dit-elle. J'obtempérai.

« Laissez-moi tranquille, » lança la machine.

Nancy éclata de rire. « Si je comprends bien, vous n'appréciez pas beaucoup cet ordinateur, n'est-ce pas ? » dit-elle.

J'indiquai que c'était exact.

« Eh bien, nous ferons un nouvel essai demain, » me dit-elle, et elle partit avec son ordinateur.

Tu pourras revenir tant que tu voudras, pensais-je, mais jamais je n'accepterai cet ordinateur. Je vais trouver le moyen de parler. Il était tout à fait inacceptable que je tape du pied sur une commande pour le reste de mes jours. La machine m'avait démontré à quel point il m'était nécessaire de réapprendre à parler ; elle avait fait revivre une profonde conviction bien ancrée en moi : d'une manière ou d'une autre, j'allais surmonter mes limitations et poursuivre mon cheminement vers une guérison complète.

Je croyais en moi-même et j'avais foi en Dieu, et cela me soutenait. La conviction ou la foi est la force constructive et positive la plus puissante que l'homme connaisse. Sur l'une de ses cassettes, Kopmeyer déclare : « Toutes les religions que l'homme connaît sont fondées sur sa capacité de croire. »

Dans la Bible, on peut lire : « L'homme correspond à ce qu'il pense en son coeur (à ce qu'il croit intensément) » et « Tout est possible à celui qui croit. »

Le bouddhisme nous enseigne que ce que nous sommes est le résultat de ce que nous pensons et de ce que nous croyons intensément.

Le philosophe chinois Confucius fondait ses enseignements sur trois principes fondamentaux : la vertu, qui libère l'homme de ses anxiétés ; la sagesse, qui le dégage de ses perplexités ; et l'audace qui l'affranchit de la crainte. Pour acquérir ces principes, il faut croire intensément.

Les penseurs et les orateurs contemporains ont aussi fait état de cette incroyable puissance que l'homme peut mettre en oeuvre. Ralph Waldo Emerson a écrit : « Nulle réalisation, aide ou formation ne peut se substituer au manque de conviction. » Napoleon Hill déclare : « Tout ce que l'esprit de l'homme peut concevoir et croire, il peut le réaliser. » Kopmeyer nous dit : « Tout au long de l'histoire, on a dit à l'homme qu'il devient ce en quoi il croit. Aucun problème n'est insoluble pour l'homme ou la femme qui s'y attaque avec une ferme conviction. »

Je ne parle pas d'une conviction approximative, de doute, de « peut-être ». Le doute n'a pas sa place. Vous devez être prêt à brûler les ponts derrière vous ; vous devez foncer et relever les défis. Et c'était exactement ce que je comptais faire.

Le vendredi, on réduisit à nouveau l'apport de mon respirateur. Désormais la machine ne s'acquittait que de 30 % de ma respiration. C'était emballant de penser à avoir une machine de moins branchée à ma personne. Et puis, je n'aurais plus à traîner de réservoir d'oxygène avec moi lors de mes promenades en fauteuil roulant.

Dans la matinée, Sandy me téléphona pour me dire qu'elle viendrait me voir en compagnie de ma mère et de ma soeur. J'allais passer un merveilleux samedi. Quand j'appris à Ruth que j'aurais des visiteurs, elle dit : « Ils ne peuvent pas vous voir comme ça. Je vais trouver un moyen de vous laver les cheveux. » Cela me fit un effet terrible ! Je n'avais pas eu de shampooing depuis 10 semaines, et la tête me démangeait tellement que j'avais du mal à le supporter. Mais à cause de cette armature de métal sur ma tête, les infirmières n'avaient pas trouvé le moyen de me laver les cheveux. Et je suis certain que la pénurie d'infirmières et le temps que cela aurait demandé avaient quelque chose à y voir.

Ruth se munit d'un bassin et le plaça sous ma tête, puis elle se mit à frotter. À l'aide de ses doigts, d'un peigne et de bâtonnets munis d'ouate, elle eut raison de la saleté accumulée sur le dessus de ma tête. J'avais la tête couverte de plaies. Ruth déclara qu'elle n'avait rien vu de semblable pendant toutes ses années d'expérience comme infirmière.

Une fois le lavage terminé, je me sentais comme un homme neuf et j'en avais aussi l'apparence. Depuis ce jour, je n'ai jamais passé plus de trois ou quatre jours sans qu'on me lave les cheveux. Petit à petit, j'avais l'impression de réintégrer le genre humain.

Je m'éveillai tôt le samedi matin. J'étais impatient de recevoir la visite de ma famille, et cela m'avait empêché de bien dormir. Elles arrivèrent vers midi, mais j'avais l'impression de les avoir attendues pendant plusieurs jours. J'étais impatient de montrer mon fauteuil électrique à ma mère. Deux préposés m'y installèrent et je m'engageai dans le couloir où elle surveillait Ashley, la fille de ma soeur.

Ma mère fut vraiment surprise de me voir piloter moi-même le fauteuil. Se servant de sa canne, elle se rendit jusqu'au couloir pour mieux voir. Dans mon emballement avec mon merveilleux nouveau jouet, je roulais juste derrière elle. Une fois encore, ce fut le chaos : ma main fut agitée d'un spasme.

«Attention, maman,» cria Pat.

Je n'avais pas vu maman se déplacer si vite depuis sa crise cardiaque. Quand enfin Pat freina le fauteuil et me fit faire demi-tour, je regardai ma mère. Elle était blanche comme un drap. Ses genoux tremblaient tellement que je crus qu'elle allait s'effondrer. Mais tout rentra dans l'ordre et nous eûmes un très bel après-midi. Puis, trop tôt à mon goût, elles durent partir.

Le dimanche fut tranquille jusqu'à ce que les médecins me disent qu'ils allaient débrancher mon respirateur pendant quelques minutes pour voir si je pouvais respirer par mes propres moyens. Je m'en tirai mieux que prévu, et on ne rebrancha l'appareil qu'une heure plus tard. Quel progrès fantastique ! J'aurais aimé que ma famille soit là pour partager ma joie. Aussitôt que je pourrais me passer complètement du respirateur, j'aurais plus d'énergie à consacrer à mon nouvel objectif.

Le lundi, j'eus la chance de m'attaquer à ce nouveau but. Les otorhinolaryngologistes se présentèrent et bouchèrent le tube de ma trachée pour voir si je pourrais parler.

La procédure est simple. Une petite balle de caoutchouc est placée sur l'orifice de la trachée, ce qui empêche l'air de s'échapper. Cela force l'air à passer par les cordes vocales et à sortir par la bouche pour former des sons ; c'est là la façon normale de produire des bruits et de prononcer des mots. J'essayai autant que je pouvais, mais je ne pus prononcer un seul mot. Je produisis quelques sons faibles, alors on instruisit les infirmières de laisser le bouchon en place pendant une heure. J'aurais ensuite droit à trois heures de repos, puis à une autre heure de pratique, et ainsi de suite pendant toute la journée. Je poursuivis mes tentatives, mais en vain. Cependant, je refusai de me laisser aller au découragement. J'étais convaincu que j'allais parler. Je le sentais.

J'imaginais la situation qui prévalait en 1776. Nos pères fondateurs savaient qu'ils étaient confrontés à des difficultés presque insurmontables. Des leaders comme Jefferson, Hancock et Adams mettaient leur vie en jeu ; dans l'éventualité d'une défaite, ils allaient à coup sûr servir d'exemple aux autres ; ils seraient pendus ou fusillés comme traîtres. Mais leur conviction était si intense qu'ils étaient allés de l'avant.

Je réfléchis à l'armée continentale, formée d'un groupe de fermiers dont les armes étaient des mousquets de chasse. Pas d'argent pour les payer, et les pénuries de nourriture et de vêtements étaient fréquentes. Pourtant ils affrontèrent avec courage et conviction une armée britannique bien entraînée et bien organisée.

George Washington était un homme d'une telle conviction que ses hommes le suivaient partout. Sans le désir du général Washington de faire l'indépendance et sans la foi aveugle de ses troupes en sa sagesse, ce groupe d'hommes courageux, faméliques et couverts de haillons, ne seraient pas restés unis à Valley Forge, à des températures inférieures au seuil de congélation.

Réfléchissant aux obstacles que nos ancêtres avaient dû surmonter pour créer les État-Unis, j'avais plus de facilité à comprendre mes propres difficultés. Les probabilités étaient également contre moi. Les membres du personnel médical, bien formés et bien organisés, ne croyaient pas que je pourrais réaliser mon objectif, une guérisson complète, tout comme le roi George avait douté des résultats qu'entraîneraient des soulèvements dans les colonies. Mes mousquets de chasse étaient les muscles et les organes endommagés que je devais faire fonctionner comme de bons fusils. Ma douleur constante était le dur hiver que je devais supporter. Ces femmes et ces hommes courageux de la Révolution avaient réussi, et je réussirais aussi.

Quand le groupe suivant d'infirmières se présenta, quelque temps après le départ des médecins, on me demanda d'indiquer le nombre d'heures que je devais passer sans être branché au respirateur. J'indiquai quatre heures. Je voulais disposer d'autant d'heures d'exercice que possible ! Alors je passai quatre heures sans respirateur et une heure branché à la machine. Le médecin s'en rendit compte trois jours plus tard. Il entra dans une grande colère, mais je m'y étais habitué, alors il me permit de continuer.

Au cours des jours qui suivirent, je m'efforçais constamment de prononcer des mots. Même quand mon tube était débouché, je formais des mots avec ma bouche pour m'habituer à la mécanique de la parole. Il y a tellement de choses que nous tenons pour acquises. Je constatais que nous ne parlons pas tout bonnement. On doit utiliser de manière adéquate les dents, la langue et la bouche si l'on veut prononcer un mot, si simple soit-il.

La variété des sons que je pouvais émettre s'étendait, mais j'etais agacé de ne pas pouvoir dire quoi que ce soit d'intelligible. C'est alors que je me rappelai qu'à moins de parvenir à respirer par moi-même, je ne serais jamais capable d'apprendre à parler. Le respirateur était branché au tube de ma trachée, alors je ne pouvais parler et utiliser simultanément le respirateur. Chaque petit but atteint me rendait possible la réalisation du but suivant. J'étais convaincu qu'éventuellement, tous mes petits gains me vaudraient une grande victoire : une vie normale.

Le jeudi 21 mai, Nancy vint travailler avec moi. Elle resta deux heures, mais je ne pus proférer que des sons. Ce soir-là je fus capable d'émettre un nouveau son. Je tentai de placer mes lèvres pour dire quelque chose. Je devais essayer depuis 30 minutes quand soudain je prononçai « maman ». Je repartais vraiment à zéro ! Je travaillai fort toute la nuit, et le matin j'étais aussi capable de dire « non ». C'était vraiment merveilleux d'avoir avancé d'un nouveau pas de géant dans ma réhabilitation. C'étaient de simples mots, mais ils me prouvaient que mon larynx écrasé et mes cordes vocales fonctionnaient à nouveau. Si je pouvais prononcer certains mots, j'étais persuadé qu'à force de détermination et d'efforts je pourrais tous les prononcer.

Le vendredi matin mon enthousiasme me faisait bourdonner la tête. J'étais impatient d'accroître mon vocabulaire aussi rapidement que possible. Plus vite je réaliserais ce but, plus vite je pourrais m'attaquer au suivant : manger.

Vers 10 h j'eus ma séance de physiothérapie avec Carolina. Je pouvais maintenant rester assis sans aide pendant 15 secondes environ. Je progressais très lentement, et je me rendais compte qu'il me faudrait beaucoup de temps et d'efforts pour remarcher. Il m'était beaucoup plus facile de m'attaquer à un objectif à la fois que d'affronter en bloc tous mes problèmes. Si je m'étais arrêté à penser à tout ce que je devais faire avant de reprendre une vie normale à l'extérieur de l'hôpital, je me serais découragé. Pour le moment, je devais consacrer toutes mes énergies à réapprendre à parler, et toutes mes autres réussites n'étaient que des sortes de glaçage sur le gâteau.

Quand Carolina me ramena à ma chambre après la thérapie, elle me dit : « J'ai parlé avec votre médecin aujourd'hui. Il m'a donné la permission de vous donner des aliments solides. Qu'en pensez-vous ? » Tu parles d'un glaçage !

On apportait les plateaux de nourriture. Pendant toutes ces semaines, j'avais refusé de sentir ces merveilleux arômes, et maintenant mon imagination s'emballait. Je pouvais pratiquement goûter tout ce que je sentais.

Carolina m'apporta de la glace à la fraise, à laquelle elle ajouta du colorant de couleur verte. « Cela nous permettra de savoir si la nourriture va dans votre estomac ou dans vos poumons, » expliqua-t-elle. J'ouvris la bouche suffisamment pour qu'elle y introduise la cuillère. J'essayai d'avaler. Tout semblait bien aller, alors Carolina me donna une autre cuillerée. Mais après la cinquième tentative, je me mis à suffoquer. Deux infirmières me vidèrent rapidement la trachée. Bien sûr, on vit remonter une substance verte. Plutôt que de se rendre dans mon estomac, la glace se rendait dans mes poumons.

J'avais assez faim pour manger, mais je ne maîtrisais pas encore suffisamment le réflexe qui me permettait d'avaler. J'avais le choix : je pouvais me décourager complètement ou considérer cet échec comme un recul temporaire. Jusqu'à aujourd'hui, ce qui était impossible un jour, était possible le lendemain car j'y croyais fermement. Je n'allais pas anéantir un système efficace. Je me dis que le lendemain serait un autre jour, une nouvelle occasion de réussite.

Pendant l'après-midi, je m'endormis pendant une heure ou deux. À mon réveil, j'aperçus un visage souriant.

« On me dit que vous avez été capable de prononcer deux mots hier. Voulez-vous essayer de travailler un peu aujourd'hui ? » demanda Nancy.

Je clignai une fois des paupières. Pendant les deux heures qui suivirent, nous avons essayé les voyelles, les chiffres et certains sons. Puis nous avons expérimenté avec des mots simples. D'abord Nancy m'indiquait comment placer mes lèvres, mes dents et ma langue pour former un son, puis j'essayais de faire en sorte que l'air qui sortait de ma bouche produise quelque chose d'audible. Après deux heures, nous étions tous deux fatigués, alors nous avons mis un terme à l'exercice. J'allais pouvoir m'exercer tout le week-end, et je ne perdrais pas une seule minute.

Je restai éveillé toute la nuit, m'efforçant de placer mes lèvres de manière à prononcer des mots. Je fis la même chose toute la journée du samedi. À la fin de la journée, je commençais à obtenir des résultats. Avant de m'endormir, j'avais maîtrisé une phrase entière. Je la prononçai de nombreuses fois. Ce n'était pas très clair, mais on pouvait entendre en écoutant attentivement.

Le dimanche après-midi, dès l'arrivée de Ruth, je comptais téléphoner à Sandy et lui faire la surprise. J'étais prêt à lui montrer ce que je savais faire (ou plutôt à le lui dire !). Ruth resta muette d'étonnement. Une fois le choc dissipé, elle était aussi excitée que moi.

« Voulez-vous téléphoner à Sandy ? » demanda-t-elle, tout en connaissant déjà la réponse. Elle composa immédiatement le numéro de la maison et plaça le combiné près de mon oreille. Sandy décrocha, et je dis : « Sandy, je t'aime. »

Au début, elle crut qu'on lui jouait un tour. Ruth prit finalement le combiné et lui confirma que c'était bien moi. Voilà un appel téléphonique que je n'oublierai jamais. Sandy me dit qu'elle allait appeler les amis et la famille pour leur apprendre la bonne nouvelle. Après cet appel, je me sentais transporté.

« Un pas à la fois, » dit-on souvent, et c'est vrai. Je faisais un pas à la fois, mais un jour cela constituerait une longue distance.

Le lundi matin 25 mai, mes médecins décidèrent de me débrancher définitivement du respirateur. Mes poumons fonctionnaient presque sans aide, alors nous avions décidé de tenter l'expérience. Au début, la sensation était étrange. Il me semblait que je ne recevais pas assez d'air, et je devais lutter pour respirer. Mais l'après-midi venu, je commençai à me sentir plus à mon aise et plus détendu. Vers 14 h, on m'emmena au département d'otorhinolaryngologie, et on m'enleva le tube relié à ma trachée. On sutura le trou de ma gorge à l'aide de petites agrafes métalliques utilisées de plus en plus de nos jours à la place des points de suture. J'avais réalisé mon objectif qui consistait à respirer par mes propres moyens. Cela signifiait également que je pourrais m'exercer à parler n'importe quand : plus jamais on ne me brancherait ou débrancherait au respirateur.

À 15 h, Nancy entra pour la thérapie de la parole. En la voyant, je lui dis : « Nancy, je vous aime bien. » Elle laissa presque tomber ce qu'elle tenait. Le vendredi précédent, quand elle m'avait vu pour la dernière fois, je ne pouvais prononcer que deux mots.

« Vous parlerez très bientôt, » dit-elle. Nancy était si encouragée de mes progrès qu'elle resta auprès de moi jusqu'à 18 h. À son départ, je maîtrisais toutes les voyelles, quelques chiffres et quelques sons.

J'avais mis beaucoup de temps à prononcer les premiers mots, mais maintenant je faisais des progrès rapides. Le weekend venu, je parlais sans arrêt. Je devais parler très lentement et ma voix était étouffée, mais je parlais vraiment et les gens pouvaient me comprendre. Nancy me demanda ce que je voulais faire de ma carte-alphabet. J'avais envie de lui dire de la brûler, mais, grâce à Pat, elle m'avait été d'un grand secours. Je lui dis de la ranger. J'espère encore ne jamais avoir à l'utiliser.

Le reste de la semaine s'écoula très rapidement. Des amis me rendirent visite, dont le docteur Oden. Il fut estomaqué de m'entendre lui parler. Une fois le choc passé, nous nous sommes mis à parler d'un de nos passe-temps favoris : la pêche au lancer.

« Tu dois te rétablir suffisamment pour retourner pêcher, » me dit Leonard. Je me bornai à sourire. Il disait sans doute cela pour me faire plaisir. Mais j'étais persuadé qu'un jour je me retrouverais à nouveau dans une embarcation, en train de sortir de l'eau de la baie de Chesapeake une énorme prise. Mon merveilleux bateau, *Miss Sash*, n'était plus là, victime de l'accident et de ma situation financière. Je savais cependant que j'aurais un autre bateau, aussi vrai que j'étais persuadé de posséder un avenir.

Je me rappelais une histoire que raconte Kopmeyer dans la série « Kop's Keys ». Il y narre comment deux hommes de couleur noire, John Merrick et le docteur A.M. Moore, ont fondé la compagnie d'assurance-vie La Mutuelle en 1916. Ils ont commencé avec un petit bureau de 3,65 m x 3,65 m, quatre chaises et un vieux bureau. Aujourd'hui la compagnie compte à son emploi plus de 4 000 représentants et vaut près d'un milliard de dollars. Mais ils ont failli ne pas réussir.

Peu après avoir mis sur pied l'entreprise, ils ont reçu leur première réclamation : la somme énorme de 40 $. Tout ce qu'ils purent réunir, c'est 39,71 $. Le concierge, leur unique employé, versa les 0,29 $ et leur évita la faillite. Ce concierge était C.C. Spalding. Il était aussi comptable et représentant de la compagnie. L'air fier et sûr de lui, il démontrait aux clients potentiels comment sa compagnie avait payé en entier une réclamation. C.C. fit des progrès. Il devint en effet président de la compagnie en 1923, et conserva ce poste jusqu'à sa mort, en 1956.

Il aurait été facile pour Merrick, Moore et Spalding de déclarer faillite à la suite de cette première réclamation. Ils auraient pu se demander comment ils allaient payer la réclamation suivante. Ils auraient pu se questionner à savoir si l'entreprise en valait la peine. Mais ils ne l'ont pas fait. Ils ont mis à profit cette réclamation. Elle constituait la preuve, pour les clients éventuels, qu'ils respectaient leurs engagements, et cela leur permit de vendre d'autres polices.

J'allais aussi être positif. J'avais pu m'offrir un avion, une maison et un bateau. Plutôt que de me soucier de les avoir perdus, de ce qu'il allait m'en coûter pour remplacer tout cela, je regardais vers l'avenir. J'allais guérir, et j'allais réussir à nouveau.

Le vendredi après-midi, Sandy me téléphona pour m'annoncer qu'elle me rendrait visite le lendemain en compagnie de Pat, de ma mère et de mon oncle Pete. Je venais à peine de raccrocher le combiné que le docteur Whitehill entra, porteur de merveilleuses nouvelles. On comptait me transférer à un centre appelé The Towers au cours des prochains jours.

The Towers est un centre de réhabilitation faisant partie de l'hôpital de l'université de la Virginie. J'allais y bénéficier d'un programme de thérapie plus intensif, mais surtout, j'allais retourner à une vie un peu plus normale. Je ne serais plus confiné à un environnement hospitalier.

Ruth était là quand ma famille arriva, et nous sommes allés nous promener. La vie redevenait réelle. La protection qu'offre un hôpital est merveilleuse lorsqu'on en a besoin, mais je sentais qu'il me fallait passer à autre chose et, finalement, les médecins étaient d'accord avec moi.

Le lundi, premier juin, je déménageai. Les infirmières se présentèrent à 10 h environ et commencèrent à emballer mes effets personnels : cartes et photos sur le mur, vêtements, rasoirs, radio et magnétophone, bref tout ce qui avait égayé ma triste chambre. À 11 h, deux hommes déposèrent mes choses sur un fauteuil roulant en bois, m'installèrent dans un autre fauteuil roulant, et nous prîmes la route. Je me demandais où était mon fauteuil motorisé. Il me faudrait m'informer une fois installé.

À l'extérieur, on m'installa à bord d'une camionnette. Cinq minutes plus tard, nous nous arrêtions en face de l'entrée principale de The Towers ; je ne m'étais pas rendu compte à quel point c'était proche de l'hôpital. On me conduisit au second, à ma nouvelle chambre. Cette chambre comptait deux lits, et l'un d'eux était déjà occupé... par nul autre que le pessimiste John Cordle, l'homme qui avait dit à sa femme que je ne passerais pas la nuit ! J'étais amusé, et John était étonné.

Après les fastidieuses présentations aux nouveaux médecins, aux infirmières et au personnel de l'administration, tout revint à la normale. Je me mis à parler avec John, et je découvris que nous aimions tous deux la chasse et la pêche. Au cours du mois suivant, nous allions avoir plusieurs longues conversations à propos de bons souvenirs et de grands rêves. Pour l'instant, j'étais heureux de voir que nous pouvions communiquer de manière amicale.

Ruth arriva vers 15 h. Je n'étais par certain qu'elle pourrait travailler ici, et sa présence me rassura. Elle m'apprit qu'elle s'était renseignée auprès de l'administration et que ça ne créait aucun problème.

« Où est mon fauteuil motorisé ? » lui demandai-je. Elle alla aux renseignements et, à son retour, je savais que quelque chose n'allait pas juste à voir l'expression de son visage.

« Ils ne vous permettent pas d'utiliser un fauteuil motorisé ici, » me dit-elle. Je me demandais comment j'allais me déplacer, mais il fallait respecter le règlement. J'étais déçu, mais j'allais m'arranger. Et puis, grâce à la thérapie que j'allais suivre et à beaucoup d'efforts de ma part, peut-être serais-je capable d'utiliser un fauteuil conventionnel. D'une manière ou d'une autre, j'allais me déplacer par moi-même.

Le mardi matin, le personnel ne perdit pas une minute à me familiariser avec mon nouvel horaire. À 7 h, une infirmière vint me préparer à la thérapie. Elle m'informa que je devais suivre une thérapeutique occupationnelle de 9 h à 11 30, pour ensuite me reposer et faire ma toilette dans ma chambre, avant d'aller en physiothérapie de 13 h à 17 h. Quel horaire! La pensée d'être aussi occupé et d'avoir l'occasion de faire des progrès rapides me remonta vraiment le moral. Qui aurait cru que j'irais aussi loin en trois mois seulement?

À 20 h 45, me fut confié mon nouveau fauteuil roulant. Il était très bien, mais pas aussi élaboré que mon fauteuil motorisé. Je me sentais un peu déçu. Cela fut cependant de courte durée, car on me conduisit aussitôt vers le premier étage, où se trouvaient les salles de thérapie. Je fus très impressionné.

La salle de thérapie occupationnelle mesurait environ 12 m x 12 m. Elle contenait des appareils d'exercice, en plus d'une salle de bains et d'une chambre où on montrait aux gens à prendre soin d'eux-mêmes, une table basse recouverte d'un matelas où l'on apprenait à s'habiller et à se déplacer d'un fauteuil roulant à un lit, et vice versa. Je vis aussi une table où l'on pouvait apprendre à dactylographier et à utiliser un téléphone. Il y avait presque autant de thérapeutes que de patients, et j'étais persuadé que tout le monde recevait toute l'attention nécessaire.

J'étais plongé dans mes pensées, m'imaginant en train d'utiliser tous ces merveilleux appareils, quand une voix me ramena à la réalité.

«Bonjour, je suis Lorna Christenson. Je vais travailler avec vous au cours de votre séjour ici. Êtes-vous prêt à commencer?» Je ne pouvais pas être plus prêt.

Au cours des prochains jours, nous allions tester mes muscles et mes sensations afin de découvrir mes points forts et mes faiblesses. Les deux heures qui suivirent furent consacrées aux tests musculaires. Puis ce fut le temps de réintégrer ma chambre. La thérapie était censée se dérouler du lundi au vendredi, alors j'allais bientôt être fixé sur les problèmes qu'il me restait à surmonter.

À 13 h, on me conduisit à la salle de physiothérapie. Elle était plus grande que l'autre salle. Le long des murs étaient disposés des bancs recouverts de matelas. Au milieu de la pièce se trouvaient des barres parallèles, où les patients apprenaient à marcher. Des prothèses, des cannes et des marchettes de toutes sortes étaient alignées sur le mur du fond, et il y avait même un escalier en bois pour les exercices.

L'atmosphère semblait détendue. Huit ou dix patients faisaient leurs exercices, chacun à un stade différent de la thérapie. J'observais tout ce monde depuis 30 minutes environ lorsqu'une grande femme aux cheveux noirs se présenta.

«Vous devez être Morris,» dit-elle. «Je suis Yaffa Liebermann, et je serai votre physiothérapeute.» Son accent ne laissait aucun doute. Je lui demandai si elle était originaire d'Israël, et elle répondit par l'affirmative. Je savais que nous allions bien nous entendre.

Pendant deux heures, Yaffa travailla avec moi pour voir ce que je pouvais faire. Je ne pouvais me déplacer en fauteuil en poussant les roues de mes mains, mais cela ne l'inquiéta pas outre mesure. Elle constata que j'avais une certaine force dans la jambe droite, alors elle improvisa. Je devais allonger la jambe droite, poser le talon au sol et tirer le plus fort possible pour faire avancer le fauteuil.

« Servez-vous aussi de votre jambe gauche, » me disait-elle, mais je n'arrivais pas à la bouger. Cela ne l'inquiéta pas non plus. «Je veux que vous vous rendiez ici par vos propres moyens la semaine prochaine,» me dit Yaffa.

Elle n'est pas sérieuse, me dis-je. Il m'avait fallu 10 minutes pour parcourir 4,57 m. Ma jambe était déjà fatiguée. Mais à en juger par l'expression de son visage, je savais qu'elle ne blaguait guère. Le défi allait être plus difficile à surmonter que je ne l'avais d'abord cru.

Quand je réintégrai ma chambre, j'étais épuisé. Ruth m'aida à me remettre au lit, et je m'endormis rapidement. À mon réveil, à 18 h, je racontai à Ruth ma dure journée puis j'écoutai quelques cassettes jusqu'à son départ. Ce soir-là, la douce musique de John Denver envahit la pièce. Il chantait : «Eh, c'est bon de rentrer chez soi.» Pour la troisième fois, les larmes me vinrent aux yeux. Il me semblait que je n'étais pas rentré depuis une éternité, que j'avais passé trop de temps éloigné de ma famille, trop de nuits dans un endroit où je n'étais pas chez moi. Mon objectif d'y retourner pour de bon dansait devant mes yeux. Plus que jamais, j'étais désireux de relever le défi et de vaincre le destin : mon bonheur en dépendait.

À la fin de la semaine, je me sentais mieux dans mon nouvel environnement. La pénurie d'infirmières me semblait plus sérieuse ici qu'à l'hôpital. Mais maintenant je pouvais crier ! Et c'est précisément ce que je faisais, surtout lorsque je souffrais et que j'avais besoin d'être retourné.

En thérapie occupationnelle, j'avais passé la semaine entière à tenter de bouger les bras. On fixait une tige derrière mon fauteuil, puis on m'attachait les bras pour les maintenir à la hauteur des épaules. Puis j'essayais de bouger les épaules et les bras autant que possible. En faisant un effort, je pouvais baisser les bras. Quand je relâchais l'effort, les courroies élastiques ramenaient mes bras à la hauteur de mes épaules. Le but de tout cela était d'accroître les mouvements de mes épaules afin que je puisse éventuellement me nourrir.

En physiothérapie, je m'étais exercé à rouler d'un côté et de l'autre et à passer de mon fauteuil roulant à un matelas et vice versa. Pour me transférer du matelas au fauteuil, on plaçait sous mon corps un mince panneau de bois, dont une extrémité était appuyée sur le fauteuil, et l'autre sur le bord du matelas. Puis on me laissait glisser le long du panneau, jusqu'à ce que je sois assis dans le fauteuil.

« Vous finirez par apprendre à faire cela tout seul, » me disait Yaffa. Cela ne me semblait pas plus improbable que tout le reste.

La partie la plus difficile de la thérapie était constituée de 30 minutes au cours desquelles Yaffa s'efforçait de m'ouvrir les doigts. C'était une véritable torture. J'avais constamment les poings serrés, et Yaffa s'efforçait de dérouler mes doigts. Elle prenait chaque doigt et l'étendait le plus possible. Parfois je ne pouvais m'empêcher de crier, mais j'appris vite que cela n'arrangeait pas les choses car plus je criais, plus Yaffa s'acharnait sur mes doigts. J'appris vite à tenir ma langue.

Ce que je préférais dans mon nouvel environnement, c'est que je possédais un téléphone ! Sandy avait fait installer une ligne privée dans ma chambre. Elle s'était entendue avec l'administration, et je ne pouvais utiliser le téléphone qu'en présence de Ruth. La raison de cette restriction était simple : je ne pouvais me servir de mes mains ; quelqu'un devait donc tenir le combiné pour que je puisse parler au téléphone, et les infirmières étaient trop occupées pour se charger d'une telle tâche. C'était merveilleux d'être capable de parler à ma famille et à mes amis, de sentir que je faisais à nouveau partie de la société.

La capacité de parler constituait une étape importante de ma guérison. Désormais je pouvais communiquer mes besoins plus facilement et plus rapidement. J'étais en contact avec ceux qui m'étaient chers. Les gens me voyaient moins comme un invalide, alors ils me traitaient différemment. Tout cela me remontait énormément le moral. Je commençais à voir clairement mes progrès en me rappelant les buts atteints jusqu'ici. Chaque but me rapprochait de mon objectif final : la guérison complète. En poursuivant un but à la fois, je pouvais concentrer mes énergies plutôt que de les dissiper. Et chaque fois que je réalisais un but, j'étais très encouragé à poursuivre mes efforts. Je pouvais me dire : « Hé ! tu fais vraiment des progrès ! Continue ! »

« Morris, me disais-je, tu t'es engagé à réaliser cet objectif, et il n'est plus question d'abandonner. Et en représentant têtu que tu es, tu vas réussir. »

Chapitre 6

Manger

Ce n'est pas la viande, mais l'appétit qui fait du repas un délice.

Sir John Suckling

Réussir est agréable, mais se réjouir de son succès est encore mieux. Même si mes incroyables progrès tenaient du miracle, il me manquait encore l'un des plus agréables plaisirs de l'existence : manger. Le goût du Mountain Dew que j'avais bu lors de mon transfert de Norfolk à Charlottesville plus de deux mois auparavant, je ne l'avais pas encore oublié. Le souvenir de la glace à la fraise colorée de vert que j'avais eue deux semaines plus tôt me taquinait encore les papilles gustatives.

J'avais d'autres buts sur lesquels concentrer mes énergies, et l'idée de manger aurait drainé des énergies applicables à d'autres buts fondamentaux. Je refusais simplement de penser aux odeurs de la nourriture. Mais cela ne marchait pas toujours. Il m'arrivait d'envier le pain de viande ou le jus de fruits de mon voisin de chambre. Les repas me rappelaient constamment que j'étais incapable d'avaler de la nourriture. Je me souviens d'un jour, peu de temps après être entré à l'hôpital de l'université de la Virginie, alors que l'on avait apporté les plateaux des déjeuners. J'enviais tous ceux qui s'offraient du bacon, des oeufs, des tartines et du jus, et les odeurs me rendaient fou ! C'est alors que mon voisin d'en face s'était mis à se plaindre à propos de ses oeufs ; ils n'avaient pas bon goût. Tais-toi, m'étais-je dit. Tu ne connais pas ton bonheur.

Maintenant que ma mâchoire était suffisamment guérie pour que je puisse parler, j'étais impatient de recommencer à manger. Combien de temps me faudrait-il pour réapprendre à avaler ? Combien de jours encore, de semaines ou de mois devrais-je supporter d'être nourri par un tube branché à mon estomac ? Quand serais-je capable de distinguer la texture et la saveur d'une nourriture véritable ?

Et je réfléchissais à mon alimentation, pensant au docteur Shears et à la diète parfaitement équilibrée que j'avais maintenue avant l'accident. J'avais gardé une excellente forme, tant physiquement que chimiquement, et c'est probablement grâce à cela que j'avais survécu à toutes ces interventions chirurgicales et à ces pneumonies. Mais maintenant, avec la piètre alimentation que je recevais par le tube de mon estomac, il m'était impossible de refaire suffisamment mes forces pour répondre aux exigences d'un programme intensif de réhabilitation. Quand on m'alimentait par perfusion, je me sentais un peu empoisonné par tout le sucre qui entrait dans mes veines. Et depuis le 24 avril — nous étions le 6 juin — je me nourrissais d'une substance appelée Ensure. Le docteur Shears m'avait appris qu'aucune diète n'est bonne pour tout le monde. Dans ce cas, comment ce produit standardisé pouvait-il combler mes besoins spécifiques? Tout le monde possède sa propre chimie organique, et les aliments sains pour mon voisin ne le sont pas nécessairement pour moi ; un excès de vitamines pour vous peut se traduire en une insuffisance pour moi.

Eh bien, si les médecins ne voulaient pas tenir compte de mes besoins nutritifs, je m'en occuperais moi-même. Après tout, ils ne m'avaient pas demandé de commencer mes exercices respiratoires. Et ils m'avaient suggéré de m'exercer à parler pendant une heure seulement, et non pendant les quatre heures que j'avais « subtilisées » en mettant à profit le changement de poste des infirmières. Il me faudrait continuer à me soigner moi-même.

Le samedi 6 juin, je dormis plus tard que d'habitude. La semaine avait été fatigante : nouvelle chambre, nouvelles habitudes, nouveaux défis et thérapies. Je n'avais pas à subir de thérapies au cours du week-end et, bien sûr, je n'avais pas à être éveillé pour le déjeuner, alors il était presque 9 h quand j'ouvris les yeux. À 10 h, j'étais habillé et je me reposais au lit.

Remarquant que mon compagnon, John Cordle, était éveillé, j'entrepris une conversation sur la chasse et la pêche. Au cours des cinq derniers jours, j'avais découvert que le bon vieux John le pessimiste était un gars agréable. Notre amour du grand air nous entraînait dans des discussions sur divers sports et nous nous racontions nos histoires favorites. J'en avais une bonne pour lui, mais je dus la garder pour plus tard. Sa famille commençait à arriver.

Mozelle, la femme de John, arriva à 10 h 30 environ. Elle était un soutien exemplaire pour lui. Un ami lui avait prêté une caravane motorisée et, tout au long de la semaine précédente, elle était restée auprès de John de 6 h à 10 h 30 ou 11 h. Et elle comptait rester jusqu'à ce que John soit assez bien pour rentrer chez lui.

Aux environs de 12 h, deux des fils de John arrivèrent en compagnie de leur famille. Toute cette activité et les conversations auxquelles je participai firent que la journée se passa rapidement. La première chose que je sus, il était 16 h, et Ruth arrivait.

« Auriez-vous la gentillesse d'aller me chercher une glace spéciale à l'orange ? lui demandai-je aussitôt qu'elle entra dans la chambre.

— Une glace comment ? » demanda-t-elle.

Je lui donnai les explications nécessaires. Il y avait un restaurant Howard Johnson en face ; on y vendait toutes sortes de laits frappés et de glaces. Ce que je voulais, c'était une boisson composée de sorbet à l'orange et de jus d'orange.

« Croyez-vous pouvoir l'avaler ? » demanda Ruth. Je lui dis que j'allais essayer. Me promettant d'être de retour dès que possible, elle partit. J'espérais qu'elle ne s'arrêterait pas au poste des infirmières ; on ne lui permettrait pas de m'apporter quoi que ce soit.

J'étais fatigué d'attendre qu'un responsable me fasse à nouveau manger de la vraie nourriture. À moins d'essayer, je n'apprendrais jamais à avaler. J'avais décidé de contrevenir aux règles jusqu'à ce qu'on les change si nécessaire. Je pensais aux raisons qui font que les gens échouent, et je me disais que bien souvent, c'est qu'ils ont peur d'échouer, et tellement qu'ils n'essaient pas. Rappelle-toi Babe Ruth, me disais-je. Il a établi un record de 714 coups de circuit, mais il a été retiré au bâton 1 330 fois, ce qui constitue aussi un record des ligues majeures. Il lui fallait frapper, et frapper fort pour obtenir ces coups de circuit. Et vois le record de Ty Cobb. Il a été retiré en essayant de voler un but plus souvent que tout autre joueur. Il lui fallait quitter le premier coussin pour voler le second. Ces deux joueurs célèbres n'avaient pas peur d'essayer, et moi non plus.

Ruth me rapporta ma boisson à l'orange. Elle me fit asseoir dans le lit et entreprit de me la faire boire à la cuiller. Même en me concentrant autant que je le pouvais, mes premières tentatives pour avaler furent vaines. Je n'y arrivais pas. Mais je continuai à essayer. À la tentative suivante je me rendis au premier coussin. Je sentais le liquide glacé glisser sur ma langue et dans ma gorge ; j'avais vraiment avalé ! J'étais si emballé que je voulais parler de ma réussite à tout le monde, mais je savais que cela me priverait de ce plaisir. Ruth continua à me nourrir, et j'avalai à nouveau, volant le second coussin pendant que les infirmières ne me voyaient pas. Trente minutes plus tard, j'avais consommé toute la glace : un coup de circuit !

Maintenant que j'avais fini, je voulais que le monde entier le sache. Je suppliai Ruth d'en informer le docteur Whitehill pour moi, et elle promit qu'elle lui parlerait le lundi matin. À ce moment une infirmière entra. Ruth lui dit ce qui s'était passé, et plutôt que de se mettre en colère, l'infirmière se réjouit avec moi. J'avais le sentiment que la réaction du docteur Whitehill ne serait pas aussi agréable.

Le dimanche après-midi, à l'arrivée de Ruth, je lui demandai d'aller me chercher une autre glace. Mais cette fois, elle m'apporta une tasse de soupe au poulet. De la nourriture enfin ! Malgré certaines difficultés mineures, je fus capable d'avaler la glace et la soupe. Attends à demain, me dis-je. Ils vont enfin débrancher ce détestable tube stomacal et te laisser manger. Du moins je voulais le croire.

Le docteur Whitehill connaissait déjà la nouvelle lorsqu'il fit sa ronde le lundi matin. Dire qu'il était en colère est un euphémisme.

« Vous savez que vous auriez pu suffoquer à mort, » commença-t-il.

Mais ce n'était pas arrivé, alors il ordonna au personnel de débrancher temporairement mon tube d'alimentation et de me donner une diète légère.

« Nous allons essayer pendant quelques jours et nous verrons comment ça va, » dit-il. C'était de merveilleuses nouvelles. Pour le moment, on m'administrerait encore mes médicaments par mon tube d'alimentation. Les infirmières introduisaient simplement dans le tube une seringue remplie de médicaments. Mais cela se produisait plus d'une fois par jour.

On m'administrait plus de 20 médicaments différents. Les comprimés étaient broyés, mélangés à du liquide et injectés dans le tube. Certains médicaments étaient administrés plus souvent que d'autres. Et certains ne semblaient d'aucune efficacité.

Le médicament qui devait régulariser le fonctionnement de mes intestins était inefficace. Une diarrhée persistante me rendait fou. Aussitôt que je commençais une séance de thérapie, mon intestin faisait des siennes. Cela me coulait le long des jambes et trempait mes vêtements. Je retournais dans ma chambre pour me laver et changer mes vêtements. Cela se produisait souvent trois ou quatre fois par jour. Je ne puis expliquer à quel point c'était embarrassant. Les infirmières ne se plaignaient jamais, mais c'était la situation la plus pénible et la plus humiliante que j'aie connue de toute ma vie.

Puis aussi les traitements des intestins. Un soir sur deux, je devais subir ces terribles traitements. D'abord, on me donnait deux suppositoires. Ensuite, à toutes les 15 minutes et ce, pendant 45 minutes, une infirmière m'introduisait un doigt dans le rectum et le bougeait pour stimuler mon intestin. Ensuite, on plaçait du papier hygiénique sous moi et on recueillait les excréments. Par moments, j'avais l'impression d'avoir régressé au stade purement animal. Ma dépendance du personnel infirmier et l'humiliation du processus étaient parfois plus difficiles à supporter que toute ma douleur physique. Mais ces difficultés me poussaient à aller de l'avant. Je n'allais pas vivre ainsi pour le reste de mes jours.

Dieu merci, Ruth était là pour m'administrer ce traitement. La délicatesse dont elle faisait preuve me rendait l'épreuve plus facile à supporter que s'il s'agissait d'une infirmière inconnue. Cependant, quand j'irais à la maison pour une visite ou pour de bon, Ruth ne pourrait m'accompagner : j'habitais trop loin. L'idée d'imposer ce traitement à ma femme me rendait malade. Pour le moment, il ne me restait plus qu'à apprendre à avaler de manière à améliorer ma diète. J'espérais que grâce à une alimentation plus variée et une médication réduite, le problème se règlerait de lui-même. J'étais déterminé à m'attaquer à mon alimentation, à adopter une attitude positive et à être patient.

Le lundi après-midi, à l'heure du lunch, me furent servis des pommes de terre en purée, une soupe et un lait frappé. Je faisais vraiment des progrès. Après une dure séance de physiothérapie et une période de repos, Ruth m'apporta mon dîner. Encore une fois, purée de pommes de terre, soupe et lait frappé. J'espère qu'ils ne comptent pas me servir ce menu indéfiniment, me disais-je. Je constatai alors l'ajout de dinde finement hachée. Je ne suis pas grand amateur de dinde, mais après trois mois, n'importe quelle sorte de viande était un festin. La dinde était plus difficile à avaler que le reste, alors je ne la mangeai pas toute. Un dessert constitué d'une glace spéciale à l'orange compléta ma première journée d'alimentation réelle. J'avais la tête remplie des merveilleux plats dont j'allais bientôt me régaler.

Ce soir-là Sandy me téléphona vers 20 h 30. Elle m'appelait presque tous les soirs. En entendant sa voix et en racontant les bons et les mauvais moments de la journée, je me sentais plus près de chez moi. Il me semblait que des années s'étaient écoulées depuis que je m'y étais rendu et que j'avais vécu une vie normale. L'appui constant de Sandy et ses paroles encourageantes me persuadaient que mon bonheur futur n'était pas que le fruit de mon imagination stimulée par la pensée positive.

Après ma conversation téléphonique avec Sandy, Ruth m'installa dans mon fauteuil roulant avec l'aide d'une autre infirmière, et je traversai la chambre pour rendre visite à John. Naturellement, la conversation porta sur la chasse et la pêche. Il me sembla que le moment était venu de lui raconter l'histoire à laquelle j'avais pensé la semaine précédente. Je lui dis que six mois avant mon accident, j'avais tué un ours en Idaho ; le récit l'intéressait-il ? Sans aucun doute.

En septembre de l'année 1980, j'étais parti pour une expédition de chasse à l'ours en Idaho. Avec Woody, mon compagnon de chasse, je passai quatre jours à arpenter la montagne, dont les arbres affichaient les vives couleurs de l'automne ; tout était d'une incroyable beauté. Dès que nous avions trouvé un ours, les chiens étaient censés le poursuivre et le faire grimper à un arbre, puis aboyer jusqu'à ce qu'on arrive pour l'abattre. Il semble peut-être facile d'abattre un ours de cette façon, mais l'animal ne coopère pas toujours.

Parfois, plutôt que de grimper à un arbre pour se protéger l'ours décide d'affronter les chiens. D'autres fois, il peut courir pendant des kilomètres. Ces deux situations sont dangereuses pour les chiens : ils peuvent se voir infliger des blessures par l'ours ou se perdre dans la forêt et être incapables de retrouver leur route.

C'était le quatrième jour de notre randonnée. Nous avions aperçu un ours dans la matinée et les chiens avaient couru tout le jour. Vers 14 h, nous les avions perdus. À 16 h, rendus au sommet d'une montagne, nous les avons entendus aboyer au loin. À leurs types d'abois, nous savions que l'ours était grimpé dans un arbre.

Mon compagnon était épuisé, et il me dit de prendre les devants et d'aller à la rencontre des chiens ; il allait me rejoindre. Quand je retrouvai les chiens, je m'assis pour attendre Woody. L'ours était là, grognant et tentant de mordre les chiens.

« Où est ta carabine ? » demandai-je à Woody à son arrivée.

« Je l'ai laissée au pied de la montagne, » répondit-il. « Il m'est plus facile de me déplacer ainsi. Je la récupérerai en redescendant. »

« Tu veux dire que ma carabine est la seule que nous ayons ? lui demandai-je sur un ton inquiet.

— Ne t'inquiète pas, dit Woody. Je vais tenir les chiens attachés. Tu iras sous l'arbre et tu abattras l'ours. Si tu le blesses et qu'il t'attaque, je vais lâcher les chiens.

— Il n'en est pas question ! » répondis-je. Mais ma forte envie d'abattre l'ours l'emporta sur la logique, et j'acceptai la suggestion. Je me persuadai que je pourrais échapper à l'ours en cas de nécessité.

Je rampai sous l'arbre, me frayant un chemin dans l'épais sous-bois. Je visai l'ours, attendant de pouvoir l'abattre proprement. Puis je fis feu et je tentai rapidement d'armer ma carabine, mais elle s'enraya. Prisonnier de la végétation du sous-bois, incapable de bouger, je vis l'ours tomber de l'arbre avec un cri et atterrir sur moi.

« Lâche les chiens ! Lâche les chiens ! » Mais Woody ne bougea pas. J'étais certain d'y rester, mais l'ours mourut en quelques secondes. S'il n'avait pas été mortellement blessé, il m'aurait tué instantanément.

Par la suite, je demandai à Woody pourquoi il n'avait pas lâché les chiens. J'ajoutai que j'avais vraiment été désespéré pendant quelques instants.

« Je n'allais pas envoyer mes chiens se faire tuer, » répondit-il. Quel ami ! Il ajouta finalement qu'il savait que l'ours était presque mort. Il était peut-être certain, mais moi pas.

De retour à la cabane, je dus changer de pantalon, ce qui donne une idée de la peur que j'avais eue.

Au moment où je terminai l'histoire, John riait tellement que je crus qu'il allait éclater. J'avais passé une merveilleuse journée : j'avais mangé, parlé avec Sandy et je m'étais rappelé de bons moments. Si je peux conserver ce rythme, je sortirai d'ici dans très peu de temps, me disais-je avec confiance.

Pour déjeuner le mardi, je commandai une banane et un jus d'orange. L'infirmière en chef me demanda si c'était tout ce que je comptais manger. Je lui confiai qu'avant l'accident, c'était tout ce que je prenais pour déjeuner : un fruit et un verre de jus. Je voulais manger, mais mon estomac ne pouvait tolérer trop de nourriture le matin.

En thérapie occupationnelle, je passai deux heures à essayer de trouver un moyen de me nourrir. Lorna m'attacha les bras à la hauteur des épaules, et avec quelques efforts j'étais capable d'atteindre une planche de bois placée sur mes genoux. Quand je me détendais, mes bras remontaient automatiquement à la hauteur des épaules. Si une assiette avait été placée sur la planche, j'aurais pu l'atteindre.

Ensuite, Lorna essaya de trouver un moyen de m'apprendre à utiliser une fourchette et une cuillère. Elle m'entoura la main et le poignet d'une courroie de Velcro, qui pouvait recevoir une cuillère ou une fourchette ; ainsi, même si je ne pouvais moi-même tenir l'ustensile, je serais capable de le porter de l'assiette à ma bouche. Cela semblait facile, mais je me trompais.

On plaça une assiette sur la planche posée sur mes genoux. Lorna prit ensuite quelque chose qui ressemblait à de la plasticine dont elle fit des boules, qu'elle plaça dans l'assiette.

« Supposez que ce sont des pétoncles, » dit-elle. Pendant une heure, j'essayai de les prendre à l'aide d'une fourchette. Je parvins à en prendre deux. Mais comme je les approchais de ma bouche, elles retombèrent. Je m'efforçai de ne pas me décourager.

« Nous essaierons de nouveau demain, » me dit Lorna. « Vous allez vous y faire, vous verrez. » Je dois admettre que je devenais de plus en plus agacé. Mais la thérapeute, c'est elle, me rappelai-je, et elle doit savoir de quoi elle parle.

En attendant l'heure du lunch, je fis la connaissance de Mark, le jeune homme responsable des activités sportives de The Towers. Nous nous étions salués dans les couloirs, mais je n'avais pas encore eu la chance de m'asseoir et de parler avec lui.

« On me dit que vous étiez un grand chasseur, » dit-il. J'acquiesçai et j'ajoutai que la chasse me manquait beaucoup.

— Que diriez-vous de tirer à la carabine ce soir ? demanda-t-il.

— J'adorerais cela !, m'exclamai-je.

— D'accord, je viendrai vous chercher à 16 h 30 cet après-midi, » dit-il.

J'y pensai pendant toute la séance de physiothérapie. J'étais impatient de voir comment j'allais m'en tirer, compte tenu de mon manque de pratique... et de mes handicaps.

À 16 h 30 exactement, j'attendais Mark dans le couloir. Il arriva à l'heure convenue, et je partis en compagnie de John Cordle et de deux autres patients. Tout le monde monta à bord d'une camionnette munie d'une plate-forme électrique. Le stand de tir n'était qu'à 16 km de distance, mais le voyage me parut bien plus long. Je n'avais pas l'habitude des déplacements, et les cahots que la plupart des gens remarquant à peine me causaient de grandes douleurs.

À notre arrivée, un homme nous attendait ; il nous aida à descendre et nous conduisit à l'intérieur. L'odeur des douilles et de la poudre me rappela de nombreux souvenirs. Mark prit une carabine de marque Marlin de calibre 22 à culasse mobile qu'il chargea. La vue de cette arme me ramena plusieurs années en arrière. J'avais reçu une arme exactement semblable en cadeau à l'âge de sept ans. La chasse faisait partie de ma vie depuis si longtemps, que j'étais emballé à la pensée d'utiliser à nouveau une arme à feu.

On plaça nos fauteuils devant un long banc, et on confia une cible à chacun de nous. Je ne pouvais utiliser mes mains ou mes bras pour tenir l'arme, alors Mark la tenait pour moi. On attacha une longue et mince tige de plastique à mon index, de manière à me permettre de faire feu en ramenant le poignet vers moi.

Je dus faire un effort assez grand pour me pencher suffisamment pour viser. Je disais à Mark de braquer vers le haut, le bas, à droite ou à gauche jusqu'à ce que je vise la cible. Prêt à faire feu, j'essayai de replier le poignet pour appuyer sur la détente, mais je n'y parvins pas. Je n'avais pas assez de force, alors Mark fit feu à ma place.

Le sérieux de ma situation me frappa. C'était plus que je ne pouvais en supporter, et cela me rendit malade. Pourtant, je participais à une activité que j'adorais. Pour la première fois depuis mon accident, je m'adonnais à une activité d'extérieur. Alors mes émotions prenaient le dessus : j'étais malheureux d'être incapable de faire feu, mais heureux de ne plus être confiné à mon lit ou au fauteuil roulant de l'hôpital.

Je touchai quatre fois la cible en 28 tentatives. Tireur exceptionnel avant mon accident, j'avais fait montre d'une horrible performance pour une personne de mon calibre. Pourtant, pendant quelques heures, j'avais échappé à l'environnement limité et routinier de l'hôpital. En fin de compte, cela en valait la peine.

Deux jours plus tard, j'eus l'occasion de participer à une autre activité sportive : le bowling. Quand Mark me demanda si je voulais aller jouer au bowling, je fus stupérait. Comment allais-je pouvoir jouer au bowling ? Mark me parla d'un nouvel appareil conçu par le département à l'intention des joueurs de bowling handicapés. On voulait que je sois le premier à l'essayer.

« D'accord, » dis-je, et on partit.

On plaça mon fauteuil face à une allée, puis on disposa devant moi une table de bois. On m'avança de manière à ce que la table repose sur mes genoux. On avait relié à la table une rampe métallique qui descendait jusqu'à terre ; cette rampe était arrondie de façon à recevoir une boule. Une poignée permettait au joueur d'ajuster la position de la rampe. Je ne pouvais presque pas utiliser mes mains, alors j'improvisai en ajustant la rampe à l'aide de mes jambes. Quand tout fut en place, un assistant plaça la boule sur la rampe, et je lui donnai une poussée.

Après quelques tentatives, je me mis à jouer sérieusement. Ma première boule fut un abat ! J'étais emballé. Je terminai ma ronde de trois matchs avec des scores de 139, 147 et 128. Les quatre autres patients n'avaient même pas dépassé un score de 100, et la plupart des scores variaient entre 50 et 75. Mark était plutôt étonné. Il m'apprit que j'avais réussi le second meilleur score jamais enregistré dans le cadre du programme ; et j'étais le plus handicapé de tous ; la plupart des autres pouvaient se servir de leurs mains ou de leurs bras.

De retour au centre The Towers, tout l'étage parla de ma performance. Ruth était folle de joie. J'étais impatient de téléphoner à Sandy et de lui apprendre la nouvelle. J'avais recommencé à manger et à pratiquer des sports, bien que de façon limitée ; je regagnais la maîtrise de ma vie.

Plus tard au cours de la semaine, j'appris que ce n'était pas un exploit aussi exceptionnel, du moins de l'avis du personnel de l'hôpital.

Je commençai la journée de vendredi en lion. J'eus une discussion sur les vitamines avec l'un des médecins de garde. Je lui dis qu'en cessant de prendre tous les médicaments que je prenais et en recommençant à prendre mes vitamines, je pourrais faire des progrès plus rapides.

« Je ne crois pas aux vitamines, » dit-il. Je sentis la colère monter en moi.

« Vous êtes peut-être un excellent médecin, mais vous êtes un ignorant en ce qui concerne la nutrition, » rétorquai-je. Il tourna aussitôt les talons et quitta la chambre. Mes lectures sur la nutrition m'avaient appris que la plupart des médecins ne suivent qu'un cours de trois crédits sur ce sujet vital lors de leur formation. Rien d'étonnant qu'ils soient aussi sur la défensive quand ils abordent le sujet, pensais-je ; ils ne peuvent dominer la conversation en recourant à des tas de termes médicaux qu'eux seuls comprennent.

Après son départ, on m'habilla et on me conduisit dans la salle à manger pour le déjeuner. Comme j'avalais avec plus de facilité, je prenais maintenant mes pilules par voie orale. Une infirmière se présenta et déposa devant moi un plateau de pilules. Je renversai le contenu du plateau sur le plancher.

« Je ne prendrai plus de médicaments, déclarai-je. Vous ne m'en ferez prendre qu'en m'attachant les mains derrière le dos et en me forçant à les avaler.

— Comme vous voulez, » dit-elle, puis elle partit.

Inutile de préciser que cela me fit mal voir du personnel infirmier et des médecins. Au cours de la semaine suivante, ils essayèrent toutes sortes de moyens de pression pour que je me soumette, mais je refusai de céder. Puis les jours passaient, et je me sentais de mieux en mieux. Je ne crois pas qu'un médecin, quel qu'il soit, puisse dire avec précision comment tous ces médicaments peuvent interagir dans l'organisme.

Alors j'étais devenu un renégat, refusant de me soumettre à l'establishment. Et d'autres tentaient de m'imiter. Cela provoqua beaucoup de problèmes pour le personnel, et on me demanda de coopérer afin de rétablir l'ordre.

« C'est votre problème, et vous devrez faire de votre mieux pour le régler, » leur dis-je. Ma préoccupation principale était ma propre guérison. Je n'allais pas être un patient modèle pour leur faire plaisir, aux dépens de ma santé. Je me sentais mieux, et je voulais que cela continue.

En thérapie occupationnelle ce matin-là, on me confronta à trois nouveaux défis.

« Où est votre brosse à dents, Morris ? me demanda Lorna dès que je pénétrai dans la salle de thérapie.

— Dans ma chambre, répondis-je. Quelle étrange question, pensai-je.

— Je reviens dans un instant, » dit Lorna. Elle revint, ma brosse à dents à la main, et m'expliqua qu'on allait voir si je pouvais me brosser les dents. Lorna m'emmena dans la salle de bains, conçue à l'intention des handicapés, et elle glissa le manche de la brosse à dents dans un cylindre de caoutchouc. Cela me permit de tenir la brosse plus facilement. Je dus me concentrer et faire des efforts, mais je parvins à la tenir.

Lorna me demanda alors d'essayer d'ouvrir le tube de dentifrice. Dix minutes plus tard, je n'avais pas encore réussi.

« Essayez de dévisser le bouchon en vous servant de vos dents, » suggéra-t-elle. Je n'eus pas plus de succès. Alors ouvrit le tube et me le tendit.

« Bon, voyons si vous pouvez mettre un peu de dentifrice sur votre brosse, » dit Lorna. On pourrait croire qu'il est facile de presser un tube de dentifrice pour en faire sortir un peu, mais pour moi c'était difficile. Mes mains ou mes doigts n'avaient pas assez de force pour y parvenir. Eh bien, tu as simplement besoin d'exercice ; rien n'est impossible, me dis-je.

Alors je n'avais pas relevé mon premier défi avec beaucoup de succès. Pendant l'heure qui suivit, j'essayai de soulever des objets avec un ustensile et de les porter à ma bouche. Les bras attachés en position élevée, je faisais des progrès. Je ne pouvais encore me nourrir, mais je faisais des progrès.

Avec l'impression de déceler de l'ennui dans mon attitude, Lorna me détacha les bras et m'amena à une table sur laquelle était posée une machine à écrire. C'était une machine électrique, d'apparence assez moderne. On fixa à ma main un appareil dans lequel on ficha un crayon. Lorna mit la machine à écrire sous tension et me demanda de l'essayer. À l'aide de l'extrémité du crayon munie d'une gomme à effacer, je commençai à taper. Au début c'était difficile, mais je m'habituai rapidement. C'était même agréable. Après trois tentatives, je parvins à écrire mon nom. J'écrivis d'autres mots pendant près d'une demi-heure.

Ensuite Lorna m'amena à une autre table. J'avais très bien relevé mon second défi, et j'étais impatient de voir ce qu'on me réservait cette fois. Lorna plaça un téléphone devant moi ; il s'agissait d'un appareil à cadran.

« Essayez de composer chaque chiffre du cadran à l'aide du crayon, » me dit-elle. À la longue, je pouvais composer les chiffres un à sept, mais je n'avais pas assez de force dans le poignet pour composer le huit, le neuf et le zéro. Cela aussi, je le réussirai avec le temps, pensai-je.

Me brosser les dents, taper à la machine, téléphoner, choses que tout le monde tient pour acquises, étaient désormais des tâches que je devais m'efforcer de maîtriser. J'étais fier de mes progrès. Chaque jour me rapprochait de mon auto-suffisance et de mon indépendance.

Je réintégrai ma chambre à l'heure du lunch, pour constater que l'on m'avait encore servi de la dinde hachée. Cette viande m'enlevait mon appétit. Je refusai de la manger. Peut-être avais-je eu tort d'en vouloir à ce gars qui se plaignait à propos de ses oeufs ; ses oeufs avaient peut-être très mauvais goût et peut-être lui servait-on toujours la même chose ; peut-être même en perdait-il lui aussi l'appétit. Quant à moi, j'avais au moins Ruth qui pouvait sortir et aller me chercher autre chose.

Alors que je restais assis à contempler mon assiette, quelqu'un me tapota l'épaule. Oh non, pensai-je, une infirmière qui va me dire qu'il me faut manger mes repas si je veux guérir. Mais ce n'était pas une infirmière ; c'était mon vieil ami Landon Browning, qui m'avait aidé à régler certains de mes problèmes financiers.

« Est-ce qu'ils te permettent de sortir ? » demanda-t-il.

« Allons-y ! » répondis-je avec enthousiasme. Pendant une heure, il poussa mon fauteuil et la conversation porta sur le bon vieux temps. C'était formidable d'être à l'extérieur et de parler avec un ami. Puis la balade prit fin. Landon me dit qu'il voulait rendre visite à sa mère, qui habitait à environ une heure de route.

De retour au second étage, j'attendis qu'une physiothérapeute vienne me chercher. Ils m'avaient au moins débarrassé de cette maudite dinde ! Un homme entra, s'assit à côté de moi et commença à me parler. Il portait une veste sport et une cravate, et il ne ressemblait pas à un médecin. Il se présenta : il était l'aumônier de The Towers.

« J'ai entendu parler de vous, » dit-il. « Auriez-vous objection à ce que je vienne vous parler un soir ? » Je lui répondis que j'appréciais les visites, et la conversation se poursuivit. Le sujet du ciel et de l'enfer surgit dans la conversation.

— Ne vous inquiétez pas pour mon âme, lui dis-je. Je sais, sans l'ombre de doute, que j'irai au ciel à ma mort.

— Comment le savez-vous ? demanda-t-il.

— Je suis déjà allé une centaine de fois en enfer, » répondis-je. Il resta muet. Finalement il murmura quelque chose du genre « vous avez dû beaucoup souffrir. » À ce moment, quelqu'un entra pour m'emmener en physiothérapie, et l'aumônier partit, me disant qu'il passerait me voir dans un jour ou deux. Je suis certain que vous viendrez, me dis-je. Vous avez probablement plusieurs questions en tête.

Je détestais les weeks-end. J'étais censé me reposer et me détendre le samedi et le dimanche, mais je ne pouvais que penser aux deux jours de thérapie dont j'étais privé. Si cela avait été possible, j'aurais travaillé sept jours par semaine, et même le soir ! Chaque fois que je pratiquais une activité, que j'exerçais un muscle ou que j'apprenais une nouvelle manière d'exécuter une vieille tâche, je me rapprochais de mon objectif de guérison totale. Je m'efforçais encore d'apprendre à avaler le mieux possible : c'était essentiel pour fortifier mon corps et obtenir de meilleurs résultats en thérapie. Sans une alimentation appropriée, non seulement serais-je incapable d'accroître mon niveau d'énergie, mais je risquerais également ma vie.

J'avais été nourri au soluté — composé surtout de sucre — pendant 45 jours. Ensuite, ma seule nourriture avait été, pendant 43 jours, un liquide appelé Ensure et conçu comme étant une alimentation équilibrée similaire à la diète quotidienne moyenne, contenant plus de 50 % d'hydrocarbures (surtout de l'amidon hydrolysé et de la saccharose). Sans fibres ou aliments pour régulariser mes fonctions intestinales, il n'était pas étonnant que ma diarrhée persiste. Sauf si l'on modifiait ma diète, j'allais commencer à perdre du terrain ; dans la substance appelée Ensure, il se trouvait au moins des vitamines et des minéraux ajoutés. Maintenant je consommais des laits frappés et des glaces à l'orange (donc des protéines dans le lait et de la vitamine C dans le jus). Mes trois pneumonies n'avaient rien d'étonnant. Il n'était pas étonnant non plus que je n'aie pas la force de presser un tube de dentifrice. Plus j'y pensais, plus j'étais déterminé à adopter une diète nutritive. J'étais en train de m'attirer les foudres du personnel hospitalier. Tout éclata le lundi 16 juin.

Lundi. Heure du lunch. Encore de la dinde hachée. À nouveau je refusai de manger. Même chose au dîner. Le docteur Bolander entra et ordonna aux infirmières de brancher mon tube stomacal.

« Nous le débrancherons dès que vous commencerez à manger, lança le médecin. Je n'arrivais pas à le croire.

— Si vous me serviez autre chose que de la dinde hachée, je mangerais ! lui dis-je. Mais il refusa de revenir sur sa décision.

— Mangez ce que nous vous donnons, et peut-être alors vous donnerons-nous autre chose. » Sur ces mots, il quitta la chambre.

J'étais furieux. Aussitôt qu'il fut parti, je m'attaquai de la main droite à mon tube stomacal. J'essayai autant que je pus de l'arracher. Je dus y travailler pendant près d'une heure, mais en vain. Je me reposai 20 minutes environ, puis je recommençai. Il me fallut encore une heure avant de parvenir à rompre les points de suture, et le tube tomba par terre. Du sang s'échappait de mon estomac, souillant mes vêtements, mes draps, et formant une flaque sur le plancher. Puis une infirmière entra.

« Que diable s'est-il passé ? s'exclama-t-elle.

— Je ne sais pas, répondis-je. Le tube est tombé tout seul. » Bien sûr, elle savait que je mentais. Il lui fallut un certain temps, mais elle parvint à enrayer le saignement.

Le lendemain matin, le docteur Whitehill arriva, plus enragé que l'ours que j'avais abattu dans l'Idaho.

« Nous allons vous renvoyer en chirurgie et vous installer un nouveau tube stomacal, m'informa-t-il.

— Vous devrez le faire sans mon consentement, rétorquai-je. Je refuse de signer un formulaire de consentement. Peut-être allez-vous finir par me servir autre chose que de la dinde hachée. »

Lorsqu'il quitta la chambre, on pouvait presque voir de la vapeur lui sortant des narines. L'affrontement s'était produit. J'avais l'impression de m'en être sorti avec les honneurs, mais je devais attendre ; je ne pouvais pas m'en aller tout bonnement car ils refusaient d'améliorer mes repas.

Ce même jour, deux thérapeutes se présentèrent.

« Nous sommes venues vous apprendre à vous habiller, me dirent-elles, en prenant une paire de chaussettes dans mon placard.

— Essayez de les enfiler, dit l'une d'elles.

— Vous n'êtes pas sérieuse ! répondis-je. Elle m'assura qu'elle était très sérieuse au contraire.

Je fis des efforts pendant 15 minutes sans faire aucun progrès. L'une des thérapeutes dut le faire à ma place.

« Je vais apporter deux de vos paires de chaussettes avec moi, me dit-elle. Je pourrai y coudre de larges bandes munies de boucles, ce qui vous permettra d'avoir une meilleure prise. »

Ensuite les pantalons. Elle posa de larges boucles de chaque côté de chacun de mes pantalons. En tenant ces boucles, mon pantalon glissait jusqu'à terre sans que je sois obligé de me pencher pour y mettre les pieds puis le remonter. Cela semble facile, mais il me fallait 15 minutes pour le remonter jusqu'à la taille. Et j'eus encore moins de succès pour l'attacher. Je n'avais pas assez de force dans les doigts pour boutonner mon pantalon ou remonter ma fermeture éclair. Mais la thérapeute me dit qu'elle apporterait deux pantalons et qu'elle y installerait une boucle additionnelle à la fermeture éclair afin que je puisse la remonter plus facilement.

Tout cela est si difficile, pensai-je. Un enfant de deux ans est content quand il peut enfiler sa veste tout seul. Un enfant de cinq ans se sent très fier s'il arrive à nouer ses lacets. Mais un adulte ? De temps à autre, on se rappelle à quel point il peut être difficile de se vêtir à voir une publicité de médicaments contre l'arthrite. La plupart du temps cependant, nous n'y pensons guère. Pourtant, je devais concentrer toutes mes énergies juste pour enfiler un pantalon. Chaque jour, je pouvais un peu plus m'occuper de moi-même. Et j'allais continuer. Comme le fait de manger, me vêtir constituait une étape importante vers la guérison. Aussitôt que je pourrais retrouver ces capacités fondamen-

126

tales, je pourrais me concentrer sur le but suivant : me déplacer, non pas dans un fauteuil roulant, mais sur mes deux jambes.

Le mercredi, on commença à me servir des repas réguliers. J'avais habituellement une banane et un jus d'orange pour déjeuner. Le lunch était constitué d'aliments faciles à avaler : purée de pommes de terre, carottes, haricots ou autres légumes. En plus, on me servait de la viante finement hachée. J'avais encore du mal à avaler la viande, et à certains moments, je ne pouvais la manger. Deux laits frappés, qui ressemblaient plus à un mélange de glace et de lait, complétaient le repas. Le dîner était à peu près semblable au lunch. J'en mangeais une partie, puis Ruth se rendait au restaurant Howard Johnson et me rapportait une glace spéciale à l'orange et un sandwich grillé au fromage, que je n'avais aucun mal à avaler. Les médecins notaient soigneusement tout ce que je mangeais. Ils voulaient s'assurer que je ne mourrais pas de malnutrition. Quant à moi, je me demandais pourquoi ils avaient mis tant de temps à s'en préoccuper.

Le temps était venu de passer à mon objectif suivant. Apprendre à marcher allait me donner l'impression qu'apprendre à parler et à manger avait été facile !

Chapitre 7

Marcher

Un voyage de 1 000 milles commence par un premier pas.

Ancien proverbe chinois

Je ne pouvais pas prétendre avoir fait mes premiers pas, mais j'y travaillais avec acharnement. Depuis une semaine, je m'exerçais à me tenir debout et à supporter mon propre poids. Pour cela, on utilisait un appareil de la hauteur des épaules environ, conçu à l'intention de ceux qui devaient retrouver leur équilibre et l'utilisation de leurs jambes afin de pouvoir se tenir debout. Une thérapeute me plaçait debout à l'aide d'une courroie qui m'enserrait la taille. Au début, je ne pouvais tenir que cinq minutes avant que mes jambes n'abandonnent, mais jour après jour je m'améliorais d'une demi-minute environ.

Une autre activité consistait à placer des goujons de plastique dans des trous. La coordination de mes mains et de mes yeux laissait beaucoup à désirer, et je devais absolument l'améliorer pour mieux maîtriser mon fauteuil roulant, et plus tard ma marchette ou ma canne. Bien sûr, cet exercice allait aussi m'aider à me brosser les dents, à me vêtir et à manger. Ce qui ressemblait d'abord à un jeu d'enfant s'avéra très difficile. La planche comportait entre 50 et 70 orifices. Après avoir fait des efforts et sué pendant une heure entière, j'avais réussi à placer un goujon, un seul. Il me fallut une autre semaine avant de pouvoir en placer cinq en une heure.

Quand la lenteur de mes progrès me préoccupait, je me remémorais les paroles du docteur Rish à ma famille peu de temps après mon accident et mon opération au cou : « S'il survit, il sera paralysé et ne pourra que cligner des paupières pour le reste de ses jours. Le mieux que je puisse vous laisser espérer, c'est que dans 20 mois il est possible et je dis bien *possible*, qu'il puisse rester assis dans un fauteuil roulant sans y être attaché. »

Nous étions au milieu de juin, trois mois seulement après l'accident, et je me déplaçais dans mon fauteuil, je pouvais presque m'y asseoir et en sortir avec l'aide d'un panneau, et je pouvais même me tenir debout sur mes deux jambes pendant cinq minutes. Le fait de me rappeler tout ce que j'avais accompli et les progrès fantastiques accomplis en dépit des attentes limitées des médecins me remontait vraiment le moral.

Je pensais souvent à Teddy Roosevelt. Même s'il était né avec une constitution fragile, souffrait de l'asthme et n'avait pas une bonne vue, Roosevelt avait été membre de l'Assemblée de l'État de New York, avait pris la tête des Rough Riders lors de la guerre hispano-américaine, avait été gouverneur de New York et président des États-Unis. Pendant sa jeunesse, il avait fait des exercices dans le gymnase construit par son père à la maison, et il avait exercé son esprit en lisant des livres et en fréquentant l'université Harvard. Teddy Roosevelt n'avait pas accepté de voir ses handicaps le limiter. Je n'allais pas m'y soumettre non plus.

Ce n'est pas « quelque chose de spécial » qui a fait la réussite exceptionnelle de Roosevelt. C'est plutôt sa capacité de puiser à même la force et l'énergie intérieures que tout le monde possède. Kopmeyer raconte l'histoire d'une petite femme, une personne ordinaire, qui traversait le Texas en automobile en compagnie de son fils. Ils eurent une crevaison à l'avant et ils s'arrêtèrent pour réparer. Son fils se glissa sous l'automobile et le cric glissa ; l'automobile tomba sur la poitrine du jeune homme.

« Je meurs, » dit le fils en suffocant. Dans le désert, à des kilomètres de tout, sans aucune automobile en vue, la mère était la seule chance de survie de son fils. Sans réfléchir, elle s'agrippa à la voiture de toute la force de ses 43 kg et la souleva assez longtemps pour que son fils se libère. La voiture pesait 2 268 kg.

Je voulais réussir autant que Roosevelt. Je voulais marcher et avoir une vraie vie autant que la femme avait voulu sauver la vie de son fils. Tant que je pouvais imaginer que je marcherais, tant que je croyais que c'était possible, tant que je pourrais concentrer mes énergies à la préparation de mon organisme pour ce premier pas, ce n'était qu'une question de temps avant que j'entreprenne mon voyage de 1 000 milles.

Le mardi après-midi, 17 juin, j'eus l'encouragement dont j'avais besoin pour m'attaquer à mon nouvel objectif. Après mes exercices habituels de physiothérapie, Yaffa me fit réintégrer mon fauteuil roulant.

« Suivez-moi, » dit-elle. J'avais l'impression que quelque chose de nouveau m'attendait, et j'avais raison. Je m'arrêtai près des barres parallèles. Laissant mon fauteuil roulant de côté, Yaffa me disposa entre les barres. L'autre extrémité se trouvait à 6,09 m de moi, mais j'avais l'impression qu'il s'agissait de 1,609 km.

En tournant une manivelle, Yaffa abaissa les barres à la hauteur de ma taille. Puis elle alla chercher une large ceinture de cuir, qu'elle me plaça autour de la taille. Une autre thérapeute se joignit à nous.

« Maintenant, levez-vous, » me dit Yaffa. Elle plaça mes mains sur les barres et me dit de pousser de toutes mes forces. J'essayai, j'essayai *vraiment*, mais je ne parvenais pas à me lever. Alors Yaffa agrippa ma ceinture et me plaça debout. Mes jambes se mirent à trembler ; elles me semblaient aussi fermes que des nouilles de spaghetti trop cuits. Il me fallut toute la concentration et les efforts dont j'étais capable pour ne pas basculer.

« Ne vous en faites pas, » me dit Yaffa. « Je ne vous laisserai pas tomber. Maintenant, essayons de faire un pas en avant. » Je glissai mon pied gauche en avant et je tentai de faire un pas avec le pied droit. Mon genou plia ; voici le plancher, me dis-je. Mais Yaffa me tenait fermement. Retrouvant mes moyens, je réussis à faire trois pas en avant et trois pas en arrière pour revenir à mon fauteuil. Même cette réalisation mineure nécessita beaucoup d'aide de Yaffa. Elle me tenait et glissait mes mains sur les barres. Mais c'était un début. J'avais hâte de regagner ma chambre et de téléphoner à Sandy pour lui faire part de ma dernière réussite. J'allais aussi me reposer avant le dîner.

En me rendant à ma chambre, mes projets se modifièrent. Je rencontrai Mark dans le couloir.

« Que diriez-vous de venir faire du tir à l'arc avec nous ? demanda-t-il.

— Ce serait fantastique, dis-je. Mais comment diable vais-je faire pour tendre la corde ? Toutes les occasions de sortir étaient merveilleuses, mais je voulais participer, et pas seulement regarder.

— Ne vous en faites pas avec ça. Nous utilisons des arbalètes, » répondit Mark.

Quinze minutes plus tard, Mark, deux de ses aides, quatre autres patients et moi nous dirigions vers la salle de thérapie occupationnelle. Sur le mur du fond était installée une cible avec un filet derrière. Je croyais que nous prendrions la camionnette pour nous rendre à un stand de tir à l'arc, mais c'était beaucoup mieux ainsi en ce qui me concernait. J'aimais bien sortir de l'hôpital, mais je n'appréciais pas beaucoup les randonnées en camionnette.

Quand chacun de nous eut tiré six carreaux, Mark nous demanda si nous voulions continuer. La première ronde avait été de courte durée, et personne d'entre nous n'avait très bien réussi, alors nous étions tous d'accord pour recommencer.

Je me limitais à viser ; le reste était fait par un assistant. Il devait tenir l'arbalète pour moi, la placer selon mes instructions, poser mon doigt sur la détente et m'aider à appuyer. De toute évidence, mes yeux n'avaient subi aucun dommage. Malgré le peu de contrôle que j'avais sur l'arbalète, je touchai le centre de la cible à quatre reprises en six tentatives. Tout le monde était étonné, moi y compris. J'étais si emballé que j'eus du mal à manger mon dîner ce soir-là ; je fus aussi très occupé à raconter à Ruth les événements exceptionnels de la journée. Ruth composa ensuite le numéro de Sandy, à qui je racontai à nouveau ma journée fantastique. Elle avait du mal à croire que je n'exagérais pas, et finalement Ruth dut prendre le combiné pour la convaincre que je n'étais pas fou et que je faisais des progrès énormes.

Cela était peut-être trop beau pour durer, et le mercredi après-midi, mon moral était au plus bas. David Rodwell, directeur du programme de réhabilitation de The Towers, vint me rencontrer en physiothérapie. Il m'informa d'une visite au centre de réhabilitation Woodrow Wilson dès le lendemain.

Toute la semaine précédente, j'avais entendu parler d'autres patients du centre Woodrow Wilson. On disait que ce centre équivalait à un camp de concentration. Une rumeur surtout m'effrayait : si le patient n'était pas capable de se vêtir lui-même le matin, on l'abandonnait simplement à lui-même.

Yaffa essaya de calmer mes craintes. Elle prit le temps de me parler du centre, situé à Fishersville, à environ 56 km de l'hôpital. En 1947 l'État de Virginie avait transformé un hôpital militaire pour en faire le premier centre de réhabilitation appartenant à l'État et géré par celui-ci. Depuis lors, 12 autres centres d'État avaient vu le jour aux États-Unis.

« Allez-y en gardant l'esprit ouvert demain, » suggéra Yaffa. « Je crois que vous serez agréablement surpris. » Son attitude positive me fut d'un grand secours, mais je dois avouer que j'étais encore craintif.

«Maintenant j'ai de bonnes nouvelles pour vous,» poursuivit-elle. «Nous avons téléphoné à votre femme ce matin, et elle vous rendra visite en compagnie de votre soeur samedi prochain. Elles participeront à une assemblée où seront présents tous vos médecins et thérapeutes. Le but de l'assemblée est de vous informer quant à votre situation actuelle et à vos possibilités futures de réhabilitation.»

Cela me semblait très bien. J'étais impatient de voir Sandy et Pat, et j'allais apprendre comment les autres voyaient mes progrès. Je m'attendais à beaucoup de commentaires négatifs de la part des médecins et des infirmières. Les thérapeutes seraient sans doute plus positifs. Mais quoi que l'on puisse dire, j'étais déterminé à ne pas être «sensible aux influences négatives des autres,» comme le dit Zig Ziglar, et à ne pas abandonner. Je comptais me préparer soigneusement en prévision de cette assemblée, à me motiver psychologiquement comme un athlète avant un match important. Mon assurance devait sortir intacte de cette assemblée, sinon ma guérison se trouverait retardée de plusieurs semaines, et même de plusieurs mois. Je n'allais pas laisser cela se produire !

Entretemps, il me fallait aller visiter le centre Woodrow Wilson. Le jeudi matin à 9 h, 10 infirmières et thérapeutes, et un nombre équivalent de patients étaient rassemblés dans le couloir. À l'extérieur nous attendait un autobus jaune portant l'inscription «Centre de réhabilitation Woodrow Wilson» en grosses lettres noires. Le véhicule était muni d'une plate-forme motorisée pour recevoir les fauteuils roulants, dispositif semblable à celui des camionnettes dont on se servait pour les activités récréatives.

Vingt minutes plus tard, nous étions prêts à partir. Des courroies fixées au plancher étaient reliées à nos fauteuils pour nous empêcher de basculer advenant un accident ou un arrêt brusque.

Le voyage dura environ 45 minutes, mais il me sembla s'éterniser des jours durant. Le véhicule, qui était vieux et dont la suspension laissait à désirer, me causait des douleurs au cou et aux épaules. Les fesses et le derrière des cuisses me chauffaient, car j'étais resté assis trop longtemps dans la même position. Plusieurs patients pouvaient se soulager en se déplaçant quelque peu dans leur fauteuil à l'aide de leurs mains. Mais cela nécessitait une force dans les épaules que je n'avais pas. À l'hôpital, quelqu'un se plaçait devant moi, appuyait ses genoux sur les miens et tirait sur ma ceinture pour me faire lever et m'offrir quelques moments de soulagement. Mais ici, dans l'autobus, il me fallait supporter mon mal.

En observant par la fenêtre la beauté des montagnes, je ne parvenais pas à oublier les images de plaies que j'avais vues dans un film. Certaines de ces plaies nécessitaient de la chirurgie ; d'autres ne guérissaient jamais complètement ; d'autres encore avaient un aspect si horrible qu'elles me rendaient presque malade. Ces visions de beauté et de laideur reflétaient bien ce que je pensais de Woodrow Wilson. Ce serait peut-être l'étape suivante vers ma guérison complète.. ou un horrible cauchemar. Je n'avais plus qu'à attendre.

Ma première impression de Woodrow Wilson fut positive. Contrairement au vieil autobus déglingué, l'immeuble de deux étages était moderne. On nous monta au second, deux par deux, dans un ascenseur, puis on nous conduisit dans le secteur hospitalier du complexe. Après quelques mots de l'infirmière de garde, on nous fit visiter l'une des chambres.

Je fus très surpris. La pièce contenait quatre lits, surmontés d'un gros téléviseur couleur. Chaque occupant possédait son propre placard, et à côté de chaque lit se trouvait une table munie d'une commande à distance pour le téléviseur et d'un interphone relié au poste des infirmières.

Et des fenêtres ! De vraies fenêtres, qui s'ouvraient et se fermaient. On pouvait regarder dehors et apercevoir le ciel et les arbres. Oh ! ce sera tellement agréable de pouvoir regarder dehors plus souvent ! pensai-je.

Près de la porte se trouvaient trois éviers, sous lesquels on pouvait glisser un fauteuil roulant. La salle de bains, qui servait aussi à la chambre contiguë, était immense.

Tout cela était d'une propreté irréprochable. Les murs étaient frais peints de couleurs vives, et toutes les couleurs de la pièce étaient coordonnées. Me trouvais-je dans un hôpital ou dans un hôtel de luxe.

À la tête de chaque lit se trouvait une carte énumérant 20 techniques diverses : le brossage des dents, la capacité d'attacher ses chaussures, la mobilité, etc., et chacun de ces éléments était mesuré : besoin d'aide, d'un peu d'aide ou pas du tout. J'interrogeai David à ce propos.

« Il s'agit d'un système d'évaluation du degré de dépendance du patient, expliqua-t-il. L'objectif est de devenir indépendant dans le plus grand nombre de secteurs possible et éventuellement de pouvoir tout faire seul. »

Cela me semblait un excellent outil pour me concentrer sur mes objectifs de guérison. Je me fis une image mentale d'une carte portant mon nom avec la mention « pas besoin d'aide », partout.

Notre étape suivante était la physiothérapie. C'est là où tout le monde se trouvait ; les chambres que nous venions de voir étaient vides. La pièce était immense, mesurant environ 30 m de longueur et remplie de patients rendus à divers stades de thérapie. Le centre de physiothérapie de The Towers était modeste, en comparaison. À la droite de l'entrée se trouvaient deux séries de barres parallèles, et chacune d'elles était deux fois plus longue que les barres de 7 m de longueur qui, encore la veille, me semblaient interminables. Les murs étaient tapissés de prothèses, d'appareils destinés à faciliter la marche et de béquilles. Près des barres parallèles, se trouvait une dizaine de bancs recouverts de matelas.

À la gauche, toute une série de tables, de poulies, d'escaliers d'exercices et de bicyclettes. Au fond de la pièce, environ 10 grands matelas étaient posés à même le plancher, sur lesquels un groupe de patients assis autour d'un thérapeute accomplissaient des exercices en comptant à haute voix et en cadence.

Nous fûmes conduits ensuite au service de thérapie occupationnelle. Encore une fois j'étais stupéfait. Aussi vaste que la salle précédente, cette dernière contenait des appareils d'exercices, une automobile branchée à des dispositifs spéciaux où l'on pouvait apprendre à conduire, des tables de jeux, des appareils destinés à l'acquisition de dextérité manuelle, et un appartement contenant une cuisine modèle, une salle de séjour, une chambre à coucher et une salle de bains. Tout était conçu en fonction des fauteuils roulants : tout était accessible à une personne assise. Précisons cependant que, avant d'obtenir leur congé, les patients recevaient la visite d'un thérapeute à la maison apte à recommander des modifications destinées à faciliter la vie. Rampes extérieures, portes plus larges et éviers surbaissés n'étaient que quelques-unes des suggestions habituelles.

Nous en étions à l'heure du lunch, et David nous conduisit dans un autre immeuble. La vaste salle à manger était destinée au personnel et aux patients. Ceux qui ne pouvaient s'y rendre étaient servis dans une salle à manger située dans l'hôpital. Deux comptoirs de service accommodaient plusieurs centaines de personnes. Les patients incapables de se servir de leurs mains bénéficiaient de l'aide de préposés. Les étudiants (à Woodrow, tous les patients étaient appelés étudiants) étaient servis gratuitement, mais les autres devaient payer.

David nous apprit que le menu changeait à tous les jours. Mon repas, constitué de poissons, de légumes frais, de pommes de terre, d'un dessert et d'un thé glacé, ne fut pas spectaculaire, mais bien meilleur que la nourriture de The Towers.

Après le lunch, nous nous sommes rendus à l'immeuble récréatif. Il contenait une allée pour le jeu de quilles, un champ de tir, des courts de tennis, un gymnase complet, un court d'exercices de golf pour coups roulés, une salle de billard, des tables de ping-pong, une bibliothèque, des ateliers de céramique et de peinture et l'une des plus belles piscines qu'il m'ait été donné de voir. Cette piscine était munie de dispositifs à l'usage des personnes handicapées, y compris des rampes grâce auxquelles les personnes en fauteuil roulant pouvaient entrer directement dans l'eau.

Et comme si cela ne suffisait pas, on nous conduisit ensuite dans la salle de théâtre et de concert. Le rez-de-chaussée était spécialement aménagé pour recevoir les fauteuils roulants. Les sièges réguliers, recouverts d'un luxueux velours, étaient au nombre de plusieurs centaines. Il y avait aussi une énorme scène, avec un très beau rideau.

L'étape finale était celle de l'atelier de travail. On y donnait des cours qui permettaient aux personnes handicapées de retourner sur le marché du travail, ou à tout le moins de se débrouiller. Programmation informatique, soudage, mécanique automobile, gestion hôtelière, couture, rembourrage, travail du bois, travail des métaux, électronique, cuisine et plusieurs autres cours étaient offerts aux « étudiants » chanceux.

« Des commentaires ? » demanda David. Je parlai le premier.

— Je crois que c'est merveilleux et j'ai hâte de venir ici, » déclarai-je. La plupart des membres du groupe étaient d'accord, mais plusieurs patients ne voulaient rien entendre. Ils affirmèrent qu'ils ne reviendraient pas.

Le voyage de retour s'amorça sans problèmes. Nous étions pour la plupart trop fatigués pour parler, et plusieurs personnes dormaient déjà. Je ne dormais pas. Chaque cahot me causait une intense douleur aux jambes et aux fesses. Je songeais à quel point j'aurais souhaité me trouver dans mon lit, quand le véhicule emprunta la sortie de Charlottesville. Mon fauteuil pencha, puis se renversa. Avec un grand bruit, je tombai à pleine face sur le plancher. On s'empressa de m'aider et de voir si j'étais gravement blessé. Une méchante bosse grossissait sur mon front et mon cou était endolori, mais je ne semblais pas avoir de fracture.

«Dès notre arrivée, nous prendrons des radiographies, déclara l'une des infirmières.

— J'effectue ce voyage depuis 11 ans environ, et rien de tel n'est jamais arrivé! s'exclama le chauffeur.

— Et il fallait que ça m'arrive à moi,» répondis-je, ce qui fit sourire tout le monde.

De retour à l'hôpital, on prit des radiographies. Je n'avais pas de mal, mais j'aurais très facilement pu me rompre le cou à nouveau. Ce soir-là je racontai mon aventure à Ruth, jurant qu'ils ne me feraient jamais plus monter à bord de cet autobus.

«J'aimerais mieux enfourcher un cheval sauvage que de reprendre cet autobus,» déclarai-je. Nous avons bien ri tous les deux. Il ne servait à rien de penser à la tragédie qui aurait pu se produire, mais j'étais sérieux quand je parlais de ne plus remonter dans cet autobus.

Le vendredi fut interminable. J'étais impatient de voir ma famille et d'assister à la réunion où mes progrès seraient évalués. Je ne pouvais réfléchir à rien d'autre. Ma préoccupation n'échappa pas à Lorna et à Yaffa pendant les sessions de thérapie. Je ne me concentrais pas. Elles me demandèrent si quelque chose n'allait pas, et je leur confiai qu'en plus de mon impatience quant au lendemain, ma tête et mon cou demeuraient encore douloureux depuis ma chute dans l'autobus.

À 16 h 30, je prévoyais quelques heures de sommeil réparateur avant le dîner. Ruth m'aida à me mettre au lit. J'étais sur le point de m'endormir quand elle m'annonça l'arrivée de visiteurs. *Qui cela peut-il être?* me demandais-je.

« Hé ! Morris ! comment ça va ? » C'était la voix de mon vieil ami Fred Day. Il était accompagné de sa femme Elizabeth et d'un de nos clients, Worth Norman, avec son épouse. Ils avaient fait huit heures de route pour me voir. Cela était très flatteur pour moi.

Ruth m'aida à m'installer dans mon fauteuil roulant, et nous nous rendîmes dans une petite salle qui faisait office de salle à manger. On y donnait un spectacle ce soir-là. Une jeune femme, venue voir Delores Dabney, la patiente que j'avais heurtée en fauteuil roulant, chantait en s'accompagnant à la guitare. Son instrument, une *Martin*, me rappela les guitares que j'avais possédées au cours des 15 dernières années. Ce fut une soirée de souvenirs pour nous tous. Chacun des couples qui me rendaient visite avait perdu une fille, et la jeune fille qui chantait rappela à tous des instants émouvants. Un autre souvenir allait surgir.

« J'ai quelque chose pour toi dans ma voiture, dit Worth. « Attends ici ; je vais le chercher. » À son retour, Worth avait une enveloppe à la main. Il la remit à Ruth. Elle l'ouvrit et en tira une série de photos. Elle me les montra, l'air horrifié.

Il s'agissait de photos de mon avion après l'écrasement, ou de ce qui en restait. Je ne pouvais pas en croire mes yeux. Comment diable avais-je pu survivre à une telle chose, me demandais-je.

« Comment peux-tu les détenir ? demandai-je à Worth.

— Je les ai prises moi-même, » répondit-il. Il me raconta qu'il s'était trouvé à Virginia Beach le 10 mars à l'occasion d'un congrès. Il avait prévu me rendre une visite surprise mais n'avait pu me rejoindre ; il avait essayé toute la journée et toute la soirée. Ce n'est qu'en regardant les informations de fin de soirée qu'il avait entendu parler de mon accident. Le lendemain il s'était rendu sur place et avait pris les photos.

« Je te les donne » dit-il. Si tu les veux, bien sûr.

— Tu parles ! Merci », répondis-je. Ces photos allaient me rappeler à quel point j'étais chanceux d'être en vie. Et elles apparenteraient les objectifs réalisés à des miracles.

Il était presque 19 h quand Fred m'annonça qu'ils devaient partir. Ils comptaient rentrer pendant la nuit, ce qui voulait dire qu'ils n'allaient arriver chez eux que le lendemain matin.

« Votre visite m'a fait bien plaisir, » leur dis-je. Avant leur départ, nous nous sommes recueillis et Fred a prononcé une prière à mon intention. Puis je me suis retrouvé seul. Je ressentis ce mélange familier de joie et de tristesse, la joie de posséder des amis qui se souciaient de moi, et la tristesse de m'en séparer.

Le samedi matin à 6 h, j'étais tout à fait éveillé. C'était le grand jour. Sandy et Pat allaient arriver dans quatre heures, et nous aurions notre réunion avec le personnel de l'hôpital. À 7 h, une infirmière vint m'aider à me vêtir et à me préparer pour le déjeuner. À 10 h, j'étais habillé, j'avais mangé et j'attendais. À l'heure prévue, Sandy et Pat apparurent sur le seuil de ma chambre.

Au moment où nous nous engagions dans le couloir, j'entendis la voix tonnante de mon oncle Pete. On ne pouvait s'y tromper.

« Comment te sens-tu, mon gars ? » demanda-t-il. J'eus à peine le temps de lui dire que tout allait bien quand Yaffa vint nous demander de la suivre. Nous devions nous rendre à la réunion.

Le docteur Bolander parla le premier. Il expliqua l'étendue de mes blessures et montra des radiographies de mon cou prises au moment de l'accident et plus récemment. Mes os ne se ressoudaient pas aussi bien que prévu. Je risquais fort d'avoir à subir une seconde intervention.

Il compara ensuite la moelle épinière à une série de lignes téléphoniques. Il expliqua que des messages sont transmis du cerveau à diverses parties du corps, puis reviennent au cerveau par la même voie. Une fois ces lignes coupées, des courts-circuits se produisent et les messages ne parviennent plus à destination. Sans impulsions sensorielles ou motrices, certaines parties endommagées du corps ne pouvaient fonctionner. Les nerfs de la colonne vertébrale ne se régénérant pas comme les autres parties du corps, le « débranchement » était permanent. Mais je croyais qu'il subsistait encore de l'espoir.

« Un jour, très bientôt, je vais aller en Afrique et abattre un éléphant, » dis-je lorsqu'il eut fini de parler. « Vous verrez. » Tout le monde se mit à rire, sauf le docteur Bolander. Il me regarda comme on regarde un fou.

Ensuite, Yaffa et Lorna expliquèrent ce que nous faisions en thérapie et quels étaient leurs projets jusqu'à mon départ.

Nancy parla ensuite des fantastiques progrès que j'avais faits en thérapie de la parole. Positive et optimiste, elle fut le point fort de la réunion.

Ce fut agréable d'entendre quelque chose de positif avant que le personnel infirmier et administratif ne fasse son rapport. Leurs commentaires furent plutôt négatifs, faisant état de problèmes qui persistaient en termes de soins personnels et de coopération... ou plutôt d'absence de coopération.

Enfin la réunion arriva à son terme. Je me dirigeai vers ma chambre et Sandy, Pat et l'oncle Pete se rendirent au restaurant Howard Johnson me chercher un sandwich grillé au fromage et une glace à l'orange. Ils restèrent pour le lunch, mais ensuite ils durent se mettre en route. Ils devaient retourner à leur vie régulière, et moi je me retrouvai confronté à un autre week-end d'inactivité et de solitude.

Me préparant à passer un après-midi tout seul, je me mis à constater combien peu nous utilisions les possibilités de notre cerveau. Nous ne nous servons tout simplement pas de cet appareillage perfectionné que nous avons dans la tête. Certaines estimations font état de 2 % ; j'ai plutôt tendance à croire que nous n'en utilisons régulièrement qu'un centième pour cent.

Quel gaspillage ! J'ai déjà lu un article écrit par un scientifique chargé de recherche chez IBM. À son avis, un cerveau humain reproduit sous forme informatique serait plus gros que l'Empire State Building. Et pourtant cet appareil ne pourrait forger une seule idée, ce que chacun de nous peut faire en une fraction de seconde.

J'avais l'impression de puiser à même ces possibilités de mon cerveau en réalisant des objectifs que les professionnels de la santé tenaient pour impossible. Je décidai de m'efforcer de continuer à accroître mon niveau de concentration. Pendant le week-end, compte tenu du fait que je ne pouvais faire de thérapie, il me restait à m'imaginer accomplissant mes exercices. Dans les moments où je n'avais pas de visiteurs, je pourrais me remémorer mes dernières visites, des événements importants de ma vie, ou encore imaginer la prochaine rencontre avec ma famille ou mes amis. Il était épuisant de penser à ce que je ne pouvais faire. J'allais désormais me concentrer sur ce que je pouvais exécuter, sur ce que je réaliserais... un jour.

Le 22 juin, un autre lundi, marqua le début d'une autre semaine. Après m'être habillé et avoir déjeuné, j'attendais dans le couloir d'être conduit en thérapie quand l'infirmière en chef me ramena à ma chambre.

« Qu'est-ce qui se passe ? demandai-je.

— Vous n'irez pas en thérapie. Vous devez vous rendre à l'hôpital universitaire pour y subir des tests psychologiques, » expliqua-t-elle. J'avais été mort pendant sept minutes et blessé à la tête, aussi les médecins craignaient-ils que mon cerveau n'ait été endommagé.

À 9 h 30 environ, mon moyen de transport arriva. Les tests se déroulèrent toute la matinée. On me ramena à The Towers pour le lunch. À 13 h, j'étais prêt à aller en thérapie. Encore une fois l'infirmière arriva et me dit : « Ils veulent vous faire subir d'autres tests. » À l'hôpital, un nouveau psychiatre se préparait à me les administrer.

Il mit la main dans sa poche et y prit de la monnaie. Il posa sur la table une pièce de dix cents et une autre d'un cent et me demanda de lui dire combien cela faisait.

« Vingt-huit cents, répondis-je. Il ajouta une pièce de cinq cents et me posa la même question.

— C'est facile, répondis-je. Ça fait un dollar trois quatre-vingts. »

Il me demanda de répéter ma réponse, ce que je fis.

Il prit alors une petite boîte de bois, la plaça devant moi et y mit un crayon.

« Qu'est-ce que je viens de faire ? demanda-t-il.

— Vous avez mis la boîte à l'intérieur du crayon, lui dis-je.

— Attendez-moi ici, » dit-il. Puis il sortit de la pièce. Il revint en compagnie de deux autres médecins. Ils parlaient à voix basse, mais j'entendis le psychiatre qui venait de m'examiner dire : « Je ne sais pas comment le classer. Je ne sais pas s'il est paranoïaque, névrosé, schizophrène ou autre. » Les deux autres médecins vinrent me voir. L'un d'eux prit la pièce de dix cents et celle d'un cent et les plaça devant moi.

« Combien cela fait-il ? demanda-t-il.

— Onze cents, dis-je. Il ajouta cinq cents.

— Et maintenant ? demanda-t-il.

— Seize cents, répondis-je. Il ajouta une pièce de vingt-cinq cents et me demanda à nouveau combien d'argent il y avait en tout.

— Quarante et un cents, dis-je sans aucune hésitation. Le psychiatre qui m'avait d'abord examiné commençait à rougir. L'autre médecin prit la boîte de bois et y laissa tomber le crayon. Avant qu'il ne puisse me poser la question, je parlai.

— Vous venez de mettre le crayon dans la boîte, dis-je. Le psychiatre ne pouvait en supporter davantage.

— Pourquoi ne m'avez-vous pas donné ces réponses tout à l'heure ? demanda-t-il d'une voix colérique.

— Parce que j'en ai assez de vos tests stupides, répondis-je. Et je ne reviendrai plus, » ajoutai-je d'une voix ferme. Je crois qu'ils ont été satisfaits de la démonstration, car je n'ai plus eu à subir de tests psychologiques depuis !

De retour de cette désagréable expérience, je reçus un appel d'un vieil ami, le docteur Tom Voshell. Il m'informa qu'il allait partir à 5 h en compagnie de Rusty, son fils, et qu'il me rendrait visite à 10 h environ.

Le mardi matin, je l'attendais dans le couloir.

« Suis-moi, » dis-je, en me rendant à la salle de thérapie occupationnelle. J'étais très impatient de leur montrer ce que je pouvais faire. Je voulais qu'ils voient à quel point j'avais travaillé. Je me déplaçais en appuyant les talons au sol et en tirant, et ils me suivaient.

Après avoir présenté Tom et Rusty à tout le monde, je me rendis dans la salle de bains en compagnie de Lorna et de mes visiteurs.

« Maintenant, montrez-leur que vous pouvez vous brosser les dents, » dit-elle. J'essayai d'ouvrir le tube de dentifrice, mais en vain. Lorna mit du dentifrice sur ma brosse à dents. Malgré des efforts énormes, je ne pus faire qu'une faible tentative.

Ensuite vinrent les autres activités que j'essayais de maîtriser : taper à la machine, composer un numéro de téléphone, écrire et manger. J'étais fier de mes tentatives, même si je savais que j'avais encore bien du chemin à parcourir, mais Tom ne fut pas très impressionné. Oh, il ne me le dit pas pendant sa visite, mais plusieurs mois plus tard. En retournant chez lui, il confia ses pensées à son fils. À son avis de médecin, il était convaincu que jamais plus je ne me servirais de mes mains.

Tom ne me laissa pas voir ses doutes ce jour-là. La visite fut agréable, et déjà c'était l'heure du lunch. Peut-être Tom voulait-il éviter de perturber mon programme de thérapie en me donnant son opinion de médecin. Peut-être essayait-il simplement de m'encourager. Peu importe ses raisons, je suis content qu'il ait gardé ses réflexions pour lui. Comme l'écrivent Muriel James et Dorothy Jongeward dans leur merveilleux livre *Born to Win* : « L'homme naît pour gagner, mais pendant plusieurs années il est conditionné à perdre. » D'autres nous disent que nous ne pouvons faire certaines choses, nous nous le répétons et cela finit par devenir réalité : nous en devenons vraiment incapables.

Je croyais en moi-même, mais parce que les infirmières et les médecins ne partageaient pas cette conviction, j'avais besoin de mes amis et de ma famille pour m'aider à conserver mon optimisme. Tom m'aida vraiment beaucoup ce jour-là. Après sa visite, je n'eus pas à lutter contre le doute et l'inquiétude. J'étais au contraire reposé et heureux de savoir que mes amis se préoccupaient de ma santé ; je relevai d'ailleurs un nouveau défi en physiothérapie ce jour-là.

Peu après mon entrée dans la salle de thérapie, on me confia une marchette. J'essayai plusieurs marques et modèles, et j'en trouvai finalement une qui était confortable. Je commençai à marcher, Yaffa me tenant par la ceinture pour assurer mon équilibre. J'eus un nouvel accès de fierté : j'étais de plus en plus indépendant. Tous les exercices que j'avais faits pour apprendre à me tenir debout donnaient finalement des résultats ; je pouvais désormais me tenir debout aux barres parallèles, sans aide, pendant 10 minutes. Quand je quittai la salle de thérapie ce jour-là, je planais littéralement.

Le reste de la semaine fut plutôt routinier : déjeuner, thérapie occupationnelle, lunch, physiothérapie, dîner et repos. Mais le vendredi ne fut pas habituel du tout. Si tout allait bien, j'allais pouvoir passer le week-end à la maison. Pat et Sandy arrivèrent le vendredi pour une séance de formation destinée à la famille. Il leur fallait apprendre toutes les phases des soins à me donner et acquérir certaines aptitudes physiques avant que je ne puisse quitter l'environnement sécuritaire de The Towers. La session de formation dura toute la journée.

D'abord, Pat et Sandy vinrent en thérapie occupationnelle, où Lorna leur montra comment utiliser la planche qui me servirait à sortir de l'auto et du lit. Deuxièmement, elle leur indiqua comment m'aider à me vêtir et à me nourrir.

Après le lunch, une infirmière prit la relève. Elle apprit à Pat et à Sandy comment me donner mon bain, comment assembler et brancher le sac que je portais à la jambe, comment me stimuler les intestins, comment me tourner à toutes les deux heures pour éviter les irritations cutanées, etc.

Puis ce fut le tour de Yaffa. Elle aborda les techniques permettant de m'asseoir dans mon fauteuil et de me faire monter et descendre des escaliers et des trottoirs. Tout va bien, me dis-je, mais comment feront-elles pour me faire monter et descendre des escaliers ? J'allais bientôt le découvrir.

Yaffa donna une démonstration, puis Pat essaya. Aucun problème. C'était maintenant le tour de Sandy. Encore une fois aucun problème. Pat demanda à essayer de nouveau. J'étais quelque peu craintif, mais Pat s'en tira sans mal. Puis Yaffa demanda à Sandy d'essayer une fois de plus. Sandy tenta de refuser, alléguant un mal de dos, mais Yaffa insista. Sandy commença à gravir l'escalier, tirant mon fauteuil avec elle, une marche à la fois. Elle se rendit presque en haut de l'escalier.

C'est alors qu'elle m'échappa. Mon coeur se mit à battre à toute vitesse. Yaffa m'attrapa, me ramena en haut de l'escalier puis me remit entre les mains de Sandy.

« D'accord, descendez-le, dit-elle.

— Un instant, protestai-je. « C'est assez. » Mais Yaffa ne pouvait laisser Sandy partir avec le sentiment qu'elle ne pouvait m'aider.

Yaffa croyait au pouvoir du vieil adage qui dit : « La meilleure façon de se remettre d'une chute de cheval est de remonter en selle sur-le-champ. » Je fermai les yeux et je priai pendant toute l'expérience. Tout le monde fut soulagé de nous voir arriver, Sandy et moi, sans encombre au pied de l'escalier.

Quand Pat et Sandy partirent cet après-midi-là, j'étais plutôt satisfait de leur façon de s'en tirer. Elles avaient passé le test de la formation, et j'avais hâte d'aller vivre quelque temps à la maison. Cela se produisit beaucoup plus tôt que prévu.

Le lundi 29 juin, David Rodwell, le monsieur qui nous avait fait visiter Woodrow Wilson, me rendit visite.

« Tout est prêt pour vous accueillir à Woodrow Wilson le lundi 6 juillet. Nous avons aussi donné notre accord pour que vous passiez le week-end chez vous. Vous pourrez revenir dimanche ou demander à votre famille de vous conduire directement à Woodrow Wilson lundi. »

J'étais enchanté. Je pensais à Woodrow Wilson depuis une semaine, convaincu que j'y entrerais, mais sans savoir quand exactement. La date était désormais fixée. Et la visite à la maison était une vraie surprise.

David précisa qu'il allait contacter Sandy pour tout préparer. J'étais impatient de lui parler. Ce jour-là, la session de thérapie me sembla interminable. La tête me tournait, je pensais à mes nouvelles aventures et cela se voyait. Lorna et Yaffa me firent toutes deux des commentaires à cet égard.

De retour à ma chambre, je téléphonai immédiatement à Sandy. Je ne pouvais attendre après le repas. David lui avait déjà téléphoné et elle commençait à faire des projets concernant mon retour à la maison. Sandy était préoccupée par les problèmes qui risquaient de se poser et elle désirait embaucher une infirmière pour l'aider. Détails que tout cela, me disais-je. Rien ne peut plus retarder la marée ! J'irais à la maison, même si elle devait pour cela embaucher tout le personnel de l'hôpital général de Norfolk !

Je parlai de nouveau à Sandy au téléphone le mercredi soir. Elle avait échangé avec Pat, et toutes deux comptaient venir me chercher le vendredi matin. Sandy avait loué une fourgonnette afin de pouvoir transporter mon fauteuil, ma marchette et tout l'attirail de ma chambre. Et elle avait retenu les services d'une personne qui se chargerait de mes soins au cours du week-end.

« Il est étudiant en physiothérapie à l'université Old Dominion, me dit-elle. Pat a aussi dit qu'elle serait enchantée de rester et de donner un coup de main. Nous irons te chercher vers midi vendredi. Demande à Ruth de t'aider à préparer tes affaires jeudi soir afin d'être prêt à partir à notre arrivée. »

J'étais vraiment excité. Je dus me forcer à manger le mercredi soir et je dormis très peu. Il me semblait que le jeudi soir n'arriverait jamais. Pendant que Ruth préparait mes affaires, je regardai ma chambre remplie de photos et de cartes reprendre son aspect froid et impersonnel. Soudain tout me sembla désert.

Un déménagement marque souvent le début de nouvelles aventures, mais aussi la séparation de vieux amis. À 11 h, Ruth devait partir. Elle m'embrassa et m'assura qu'elle entrerait en contact avec moi. Nous étions devenus très proches l'un de l'autre, et c'était triste de devoir mettre un terme à nos rapports.

« Vous allez vraiment me manquer, lui dis-je, à son départ.

Nous avons tous deux versé quelques larmes.

Quand une infirmière vint me réveiller à 7 h 30 le vendredi matin, j'étais déjà tout à fait éveillé, malgré une nuit presque dénuée de sommeil. Mon réveil mental s'était déclenché avec sa précision habituelle, et j'étais impatient d'entreprendre les préparatifs de mon voyage.

Les infirmières emballèrent toutes les fournitures médicales dont j'allais avoir besoin, je m'habillai et je pris mon petit déjeuner. À l'arrivée de Pat et Sandy, j'étais comme un cheval de course sur la ligne de départ, piaffant d'impatience. Il fallut environ trente minutes pour tout mettre dans la voiture.

Je serai à la maison pour la première fois depuis quatre mois, me disais-je avec enthousiasme. Le voyage de six heures allait être très éprouvant pour moi, mais le jeu en valait la chandelle. En regardant le paysage montagneux devenir graduellement de moins en moins accidenté, je devenais de plus en plus impatient. Lors de notre passage à la baie de Chesapeake, je fus saisi par l'odeur familière de l'air salin. Les montagnes de Charlottesville étaient très belles, tranquilles et paisibles, mais sans commune mesure avec l'amour de ma vie : la côte.

Une demi-heure plus tard, nous nous arrêtions devant la résidence de ma mère. Après une brève visite, toute en embrassades et en sourires, nous entreprenions la dernière étape de notre périple. Les larmes me vinrent aux yeux en entrant dans l'allée de ma maison. Dieu merci, les médecins s'étaient trompés. Voilà quelques mois seulement, ils m'avaient tous dit que je ne reverrais jamais ma maison. J'avais envie de me prosterner et de baiser le sol.

Plus tôt au cours de la semaine, Sandy avait fait construire une rampe pour me permettre d'entrer avec mon fauteuil. En quelques minutes, j'étais à l'intérieur, chez moi enfin, même si ce n'était que pour quelques jours. Une fois installé au lit pour un repos bien mérité, je demandai à Sandy de laisser Frisky, mon chien, sortir de la cuisine. Depuis mon entrée à la maison, il était devenu fou, aboyant, hurlant et s'efforçant d'enfoncer la porte. Malgré mon absence de quatre mois, il ne m'avait pas oublié.

Dès que Sandy ouvrit la porte, Frisky se rua vers la chambre à coucher. Nous ne lui avions jamais permis de monter sur le lit, mais cette fois les gars de la fourrière n'auraient même pas pu l'arrêter. Même si j'étais dans l'impossibilité de tendre la main et de le flatter, cela lui importait peu. Il était partout à la fois, agitant la queue et me léchant la figure.

Pendant ce temps, Sandy me raconta que pendant plusieurs semaines après mon accident, Frisky avait erré dans la maison comme s'il avait perdu son meilleur ami. Il refusait de manger et allait s'installer sous mon bureau où il demeurait presque toute la journée. Vers 16 h 30, il descendait et se plaçait devant la porte arrière, attendant mon retour du travail. Une sorte de sixième sens lui disait que quelque chose n'allait pas.

Le téléphone se mit à sonner. Sandy dut le débrancher dans la chambre pour que je puisse me reposer un peu. Jusqu'à 23 h ce soir-là, heure à laquelle Sandy le débrancha complètement, il sonna presque sans interruption. Des membres de la famille, des amis et des clients voulaient me rendre visite. Le lendemain allait être bien occupé.

Il était environ 20 h ce soir-là quand Craig Brown, l'étudiant en physiothérapie, arriva. Il aida Sandy à me préparer à passer une bonne nuit de sommeil. J'étais fourbu et j'avais besoin de me reposer en prévision de l'achalandage du lendemain.

Le samedi, de 11 h le matin à 17 h l'après-midi : un va-et-vient ininterrompu de gens dans la maison. Il était réconfortant de voir que tant de personnes se préoccupaient de mon bien-être. Je me rendais compte à quel point nous sommes dépendants de la famille et des amis pour leur appui émotionnel et spirituel. Nul ne traverse la vie tout seul.

Quand tout le monde fut parti, Sandy prépara un fabuleux repas de poulet rôti, de purée de pommes de terre, de haricots, de crevettes bouillies et de gâteau au fromage maison. Depuis si longtemps je n'avais mangé un si bon repas, mes papilles s'emballaient. Je me rappelai combien il m'avait été difficile de regarder les autres manger ; un mois auparavant, je ne pouvais rien avaler de tout cela. Satisfait et repu, je devais ressembler à un gros chat.

Après le dîner, je fis une sieste jusqu'à l'arrivée de Craig, à 20 h. Il était parti tôt le matin, Sandy n'ayant pas l'impression d'avoir besoin de lui pendant la journée. Pat comptait aussi rester pour la nuit, et elle était déjà là à l'arrivée de Craig.

« Allons voir le feu d'artifice, » suggéra Sandy. Cela me semblait une très bonne idée. J'avais vu tellement de visiteurs au cours de la journée que j'avais oublié que nous étions le 4 juillet. Tout le monde s'entassa dans la voiture de Pat, une Honda et nous nous mîmes en route.

À destination, Craig m'aida à descendre de voiture et à m'asseoir dans mon fauteuil pour que je puisse sentir l'air frais et observer les feux multicolores dans le ciel.

Il était plus de 23 h quand nous sommes rentrés et plus de minuit à mon coucher. Le dimanche s'annonçait aussi achalandé que la journée tombante, et j'avais besoin de repos, mais je n'aurais donné un moment pour rien au monde. C'était le jour le plus agréable passé depuis l'écrasement. Je me sentais revivre. Maintenant je savais que je pouvais vivre à la maison, j'étais plus déterminé que jamais à mener à terme ma réhabilitation et à rentrer pour de bon.

Le dimanche se passa trop vite. La maison fut encore pleine de gens dont je me rappellerais la chaleur au cours des jours et des semaines qui allaient suivre. Nous projetions tous de nous mettre au lit plus tôt ce soir-là, mais je m'endormis plutôt tard. Si nous voulions arriver à Woodrow Wilson avant l'heure limite de 14 h 30, nous allions devoir prendre la route à 8 h 30.

Le réveil sonna à 5 h le lundi matin. Comme prévu, nous devions nous habiller, manger, mettre mes effets dans la voiture, rendre brièvement visite à ma mère et nous diriger vers ma nouvelle résidence. Nous avions emporté des sandwichs et de quoi boire pour ne pas avoir à nous arrêter en route.

À 14 h 15, nous arrivions devant l'immeuble administratif de Woodrow Wilson. Je dois admettre que je ressentais un certain malaise. Les nouveaux débuts sont toujours difficiles. Mais j'étais certain qu'à la longue j'allais me faire de nouveaux amis et m'adapter.

Après avoir rempli certains formulaires indispensables, nous sommes montés à ma chambre. Elle était tout aussi jolie que celle que j'avais vue lors de ma visite. Petit à petit, elle prit une allure plus confortable et familière à mesure que Sandy et Pat y placèrent des photos et des cartes et remplirent le placard de mes effets personnels.

Quand tout fut déballé, une infirmière entra et nous demanda de la suivre. Elle nous conduisit à une salle de conférences, où 10 personnes environ étaient assises autour d'une table, chacune d'elles représentant un service différent du centre de réhabilitation.

Au bout de la table se trouvait le docteur Thomas Spicuzza, celui qui allait se charger de mon cas. Quand tout le monde se fut livré à une évaluation et eut énuméré des objectifs à propos de mon cas, le docteur Spicuzza me regarda droit dans les yeux.

« Quels sont vos objectifs ? me demanda-t-il.

— J'ai l'intention de sortir d'ici en marchant sur mes deux jambes, sans aucune aide mécanique, répondis-je. Mon objectif ultime est la guérison complète.

— Vous devez être réaliste, » dit-il, me regardant avec une expression qui semblait dire qu'il en avait entendu d'autres. « Vous ne serez jamais capable de fonctionner comme avant.

— Écoutez-moi, espèce d'idiot ! Vous verrez ! » lançai-je.

La réunion prit brusquement fin sur ces mots.

Duane Anderson, mon nouveau conseiller, nous accompagna hors de la pièce. Pendant 30 minutes, il nous fit visiter les lieux pour que Sandy et Pat aient une bonne idée de mon environnement. À la fin de la visite, l'après-midi était presque terminé, et Pat avait hâte de reprendre la route. Je versai des larmes en les regardant partir. L'insuffisance de repos au cours des derniers jours, le long voyage, la nouveauté des lieux et le départ de ma famille m'avaient épuisé physiquement et mentalement.

Je fus ramené à la réalité par Betty, l'infirmière de garde, qui était venue voir si tout allait.

« Avez-vous des questions à me poser ? demanda-t-elle.

— J'ai entendu dire du mal de Woodrow, lui dis-je.

— Par exemple ? dit-elle.

— J'ai entendu dire que si vous ne pouvez vous lever et vous vêtir, on peut vous laisser là pendant plusieurs heures, lui confiai-je.

— Qui vous a raconté ces choses ? demanda Betty.

— Plusieurs patients à The Towers », répondis-je. Mais ensuite je souris et j'ajoutai : « Je n'y crois pas vraiment. »

Betty me rendit mon sourire. « Nous allons essayer de ne pas vous oublier pendant votre séjour. » Puis elle s'éloigna.

J'étais étendu sur mon lit, et je me rappelais tout ce qui s'était passé au cours de la journée. Mes pensées s'arrêtèrent sur la réunion avec le personnel. Je savais que tout le monde croyait mes objectifs irréalistes, mais jamais ils ne m'en convaincraient. Je crois que les attentes d'une personne influent sur sa vie, et je n'avais pas l'intention de réduire les miennes à cause « d'opinions professionnelles ». Trop souvent, nous concentrons nos énergies sur notre maladie. Nous nous renfrognons pour ce qui ne va pas et nous oublions ce qui va.

Ce n'est pas vraiment la faute de l'individu. C'est la société qui nous conditionne à penser ainsi. Les messages publicitaires télévisés nous submergent de produits pour combattre le rhume, les problèmes d'estomac, l'arthrite, la migraine et des centaines d'autres maux. Nous nous demandons constamment si nous sommes assez malades pour aller chez le médecin. Avons-nous besoin du produit A, qui dissipera 6 symptômes, ou du produit B, qui en atténuera 12 ? Devons-nous prendre de l'aspirine ou de l'acétaminophène... ou l'une et l'autre ? Nous finissons par oublier ce qui fonctionne en nous concentrant sur nos maux. Il n'est donc pas étonnant que, le jour où une maladie sérieuse nous frappe, nous ne parvenions plus à inverser cette tendance. Notre réaction est le résultat d'années d'attitude négative.

Mais cela n'est pas inéluctable. À force de réflexion, de persistance et de détermination, nous pouvons mettre un terme aux influences négatives et renverser le courant. Plusieurs échouent. Ils se découragent trop facilement. Ce dont ils ne se rendent pas compte, c'est que quand ils abandonnent, ils doivent repartir à zéro. Il ne suffit pas de pousser le rocher à mi-chemin du sommet : vous risquez de vous retrouver en plus mauvaise posture qu'au début. Cela n'allait pas m'arriver à moi. J'allais porter mon rocher au sommet, ou alors j'allais mourir en essayant, mais il n'était pas question de renoncer.

Prises de sang, tests d'urine, examens médicaux, formulaires médicaux... des tas de renseignements furent portés à mon dossier au cours de la journée de mardi. Je me demandais s'ils constituaient un dossier ou s'ils écrivaient un livre à mon sujet. Tout se termina précipitamment à 16 h. *Enfin le moment de la sieste*, pensai-je. Mais j'avais tort. Un préposé entra et m'aida à m'asseoir dans mon fauteuil roulant.

« Suivez-moi ; je vais vous montrer où se trouve la salle à manger », dit-il. Le dîner est servi à 16 h 30. » Sur ces mots, nous nous sommes mis en route.

C'était là un problème imprévu. J'avais pris l'habitude de manger beaucoup plus tard, alors il me faudrait un certain temps pour m'adapter. *Et puis, il m'est arrivé bien pire,* pensais-je.

La salle à manger était réservée aux seuls étudiants de l'hôpital. Ceux qui étaient capables de rester dans les dortoirs devaient prendre leur lunch dans la cafétéria avec le personnel. *Je serai plus que d'accord pour me rendre à la cafétéria,* me dis-je en regardant dans la pièce. Ce n'était vraiment pas très gai. Des victimes d'anévrisme, des amputés, des gens au cerveau endommagé, des victimes de paralysie cérébrale, des aveugles, des blessés à la moelle épinière et d'autres personnes indescriptibles composaient un frappant tableau de la souffrance humaine. La plupart de ces gens étaient confinés à des fauteuils roulants et étaient nécessiteux des services d'un préposé pour pouvoir manger. Je me demandai comment j'avais pu vivre toutes ces années sans connaître l'existence de telles personnes. Comme j'avais déjà vécu la même situation, je pouvais sympathiser avec ces gens qui dépendaient des autres pour les nécessités de la vie. J'avais encore besoin d'aide pour manger, mais à force de travail j'étais devenu indépendant à 50 %. La scène à laquelle j'assistai ce jour-là m'encouragea à redoubler d'efforts pour acquérir une indépendance totale.

Après avoir terminé mon repas, je regagnai ma chambre et une infirmière m'aida à me remettre au lit. Elle m'aida à me dévêtir et je lui demandai d'allumer le téléviseur.

« Avez-vous une préférence en ce qui concerne la chaîne ? » demanda-t-elle. Je lui répondis que cela n'avait pas d'importance et que j'allais sans doute m'endormir très vite.

« Je repasserai un peu plus tard, me dit-elle. Passez une bonne nuit. Demain sera très fatiguant pour vous. Quelqu'un viendra à 6 h 30 environ pour vous habiller et vous emmener en thérapie à 9 h.

Je fus réveillé effectivement.

À 8 h, j'étais habillé, rasé et prêt pour le déjeuner servi dans ma chambre. Dès que j'eus terminé, c'était l'heure de la thérapie. Mon nouvel horaire quotidien était le suivant : thérapie occupationnelle : 9 h à 10 h ; physiothérapie : 10 h à 11 h 30 : lunch ;

thérapie occupationnelle : 13 h à 14 h 30 ; physiothérapie : 14 h 30 à 16 h 30 ; enfin, dîner et repos. Cela semblait très exigeant, mais c'est ce que je voulais. Je ne me faisais aucune illusion : le processus de la réhabilitation ne serait pas facile. Plus je travaillerais fort, plus vite je rentrerais chez moi.

Une jeune femme m'accueillit à mon entrée dans la salle de thérapie occupationnelle.

« Bonjour, je suis Julie Westerhaus, dit-elle. Nous allons travailler ensemble. »

Julie était étudiante et faisait son dernier stage avant de terminer ses études, comme le font les étudiants en pédagogie qui enseignent ou d'autres étudiants qui font une thérapie d'internat.

« Nous allons consacrer les prochains jours à des tests musculaires et sensoriels, expliqua-t-elle.

— Mais nous venons tout juste de terminer cette série de tests à The Towers, lui dis-je.

— Je sais ! J'ai votre dossier, répondit-elle. Mais je veux faire mes propres tests, car chaque thérapeute évalue différemment ses patients. Je saurai ainsi quel type de programme vous convient le mieux. Je serai aussi mieux en mesure d'évaluer vos progrès. » Les tests musculaires se poursuivirent ensuite pendant une heure.

Puis vint le moment de la physiothérapie. J'y rencontrai Dave, mon instructeur. J'avais déjà rencontré Dave le jour de mon arrivée, alors il ne m'était pas étranger.

« J'ai décidé d'opter pour les exercices sur matelas pendant nos sessions du matin, dit-il. Cela vous aidera à acquérir la force dont vous avez particulièrement besoin dans la partie supérieure du corps. La session est prévue pour 10 h 30, soit dans quelques minutes. Attendez-moi ici et je viendrai vous chercher quand ils seront prêts à commencer. »

Pendant que j'attendais, je remarquai des affiches sur les murs. Deux d'entre elles attirèrent mon attention. « Ça fait mal, mais tant mieux » et « Pas de progrès sans douleur ». Ensuite Dave revint et me conduisit au fond de la pièce où des préposés installaient des matelas sur une grande surface de plancher. Je regardai les étudiants que l'on soulevait de leurs fauteuils pour les installer sur les matelas. Quelques-uns étaient capables de quitter leur fauteuil par leurs propres moyens. Ils immobilisaient leur fauteuil et se laissaient tomber en avant, interrompant leur chute

154

à l'aide de leurs mains. Je ne pouvais tenter cela, car je risquais de me rompre le cou à nouveau. Je n'avais pas assez de force dans les bras pour agir ainsi, du moins pas encore. On me souleva de mon fauteuil et on m'installa sur les matelas avec les autres.

Nous étions placés en cercle autour du thérapeute, qui était assis sur un tabouret. On nous attacha des poids, allant de 454 g à 2,2 kg, autour des poignets. Je ne pouvais même pas soulever mes bras, alors on m'épargna pour le moment.

Pendant l'heure qui suivit, le thérapeute nous fit tellement travailler que je crus que j'allais m'évanouir. Je n'étais pas fatigué ; j'avais fait très peu d'exercices. Mais nous devions tous compter à haute voix avec l'instructeur pour demeurer alertes et accroître l'apport d'oxygène dans notre organisme. Le plus difficile était de rester assis aussi longtemps sur ces matelas, j'avais très mal aux fesses et aux jambes.

Lunch. De retour à la thérapie occupationnelle. Encore des tests musculaires. Physiothérapie. Je priais pour qu'on ne travaille plus sur les matelas pour aujourd'hui.

« Nous allons travailler un peu aux barres parallèles cet après-midi, » dit Dave. Cela me convenait. Tout sauf les matelas. Je conduisis mon fauteuil près des barres ; j'étais prêt à commencer.

Pendant une heure, je m'exerçai à me tenir debout et à marcher. Ensuite, Dave m'installa sur un des bancs recouverts de matelas. Il m'attacha des poids aux chevilles, me montra des exercices à faire pour fortifier mes jambes et le tout se poursuivit jusqu'à 16 h 30.

Après le dîner, j'eus la chance de me reposer et de réfléchir aux événements de ma journée. Je n'étais pas l'un des meilleurs ; plusieurs étaient dotés de beaucoup plus de contrôle et de force que je n'en possédais. Mais je n'étais pas le plus médiocre non plus.

Se trouvait parmi nous une jeune fille de 19 ans. Un soir elle avait bu et fumé de la marijuana avec des amis. Ils avaient franchi la clôture d'un voisin pour aller nager dans sa piscine. Impatiente de sauter la première, elle était montée sur le grand tremplin et avait plongé. Elle avait heurté le fond tête première ; le voisin avait vidé l'eau de la piscine. Elle s'était fracturé le cou et avait endommagé sérieusement sa moelle épinière. Paralysée à partir du cou, elle pouvait tout juste parler et bouger légèrement les épaules.

Un jeune homme, lui, avait été victime d'un accident de voiture, conséquence : les deux jambes amputées au-dessus du genou. Un autre homme avait fait une réaction au vaccin de la grippe porcine. Sa moelle épinière avait été affectée à un point tel qu'il était presque totalement paralysé. La tragédie avait frappé tellement d'individus. Cela me faisait constater que je n'étais pas le seul à vivre un problème.

Les handicaps de ces gens étaient réels, mais ils sont légion ceux dont les handicaps imaginaires sont tout aussi problématiques. Qu'ils soient réels ou chimériques, les handicaps peuvent être surmontés et perçus comme des atouts majeurs ou des difficultés extraordinaires. C'est une simple question d'attitude.

Même sourde et aveugle, Helen Keller a donné des conférences et mené une vie active comme auteure et éducatrice. Robert Louis Stevenson, invalide pendant les 20 dernières années de sa vie, souffrant d'une tuberculose incurable qui lui causait d'intenses douleurs et provoquait d'importantes fièvres, nous a pourtant laissé des trésors littéraires comme : *L'île au trésor, Le docteur Jekyll et Mr Hyde*, et *A Child's Garden of Verse*.

Joni Eareckson est un frappant exemple de la façon dont la détermination et la foi permettent de surmonter les pires handicaps. À 17 ans, Joni s'était fracturé le cou à la suite d'un plongeon et était paralysée. Joni eut à surmonter ses handicaps mentaux, le découragement et le désespoir, car ses handicaps physiques étaient permanents. Aujourd'hui elle dessine et peint en tenant ses outils entre ses dents, et elle voyage et raconte aux gens comment sa tragédie l'a enrichie aux plans émotionnel et spirituel.

La plupart des gens n'ont jamais à faire face à de tels handicaps, mais ils s'érigent mentalement des obstacles à la réussite, au bonheur, à la paix de l'esprit et à la réalisation personnelle ; des obstacles qui peuvent être tout aussi nuisibles. L'éléphant de cirque attaché à un pieu ne tente pas d'arracher le pieu ; il croit qu'il n'y parviendra pas. Petit, il ne pouvait extirper le pieu du sol, alors il a simplement cessé d'essayer. Les gens agissent de la même façon. Ils essaient, échouent, puis abandonnent. Parfois ils cessent de faire de nouvelles tentatives car leur peur de l'échec est trop grande. Ils fuient les revers comme la peste plutôt que de les trouver naturels, d'y voir un processus d'apprentissage indispensable à quiconque désire réaliser quoi que ce soit de valable dans la vie.

Avez-vous déjà essayé d'apprendre à jouer d'un instrument de musique ? Cela exige des années d'échec, de fausses notes, de défauts de rythme et de cacophonies, avant que la réussite ne survienne. Beaucoup prennent des leçons de musique au cours de leur vie, mais seuls quelques-uns deviennent musiciens. La même chose s'applique aux carrières, à l'éducation, aux sports et à 100 autres activités qui donnent un sens à la vie. Si vous n'essayez pas, vous ne pouvez réussir.

J'essayais de toutes mes forces. Il m'aurait été aisé de me laisser nourrir par d'autres. À d'innombrables reprises, j'essayai de porter une fourchette à ma bouche et j'échouai. Mais jamais je ne renonçai. Il m'aurait été facile de passer ma vie dans un fauteuil roulant. Les exercices étaient douloureux, et je me sentais ridicule. J'étais un homme adulte incapable de faire trois pas sans aide. Mais je suis allé en thérapie et j'ai essayé un peu plus chaque jour. Je peux échouer 1 000 fois, me disais-je, mais je finirai par réussir.

Je passai le reste de la semaine à m'adapter à mon nouveau milieu. La majeure partie de la journée était consacrée à la thérapie : toujours les tests musculaires et sensoriels en thérapie occupationnelle et les exercices sur matelas et sur barres parallèles en physiothérapie. J'étais de plus en plus à l'aise avec le personnel et les étudiants.

Ce qui me manquait, c'était un ami dans ma chambre. Il y avait plusieurs ailes, appelées unités, dans l'hôpital. La deuxième unité, réservée aux blessés à la moelle épinière, étant complète lors de mon arrivée, on m'avait temporairement placé dans l'unité un, réservée aux patients souffrant de dommages au cerveau. Mes camarades de chambre ne pouvaient parler et n'étaient pas conscients de ce qui se passait autour d'eux, alors nous ne pouvions pas faire connaissance.

Ce n'était pas si mal cependant. J'étais libre pendant une grande partie de la journée et après dîner je me reposais, je regardais la télévision, j'écoutais mes cassettes de motivation et je me concentrais sur mes progrès.

Le samedi, tout fut différent : pas de sessions de thérapie le week-end, la moitié du personnel prenait congé et beaucoup d'étudiants passaient leur congé en famille ; soudain je me sentis très seul. Le soir venu, je m'ennuyais à mourir.

Heureusement, le dimanche un nouveau patient arriva dans la chambre. Et il pouvait parler ! Ron, qui n'était âgé que de 24 ans, avait subi un accident de voiture environ huit ans auparavant. Sa moelle épinière endommagée, il était paralysé au-dessous de la ceinture et détenait un usage limité de ses bras et de ses mains. Mais il n'avait aucune difficulté à parler. La conversation porta d'abord sur nos blessures et sur nos fractures respectives. Sa cinquième vertèbre cervicale était atteinte. Quand je lui appris que mes deux premières vertèbres avaient été touchées, il ne pouvait le croire.

« Vous êtes supposé être mort ! s'exclama-t-il.

— Je sais, répondis-je, mais je ne le suis pas. »

J'étais content de voir enfin arriver le lundi matin. Nous étions le 13 juillet, et toutes mes évaluations étaient terminées pour le moment. Aujourd'hui, j'allais commencer à acquérir les habiletés nécessaires pour fonctionner assez bien pour rentrer chez moi. Le vendredi après-midi, j'appris que je pourrais partir en mars 1982. Je n'étais pas de cet avis.

Julie m'accueillit en thérapie occupationnelle. Elle me dit que nos objectifs immédiats étaient d'accroître la force de la partie supérieure de mon corps. Nous travaillerions à cela et à l'accroissement de l'ampleur de mes mouvements chaque matin. En après-midi, elle prévoyait d'autres exercices pour fortifier le haut du corps, améliorer la coordination motrice et la dextérité manuelle.

Elle me conduisit à une grosse machine en fer de couleur noire qui ressemblait à une ancienne presse d'imprimerie. Il s'agissait effectivement d'une presse, avec l'ajout de câbles et de poids, elle devenait un appareil d'exercice. Je n'avais pas assez de force dans les mains pour tenir les poignées, alors Julie me fit enfiler des gants puis m'attacha les mains aux poignées à l'aide de bandages. Il y avait 24 poids d'un kilogramme environ chacun.

« Nous allons commencer avec deux poids, dit Julie. Si c'est trop facile, nous en ajouterons. » Je devais pousser vers le bas pour soulever les poids ; je fis quatre séries de dix sans trop de difficultés.

Elle me conduisit ensuite à une machine appelée ponceuse. Celle-ci était constituée d'une boîte de bois munie de poignées placées de chaque côté et dont le dessous était recouvert de papier émeri. La boîte était posée sur une pièce de bois de 15 cm de largeur environ. On me plaça devant la boîte et on lia mes mains aux poignées. Julie plaça alors un poids de 2,2 kg à l'intérieur de la boîte. Je devais pousser la boîte aussi loin que possible, puis la tirer vers moi. On pouvait y ajouter des poids et lui donner des angles successifs de 10 degrés jusqu'à ce qu'elle soit à la verticale. Je réussis dix séries de cinq avant que mes bras n'abandonnent.

Puis ce fut le temps de la physiothérapie. Je dus subir une autre session sur le matelas ; je commençais vraiment à détester cela. Je ne voyais absolument pas quel avantage je pouvais en tirer. Je vais tenir le coup jusqu'à vendredi, puis je parlerai à mon conseiller, me dis-je. Il y avait tellement d'autres activités qui pouvaient m'être utiles. Je ne pouvais pas me permettre de retarder ma guérison.

Après le lunch, je retournai en thérapie occupationnelle et je fis d'autres exercices destinés à fortifier le haut de mon corps. Une heure plus tard, je suivis Julie vers une série de tables où six personnes étaient assises. On me confia deux projets. Le premier était constitué d'un tableau muni de trous dans lesquels je devais enfoncer des pièces de plastique, système identique à celui que j'avais utilisé à The Towers. Cela me posa quelques difficultés, mais moins que la tâche suivante.

Je fus placé devant une boîte de pièces de bois de formes et de tailles diverses que je devais mettre dans les trous qui leur correspondaient sur un tableau. Je n'arrivais pas à tenir les pièces assez longtemps, car je n'avais pas assez de force dans les mains, et ma coordination laissait à désirer. Je réussis à placer quelques pièces, mais ce n'était pas facile. J'avais du mal à croire qu'une chose qui semblait aussi facile puisse être aussi difficile.

À mon arrivée en physiothérapie, Dave m'attendait.

« Aujourd'hui nous allons essayer quelque chose de nouveau, » dit-il. Il se rendit dans un coin de la pièce et en revint tenant à la main deux étranges cannes. Elles étaient faites de métal et avaient quatre pattes munies de caoutchouc à leurs extrémités.

« Ce sont des cannes spéciales, dit-il. En avez-vous déjà essayé de semblables ? » Je répondis par la négative, et l'essai commença. À l'aide d'une ceinture placée autour de la taille,

Dave m'aida à me lever et disposa une canne de chaque côté de moi. Je m'y agrippai du mieux que je pus. Mes efforts pour avancer semblaient futiles. Je trébuchais et je perdais l'équilibre, Dave me rattrapait et nous recommencions à zéro. Les tentatives se poursuivirent pendant une heure sans grands progrès.

Dave remit les cannes à leur place et m'apporta une marchette. Comme on en voit chez les enfants, il s'agit d'une structure de métal munie de roues. C'était plus facile à utiliser. Je pouvais faire quelques pas par mes propres moyens. Mais les cannes demandaient plus d'adresse que ce nouvel appareil muni de roulettes.

«Ne vous découragez pas, me dit Dave. Nous essaierons encore les cannes et vous vous habituerez.» Après la journée difficile que je venais de passer, cette attitude optimiste me remonta vraiment le moral. En me dirigeant vers la salle à manger, je compris que l'apprentissage de la marche allait être mon objectif premier pendant un certain temps.

Chapitre 8

Accepter l'agréable
et
le difficile

*Il n'y a rien qui soit bon ou mauvais ; c'est
la pensée qui nous fait croire cela.*

Shakespeare, Hamlet

La routine d'un hôpital est une bénédiction et un malheur. Chaque matin, des membres du personnel venaient m'aider à me vêtir et à me raser, et ils m'apportaient mon déjeuner. Ils ne me laissaient pas prendre racine. Du lundi au vendredi j'allais en thérapie, conscient de la bonne journée de travail qui m'attendait. Chaque soir je savais que je disposais de quelques heures de repos et de réflexion avant une nuit de sommeil bien méritée. Le week-end, je pouvais me détendre, écouter mes cassettes et parler avec les gens. La routine me rendait fou.

Tout ce qui était nouveau me procurait un immense plaisir ; nouvel exercice en thérapie, nouveau voisin de chambre, nouveau jeu récréatif, etc. Le fait d'être confiné en institution, quelle qu'elle soit, vous fait vous rendre compte des choix que vous avez déjà eus et toujours tenus pour acquis. Malheureusement, les plaisirs que j'avais parfois alternaient avec des déceptions qui me semblaient insurmontables. Il me fallait toute la concentration et toute la volonté dont j'étais capable pour contrôler ces extrêmes et les empêcher de me détourner de mon objectif de guérison.

À la fin de ma seconde semaine, je m'étais à peu près familiarisé avec mon nouveau milieu. Plusieurs de mes amis de The Towers avaient été transférés à Woodrow Wilson et j'avais fait la connaissance de beaucoup de nouvelles personnes.

Le samedi 18 juillet, un jeune homme arriva. Il s'appelait Terry Moore et devint l'un de mes meilleurs amis. Terry, au début de la vingtaine, était de East Stone Gap, en Virginie. Il s'était fracturé la cinquième et la sixième vertèbre dans un accident d'automobile. Bien que paralysé à partir du cou, Terry semblait toujours d'excellente humeur. Kenny Williams et lui habitaient la seule chambre à deux lits que je connaissais, les autres chambres contenant toutes quatre lits.

Kenny et Terry constituaient tout un duo. Ils blaguaient constamment. La plupart du temps, leurs boutades s'adressaient à une jeune et jolie infirmière, Frances Jones, que tous appelaient Dino. Elle avait fait la connaissance de Kenny à l'hôpital de l'université de la Virginie à Charlottesville, où elle travaillait comme étudiante-stagiaire en techniques infirmières. Elle était demeurée en contact avec Kenny à The Towers, et maintenant elle lui rendait visite à Woodrow. Naturellement, Terry en vint également à la connaître.

Ils avaient tous deux un béguin pour elle. Ils badinaient constamment, affirmant tous deux qu'elle était leur petite amie, et moi je jouais les agitateurs et je jetais de l'huile sur le feu. Quand je voyais Kenny tout seul, je lui racontais des histoires sur Terry et Dino, et vice versa pour Terry ; je lui racontais des histoires sur Kenny et Dino. Bien sûr, aucune n'était vraie. Parfois je m'amusais tant à leurs dépens qu'il me fallait quitter la pièce pour ne pas craquer et tout leur avouer. Cette diversion de la dure réalité de notre situation nous permettait de dissiper notre ennui, surtout le week-end.

À la fin du mois, j'étais content de constater les progrès accomplis en thérapie. Dave avait décidé que les exercices au matelas ne m'étaient d'aucun secours, et j'en étais bien content ! Ainsi, la majorité du temps passé en physiothérapie était consacré à l'apprentissage de la marche. Je m'imaginais marchant comme une personne normale alors que je luttais pour faire quelques pas à la fois. En thérapie occupationnelle, je fortifiais le haut de mon corps et j'améliorais ma dextérité manuelle et ma coordination. Je ne progressais pas à une vitesse folle, mais j'allais de l'avant.

Les médecins croyaient que mon objectif de marcher par mes propres moyens, sans parler de mon objectif de guérison complète, était irréaliste. Jamais une personne dans mon état n'avait réussi cela auparavant, se disaient-ils, alors je ne devais pas souhaiter l'impossible. Je refusais de croire qu'un objectif dut être réalisé avant d'être considéré réalisable. Et le cas du coureur Roger Bannister me revenait à l'esprit.

Depuis plus de 50 ans, les coureurs du kilomètre et demi avaient essayé de le courir en moins de 4 min. Cependant, tous les médecins avaient déclaré que cela était physiquement impossible. Ils affirmaient que le corps humain ne pouvait supporter une telle tension, que les vaisseaux sanguins exploseraient et que le coeur se déchirerait. Tout le monde avait été amené à croire que l'exploit était impossible.

Mais vint Roger Bannister. Il refusa d'acquiescer aux dires des médecins et aux convictions de tout le monde. Ainsi, un jour de 1954, il courut le kilomètre et demi en moins de 4 min. Mais ce n'est là que la moitié de l'histoire. Bien sûr, c'était formidable que Bannister ait réussi « l'impossible ». Cependant, ce qui est intéressant c'est qu'en un an plus de 30 autres coureurs avaient brisé le record. Non seulement Bannister avait-il brisé le record, mais il avait aussi abattu les obstacles pour les autres. Il avait rendu possible l'impossible.

Le magnat de l'industrie Andrew Carnegie était le fils d'un tisserand. Ses rêves ne s'estompèrent pas quand il eut fait fortune. Il croyait fermement que l'homme doit partager ses richesses et son abondance avec ses semblables, alors il rêva de donner à tous l'occasion d'accroître leurs connaissances. En 1915, quatre ans avant sa mort, il avait versé 300 000 000 $ dans des programmes d'éducation, à des bibliothèques publiques et pour favoriser la paix mondiale. Il était convaincu qu'une idée en laquelle on croit fermement finit par se réaliser.

C'est Bobby Kennedy qui a le mieux exprimé cette idée. Au cours de l'éloge funèbre qu'il prononçait à la mémoire de son frère, Ted Kennedy cita ces paroles de Bobby : « Il est des hommes qui voient les choses telles qu'elles sont et qui disent pourquoi. Je rêve de choses qui n'ont jamais été et je dis « pourquoi pas. »

J'ai fait un rêve : la guérison totale. Les experts médicaux ont déclaré que les nerfs de la moelle épinière ne se régénèrent pas. Cependant, je suis convaincu que l'organisme humain a la capacité d'effectuer de nouvelles connexions neurologiques pour remplacer les nerfs endommagés. Mon but, dans la poursuite d'un objectif apparemment irréalisable, était double : Je voulais le faire pour moi-même, afin de ne pas passer le reste de mes jours en institution comme une sorte de légume ; et je voulais le faire pour les autres, paver la voie pour que les autres aient le courage de lutter pour réaliser leurs rêves, quelles que soient leurs chances de réussite. La voie choisie était semée d'embûches, mais je continuais à avancer.

Le samedi matin, premier août, je me réveillai avec une incroyable douleur à la tête. Les vis qui maintenaient les tiges de métal fixées à ma tête s'étaient relâchées. Le moindre mouvement faisait bouger les vis dans mon crâne.

Quand je fis part de mon problème à l'infirmière en chef, problème majeur en ce qui me concernait, elle me répondit qu'elle ne pouvait rien faire. La plupart des médecins étaient partis pour le week-end, mais l'un d'eux devait passer au cours de l'après-midi. Elle promit de lui communiquer mon tracas.

Le médecin vint finalement me voir quelque temps après le repas du soir. Après un bref examen de mon appareil, il déclara qu'il devait resserrer les vis.

« Nous vous enverrons à Charlottesville dès lundi matin pour voir le docteur Whitehill, dit-il.

— Ne pouvez-vous pas régler le problème maintenant, le suppliai-je. Je ne crois pas pouvoir tenir le coup jusqu'à lundi. » Il insista sur le fait que cela ne faisait absolument pas partie de ses capacités, et que j'allais devoir tenir bon.

Il me prescrivit un léger médicament contre la douleur, mais cela ne me fut d'aucun secours. Le dimanche matin, j'étais d'une humeur terrible. Je crois que les infirmières étaient surprises de me voir ainsi. Depuis mon arrivée à Woodrow, j'avais toujours été souriant et joyeux. Maintenant je souffrais vraiment, et je me souciais peu des apparences.

Je ne parvins pas à dormir. Couché sur le côté droit, la vis s'appuyait contre mon crâne ; aussitôt que je me retournais, le côté gauche me faisait mal ; en me couchant sur le dos, les vis plantées derrière mon crâne me causaient des douleurs. Alors je me mis à surveiller l'horloge, comptant les heures jusqu'à ce qu'arrive le lundi matin. J'irais à Charlottesville le lundi, même s'il me fallait ramper jusque-là.

Le médicament qu'ils me donnèrent pour m'aider à dormir me fit à peu près autant de bien que le calmant contre la douleur. Lundi matin à 6 h, j'étais tout à fait éveillé lorsqu'un préposé vint m'aider à m'habiller. L'appareil était en si mauvais état que ses éléments s'entrechoquaient chaque fois que je faisais un mouvement.

À 8 h, deux infirmières et quatre étudiants (j'étais l'un d'eux) s'entassèrent dans une petite voiture pour aller à Charlottesville. Le voyage prit une heure. À l'arrivée, j'avais les bras et les jam-

166

bes engourdis, car nous étions entassés dans la voiture comme des sardines.

Il me fallut attendre deux heures de plus avant de voir le docteur Whitehill. Mais il ne perdit pas une minute. Une clé à la main, il se mit à serrer les vis. Je crus m'évanouir. Quand il eut terminé, du sang s'échappait de l'emplacement des vis, et j'avais l'impression que la tête allait me tomber. J'espérais presque que cela allait se produire !

« Cela devrait tenir pendant un certain temps, dit le docteur Whitehill. Je les ai serrées autant que possible afin qu'elles tiennent longtemps. »

Je ne vous le fais pas dire, pensai-je. *Si vous les aviez serrées davantage, mon crâne aurait éclaté.*

Le retour à Fishersville fut un peu plus confortable en raison de l'admission de l'un des étudiants à l'hôpital universitaire. Son infirmière était encore avec nous cependant, alors nous étions quand même cinq dans une voiture conçue pour quatre passagers.

Il était presque 13 h à notre retour à Woodrow. Je n'avais pas envie d'aller en physiothérapie ni même de prendre le lunch ! Je ne voulais que m'étendre et essayer de dormir. Et c'est exactement ce que je fis. Le mardi soir, je me sentais enfin comme un être humain.

Le mercredi matin, j'allais assez bien, à l'exception d'une sorte d'élancement à la tête, alors je me rendis au gymnase pour ce que Dave qualifiait de sports en fauteuils roulants. Le gymnase était situé dans un autre immeuble. C'était assez loin et j'eus beaucoup de mal à m'y rendre, mais j'y parvins.

Quand tout le monde fut là, Dave forma deux équipes.

« Nous allons jouer au soccer en fauteuil roulant », annonça-t-il. Le terrain de basket avait été délimité à l'aide de lignes noires, et nous utilisions un ballon de plage au lieu du ballon de soccer, plus dur.

Compte tenu de ma mobilité limitée et des difficultés que j'éprouvais à bouger les bras, je fus nommé gardien de buts. Nous avions commencé à jouer depuis quelques minutes seulement quand deux joueurs de l'autre équipe tentèrent de m'enlever de la trajectoire du ballon qui venait vers moi. Je tombai vers l'avant, en pleine figure. L'impact me sonna.

«Vous n'avez pas de mal?» demanda Dave d'une voix inquiète. J'étais sonné, mais je lui dis que je ne croyais pas m'être blessé. Pendant que je regardais jouer les autres étudiants, je n'arrivais pas à le croire. Juste au moment où la douleur de mes vis commençait à se dissiper, il avait fallu que cela m'arrive.

Pendant le lunch, l'un de ceux qui avaient participé au match était assis à côté de moi.

«Vous êtes résistant, observa-t-il. Vous devez être fait d'acier.»

Je suis peut-être résistant, mais je ne suis pas stupide, pensais-je. Je ne jouerais plus au soccer. D'abord la chute dans l'autobus, et maintenant ceci... je n'allais plus risquer de me rompre le cou. Une fois me suffisait amplement.

Au cours de la semaine suivante, je me poussai à la limite lors des sessions de thérapie. Je voulais reprendre le temps perdu à cause de mon appareil dévissé et de ma chute lors du match de soccer. Et puis, plus je progresserais vite, plus vite je pourrais rentrer à la maison.

En thérapie occupationnelle, ma main droite s'améliorait nettement. Les exercices sur lesquels je travaillais exigeaient de meilleurs réflexes moteurs. Mais je ne pouvais toujours pas me servir de ma main gauche. Mon côté gauche tout entier était très faible, et j'étais agité de spasmes. Parfois mon bras et mon pied gauches tremblaient tellement que j'avais l'impression qu'ils allaient tomber. On m'administrait un produit appelé Baclafin pour contrôler les spasmes, mais aucune amélioration notable.

En physiothérapie, j'avais fait suffisamment d'exercices avec la marchette pour pouvoir me déplacer. Mais j'avais moins de succès avec les cannes. Je me répétais le vieil adage : « Un centimètre à la fois. » Mes centimètres n'étaient pas nombreux, mais il aurait été irréaliste de vouloir franchir des mètres à cette étape.

Le samedi 8 août s'annonçait comme n'importe quel autre week-end. Après le lunch, je rendis visite à Kenny et Terry, et la conversation s'orienta sur la nourriture. Nous étions tous d'accord pour dire que ce serait très bien d'avoir quelque chose de très bon pour faire changement.

«Ce serait bien agréable de manger une pizza, dit Terry.

— Commandons-en une alors,» répondis-je. Ils croyaient que je blaguais, mais j'étais tout à fait sérieux.

Je me dirigeai vers le poste des infirmières et je demandai la permission d'utiliser le téléphone. Cela était généralement interdit, mais on m'accorda la permission. Je demandai alors à l'une des infirmières de me trouver le numéro d'un restaurant de pizza dans les pages jaunes. Ensuite j'obtins le numéro d'une compagnie de taxis. L'infirmière eut l'air surpris lorsqu'elle constata que je commandais vraiment une grande pizza et que je demandais à un taxi de la livrer.

Finalement, cette pizza nous coûta environ 20 $. Cela en valait la peine. Terry, Kenny et moi l'avons dévorée en un rien de temps. Nous aurions sans doute pu en manger une autre ! À partir de ce moment, nous en avons commandé une presque chaque week-end.

Parfois pendant la semaine, j'appelais un taxi et je me faisais venir un sandwich au boeuf rôti et des pommes de terre de chez Arby. La plupart du temps, les repas de Woodrow étaient bien ; pas comme de la cuisine maison, mais ce n'était pas mal pour de la cuisine d'hôpital. Cependant, si m'était servi quelque chose que je ne voulais pas, j'appelais un taxi et je commandais de la nourriture de restaurant. Le désir de Terry pour une pizza avait donné naissance à une habitude. Les commandes au restaurant devinrent de ces petits plaisirs si importants.

Le lundi matin, j'appris mon rendez-vous fixé avec le docteur Whitehill le lendemain à Charlottesville. On devait prendre des radiographies et m'enlever mon appareil si les os de mon cou s'étaient bien replacés. *Plus de vis qui se relâchent*, me dis-je, tout excité. *J'attendais ce moment depuis longtemps. Si je pouvais me débarrasser de cet appareil qui m'enserrait la tête, peut-être aurais-je l'impression d'être en santé.*

À la fin de ma session de physiothérapie cet après-midi-là, Duane, mon conseiller, me demanda de me rendre à son bureau pour quelques minutes.

« Je sais que vous avez hâte à votre rendez-vous de demain, me dit-il.

— C'est exact, répondis-je.

— Ne vous faites pas trop d'illusions, dit-il. J'ai vu bien des gens rêver de se faire enlever cet appareil et découvrir qu'ils devaient encore le porter longtemps. » Au fond, je savais qu'il avait raison, je m'exposais à une énorme déception. Mais je n'avais pas l'impression que je pourrais le supporter beaucoup plus longtemps. Pour ne pas devenir fou, je devais croire qu'un de mes rêves allait se réaliser le lendemain. Le soir, je me persuadai que je serais capable de tenir une semaine ou deux de plus.

Six à huit semaines ! Le docteur Whitehill me disait que mon cou ne guérissait pas aussi rapidement qu'il l'avait cru ; il allait m'examiner à nouveau dans six à huit semaines. Je voyais ses lèvres bouger et j'entendais les mots qu'il prononçait, mais je n'enregistrais rien. J'étais dans une sorte de brouillard. Ce doit être un terrible cauchemar ; je vais me réveiller et tout ira bien. Mais il n'en était rien, et le moment était venu de faire face à la réalité.

La déception fut presque insupportable. De retour à Woodrow Wilson, je me mis directement au lit. Je ne pouvais me résoudre à aller en thérapie. Au resserrement de mes vis deux semaines auparavant, la douleur était physique. Maintenant je ressentais de l'angoisse.

Ce jour-là je réfléchis beaucoup. Depuis quelque temps j'avais des hauts et des bas. Les bonnes nouvelles étaient formidables, mais les autres étaient horribles... mais l'étaient-elles vraiment ? Peut-être n'était-ce que ma perception. Je ne sais comment, mais je m'étais éloigné de mon programme de santé mentale par la pensée positive. Le moment était venu de me remonter.

D'accord Morris, me dis-je, *pense à ce que tu as traversé et à ce que tu as accompli. Tu es vivant ! Vas-tu laisser une petite déception comme celle-là mettre un terme à ton progrès ? Tu sais au moins qu'on finira par t'enlever l'appareil, que tout ce métal qu'on te fait porter te fait du bien. Alors qu'importe si tu ne peux mettre les pièces dans les trous ? Cela va s'arranger.*

Et il n'y a pas de mal à s'emballer pour une pizza, mais penses-y : lorsque tu seras chez toi, tu pourras avoir de la pizza quand tu le voudras sans appeler de taxi !

Je constatai soudain que j'avais commencé à laisser les toiles d'araignée s'accumuler dans ma tête. Celle de la déception me privait de mon énergie et de mon espoir. J'étais rendu trop loin pour permettre que cela se poursuive.

Au moment de m'endormir ce soir-là, je me sentais beaucoup mieux. Le mercredi matin, je mis au point un projet.

Chapitre 9

À la maison pour Noël

N'abandonnez jamais, jamais, jamais.

Winston Churchill

J e l'avais échappée belle avec l'incident de l'appareil. Le poison du découragement avait presque fait son oeuvre. Mais je m'étais ressaisi avant qu'il ne soit trop tard. Maintenant j'étais plus déterminé que jamais à guérir et à rentrer à la maison. Je n'allais pas céder au désespoir, aux frustrations et je n'allais pas choisir la voie de la facilité. Je m'étais repris en mains, j'étais impatient d'aller de l'avant et décidé à travailler plus fort que jamais.

À compter du lendemain, 13 août, je me lèverais une heure plus tôt, à 5h30 afin d'être en thérapie à 7h30, une heure avant les thérapeutes, de manière à pouvoir occuper tout l'espace.

Il restait beaucoup de détails à régler avec le personnel à propos de mon horaire. Les gens qui m'habillaient le matin, les infirmières et les thérapeutes devaient être consultés. Mais tout le monde coopéra. À partir de ce jour, j'étais le premier en thérapie le matin et le dernier parti le soir.

Mon nouvel horaire contribua à me remonter le moral, à concentrer mes énergies sur des efforts constructifs et à mieux me sentir.

Cela aida aussi d'autres personnes. Le fait d'en voir d'autres tenter davantage ou recommencer à essayer, influencés par mon exemple me stimula à persister. De savoir que les autres comptaient sur mon encouragement me poussait à travailler encore plus.

Le lundi matin, comme j'étais en thérapie, Duane Anderson entra.

« J'aimerais vous voir cet après-midi, » me dit-il. Bonnes ou mauvaises nouvelles, j'allais y faire face. C'était en quelque sorte entre les deux.

« Comment aimeriez-vous passer une semaine entière chez vous ? » me demanda-t-il à mon entrée dans son bureau. Avant que je puisse répondre, il m'apprit qu'il en avait déjà parlé avec Sandy et que tout était arrangé pour la semaine suivante.

Un million de questions me traversèrent l'esprit. J'avais eu de la difficulté à passer un week-end à la maison au mois de juillet. J'imaginai toutes sortes de problèmes. Mais j'avais fait des progrès depuis et un peu de repos n'allait pas me faire de mal, sans compter la chance de refaire le plein d'énergie avant le grand coup final. Le personnel avait fixé à mars 1982 la date de mon congé définitif. Quant à moi, je comptais partir pour Noël. Cela voulait dire que je devais m'imposer de longues journées de thérapie intensive. Un changement de décor allait m'être bénéfique. Mais j'avais encore certains doutes. Sandy pourrait-elle supporter le stress de s'occuper de moi pendant toute une semaine?

Duane devina ce qui me préoccupait.

«Vous reviendrez avec une force et un esprit renouvelés qui vous permettront de compléter votre guérison, m'assura-t-il. Et cela nous donnera une idée précise des problèmes auxquels vous aurez à faire face dans le monde extérieur.»

Nous savions tous les deux que Woodrow Wilson était un univers qui avait peu à voir avec la réalité. Tout était organisé pour des personnes handicapées. Les planchers étaient recouverts de linoléum et bien droits. Il n'y avait pas de trottoirs. Les fontaines étaient conçues en fonction des patients en fauteuils roulants et les téléphones aussi. En fait, les téléphones étaient munis de dispositifs permettant de tenir les combinés à la hauteur des oreilles sans utiliser les mains. Ce n'était pas pareil à l'extérieur, mais le temps était venu d'essayer de voler de mes propres ailes.

«Téléphonons à Sandy,» dit Duane. Il composa le numéro et me tendit le combiné. Sandy accepta d'essayer, non sans une certaine hésitation. Elles allaient venir vendredi matin 28 août, à condition que cela convienne à Pat, ma soeur. Je pourrais revenir quand je le voudrais, avant le dimanche 6 septembre.

Le personnel de Woodrow Wilson était extrêmement aimable. Les personnes handicapées étaient traitées comme des êtres humains. Si vous ne pouviez exécuter une tâche nécessaire de la façon habituelle, on tentait tout pour trouver une autre façon. Mais on n'était pas trop conciliant non plus. Les patients devaient travailler, et travailler fort. Et ils devaient suivre les règles.

Les règles de conduite interdisaient la consommation d'alcool, l'utilisation de propos grossiers, les bagarres, les rapports entre les gens de sexes opposés dans les chambres, la consommation de drogues et comportaient toutes sortes d'autres restrictions destinées à protéger les étudiants. Chaque étudiant se voyait remettre la liste de ces règles dès son admission, et un conseiller en faisait la lecture pour éviter tout malentendu. Toute infraction entraînait un renvoi, et la décision était sans appel.

Le mercredi 19 août, un de mes amis enfreignit une règle. On le surprit à fumer de la marijuana. Le personnel ne lui laissa aucune chance, et on l'avertit qu'il devrait quitter les lieux le vendredi suivant. Quelle honte ! Il avait fait des progrès plutôt intéressants en thérapie et il avait vraiment besoin de l'aide qu'il recevait, mais maintenant tout cela était terminé pour lui.

Le message sur lequel reposaient ces règles était clair. Ne perdez pas votre temps et le nôtre, en occupant une place précieuse, et en fuyant vos problèmes. Si vous faites de votre mieux, si vous essayez de relever le défi, nous vous aiderons le plus possible. Mais si vous abandonnez ou vous vous laissez aller, ne vous attendez pas à ce que nous vous aidions.

Le jeudi 27 août, fut un jour que je n'oublierai jamais. Mes heures supplémentaires en thérapie donnaient de bons résultats. J'améliorais ma force et ma dextérité manuelle. J'étais toujours incapable de boutonner mes chemises, d'attacher mes chaussures, de me brosser les dents et d'écrire, mais j'étais certain d'acquérir ces habiletés à force de pratique. En physiothérapie, je me déplaçais assez bien à l'aide de ma marchette. Je ne veux pas dire que j'aurais remporté la victoire dans une course contre une tortue, mais je pouvais quand même me déplacer en me tenant debout.

Eh bien ce jour-là, quand j'entrai en salle de physiothérapie, Dave était occupé avec un autre étudiant.

« Je serai à vous dans quelques minutes, » dit-il. Lorsqu'il eut fini, il vint à moi avec un sourire.

— Êtes-vous prêt à marcher ? me demanda-t-il.

— Bien sûr, répondis-je.

— D'accord. Levez-vous et allons-y, dit-il.

— Où est ma marchette ? demandai-je.

— Je ne crois pas que vous en ayez besoin, répondit Dave. Essayons sans elle. »

Si Dave croyait que j'étais prêt, j'étais tout disposé à essayer ; j'avais une grande confiance en lui. Il se plaça à côté de moi, me tenant par la ceinture, et je commençai à avancer. Mon équilibre n'était pas encore très sûr et ma démarche était hésitante, mais je fis quelques pas. Ces pas me donnèrent l'impression d'avoir brisé le record du kilomètre et demi en 4 min. de Roger Bannister ! J'avais le sentiment d'avoir accompli quelque chose d'exceptionnel. De bonnes nouvelles pour Sandy et Pat à leur venue demain, pensai-je. J'avais hâte d'aller passer la semaine à la maison, et maintenant je marchais. Je planais littéralement.

À 11h, Sandy et Pat arrivèrent, et j'étais prêt à partir. La veille, une infirmière m'avait aidé à préparer tout ce dont j'avais besoin. Mais avant de quitter, je tenais à présenter Julie et Dave à ma famille et à leur montrer ce que j'avais réussi à faire en thérapie.

Durant notre rencontre avec Dave, Sandy déclara craindre que je tombe si j'essayais de marcher. Dave l'assura que, si j'utilisais ma marchette et je prenais mon temps, les risques de chute étaient d'une seule sur un million. Pat sembla rassurée et dit à Sandy de ne pas s'inquiéter, mais ma femme avait des doutes et cela se voyait sur son visage. Elle n'était pas habituée à mes exercices et ne savait pas ce dont j'étais capable ; il était normal qu'elle hésite à assumer de telles responsabilités. Il était près de 12h30 à notre montée en voiture. Personne d'entre nous n'avait pris de lunch et nous étions tous affamés.

« Voulez-vous que l'on arrête quelque part pour manger ? demanda Pat.

— Pourquoi ne pas aller au restaurant Howard Johnson à quelques kilomètres d'ici ? » répondis-je.

Cela convenait à tout le monde, et quelques minutes plus tard nous entrions dans le terrain de stationnement. M'aidant de ma marchette, j'entrai d'un pas hésitant dans le restaurant. Vous savez probablement ce que je commandai : un sandwich grillé au fromage et une glace spéciale à l'orange ! Je commandai aussi des frites. Ma diète habituelle avec un petit extra. J'étais là, en public, prenant un repas comme un être humain normal.

Peu de temps après, nous étions en route pour la maison. Ma mère préparait le repas du soir qui serait prêt à notre arrivée, et nous allions pouvoir nous asseoir et nous détendre après notre long voyage. Celui-ci me sembla plus long qu'il ne l'était vraiment. Mes jambes et mes fesses me brûlaient terriblement. Et j'avais besoin d'uriner.

J'avais décidé de ne pas porter de sac pour uriner. Je voulais plutôt utiliser une bouteille. Nous avions prévu de fréquents arrêts pour que je puisse descendre de voiture, me dégourdir les jambes et me soulager. Après deux heures de route, je sentis le besoin d'uriner. J'essayai d'utiliser la bouteille, mais sans succès. À l'arrêt suivant, je me rendis aux toilettes avec ma marchette. Ma vessie refusait de fonctionner. Je remontai dans l'auto et nous nous mîmes à nouveau en route.

À toutes les heures l'envie me prenait d'uriner, mais les résultats étaient toujours les mêmes. Cela m'inquiétait. Les médecins m'avait averti que, dans le cas où un tel problème se poserait et persisterait, je devais y voir un signal indiquant que le système tout entier était sur le point de flancher. On m'avait dit que cela se produisait assez souvent chez les gens dont la moelle épinière était atteinte et nécessitait une hospitalisation immédiate.

Je dis à Pat et à Sandy qu'avant de paniquer nous devions attendre d'arriver chez maman pour voir si les choses ne s'arrangeraient pas. Il me semblait que nous n'arriverions jamais. Dès notre arrivée, j'entrai dans la maison aussi vite que je pus. Tout le monde attendit anxieusement, et finalement, après 15 minutes d'efforts, je réussis. Pour le moment, nous pouvions tous soupirer de soulagement, mais je savais que je devais surveiller cela de près.

Après le dîner Sandy et moi sommes remontés dans l'auto pour nous diriger vers notre maison, à Virginia Beach. Pat nous suivit dans son automobile, afin de nous aider à nous organiser. Nous prévoyions un dur week-end, mais malgré tous nos efforts, il était très tard lorsque les lumières s'éteignirent pour la nuit.

Les amis qui ne m'avaient pas vu lors de mon dernier séjour à la maison étaient impatients de me voir. Tous les membres de ma parenté voulaient me rendre visite. Et les parents de Sandy comptaient arriver samedi au cours de l'après-midi, pour rester tout le week-end. Je ne les avais pas vus depuis un certain temps et j'étais impatient de les revoir. Beaucoup de blagues circulent, décrivant les beaux-parents comme des monstres, mais cela ne s'applique pas aux miens. Ils ne m'auraient pas été plus chers s'ils avaient été mes propres parents.

Comme prévu, le samedi, la maison ressemblait à un centre commercial pendant la saison des Fêtes. Encore une fois, cela me faisait chaud au coeur de savoir que tant d'amis et de parents m'appuyaient dans ces moments difficiles.

Vers 16h30, pour l'arrivée de mes beaux-parents, tout le monde était parti. Sandy nous prépara un délicieux repas de poisson frais, purée de pommes de terre, salade de chou, haricots et thé glacé. Woodrow Wilson avait peut-être de merveilleux équipements de thérapie, mais sa nourriture n'était pas à la hauteur d'un bon repas maison. Il était presque minuit lorsqu'on finit de raconter tout ce qui s'était passé depuis notre dernière visite ; ensuite tout le monde se mit au lit.

Ah ! l'odeur des oeufs brouillés et des tartines ! *Une semaine à ce régime et je serai gâté,* pensai-je. *Peut-être ne retournerai-je pas là-bas. Mais je n'étais pas sérieux. J'avais besoin d'encore beaucoup de thérapie avant d'être en mesure de vivre dans le monde à plein temps.*

Le dimanche fut aussi occupé que la veille. Le récit d'histoires drôles avec de vieux amis m'aida à supporter la douleur qui me rappelait constamment ma condition. Ces visiteurs de congé constituaient la meilleure thérapie possible.

Ma semaine à la maison se passait beaucoup trop vite. Avant que j'aie le temps de m'en rendre compte, nous étions jeudi. Je décidai de me faire couper les cheveux et de me faire donner une manucure. Ma coiffeuse de plusieurs années, Lori Baker, verrait ce qu'elle pourrait faire de ma tignasse hirsute. Mes cheveux étaient si longs et si emmêlés que je doutais qu'ils puissent retrouver leur état d'autrefois.

Lorsqu'elle eut terminé, je me regardai dans le miroir et j'eus du mal à en croire mes yeux. Un être humain me regardait dans la glace. Je me dis en riant qu'à mon retour à Woodrow personne ne me reconnaîtrait.

Une manucure me fit ensuite les ongles. Avant l'accident, je m'occupais moi-même du soin de mes mains : me tailler les ongles, repousser les cuticules et me polir soigneusement les ongles. Je ne pouvais plus rien faire de tout cela. Une fois coiffé et manucuré, je me sentais resplendissant. Mes beaux-parents furent agréablement surpris de la différence que pouvaient faire quelques heures de travail.

Le jeudi était mon dernier soir à la maison. Nous avions décidé que je rentrerais à Woodrow le vendredi. Mes beaux-parents et Sandy devaient faire le voyage de retour avec moi. Mon beau-père avait des problèmes de circulation dans les jambes, et je croyais que le voyage serait trop éprouvant pour lui, mais il insistait pour m'emmener.

Le soir, malgré tous mes efforts, je ne parvins pas à dormir. J'avais tant de sujets de réflexion, notamment mon séjour à la maison et ce que j'allais faire à Woodrow pour la dernière étape de ma réhabilitation. Ma famille et moi avions essayé de fonctionner comme une famille normale, mais au fond je savais que nous faisions semblant. J'avais tellement besoin de soins et tant de choses que je ne pouvais accomplir moi-même. Je me demandais si nous reprendrions un jour une vie normale.

Je décidai que, dès mon retour en thérapie, je me pousserais chaque jour jusqu'à la limite. Pour respecter mon projet de rentrer chez moi à Noël, il ne me restait plus que quatre mois pour entraîner chacun de mes muscles. Et comme pour compliquer le problème, mon système neurologique était affecté par des centaines de courts-circuits.

Et il y avait Sandy. L'amour et la tendresse, les repas maison et le climat familial, bref tout ce qui représentait le bonheur dans le mariage, j'allais devoir le quitter encore une fois. J'essayai de me consoler. Les larmes d'aujourd'hui allaient devenir les sourires et les rires du reste de ma vie. Je devais me préparer au long périple qui m'attendait. Je devais concentrer toutes mes énergies sur le présent pour réaliser mes rêves.

Peu après mon accident, un médecin m'avait dit que mes chances de guérison étaient d'une sur un million. Si un preneur au livre avait pris des paris sur ce combat, la cote aurait été formidablement élevée. Mais le séjour à la maison avait été une pause bien méritée, et maintenant j'étais prêt à entreprendre le combat en vue de ma liberté.

Le lendemain, tout le monde se réveilla avant le lever du jour. Mon beau-père voulait partir avant 8h pour arrêter prendre le lunch et arriver à Woodrow entre 14h30 et 15h. Tout le monde se demandait pourquoi j'étais aussi silencieux. En fait, je méditais encore les pensées de la veille, mais je leur dis que j'étais fatigué.

Après un arrêt au restaurant Howard Johnson à Charlottesville, nous sommes arrivés au centre de réhabilitation et nous avons commencé à décharger la voiture. Impatients de reprendre la route pour être à la maison à minuit, les membres de ma famille étaient prêts à partir sitôt mon installation complétée. Je savais que le voyage avait fatigué mon beau-père, mais je tenais à lui présenter Dave et Julie et à lui montrer ce que je savais faire. Après une brève démonstration et quelques questions je vis qu'il s'impatientait, alors la leçon se termina.

Après les baisers et les au revoir, ils partirent. Je les regardai s'éloigner par la fenêtre, et il me sembla qu'une partie de moi partait avec eux. J'étais à nouveau seul. Plus vite je reprendrais ma lutte et je guérirais, plus vite le reste de moi pourrait partir aussi... pour toujours.

Le samedi matin 5 septembre, je lus sur le tableau d'affichage que John Cordle, mon vieil ami de The Towers, arriverait le lundi suivant. C'était une excellente nouvelle.

John aurait dû arriver à Woodrow une semaine avant moi. Il était parti de The Towers le même vendredi que moi pour aller passer le week-end chez lui. Le lundi suivant, sa femme était censée le conduire à Woodrow, mais John avait refusé. Plusieurs semaines plus tard il avait changé d'idée, mais à Woodrow on ne l'avait pas accepté facilement ; on lui en voulait encore de ce qu'il avait fait.

Il allait enfin être admis. J'étais content pour lui, car je savais qu'on l'aiderait beaucoup à Woodrow, tant mentalement que physiquement, à surmonter ses handicaps.

L'un des étudiants de ma chambre avait reçu son congé, alors nous avions un lit vacant. Le samedi soir, je demandai à Jeanne l'infirmière en chef, si elle pouvait faire en sorte que John soit admis dans ma chambre. Elle me promit de faire son possible. À mon retour de thérapie dans l'après-midi de lundi, John était là avec sa femme Mozelle. Ce qu'ils furent surpris de me voir !

« Je parie que vous y êtes pour quelque chose, déclara Mozelle.

— Bien sûr, répondis-je. J'ai tout arrangé. »

Le soir, après le départ de Mozelle, John et moi firent le point sur ce qui était arrivé depuis la dernière fois que nous nous étions vus. Les rumeurs négatives qui circulaient sur Woodrow le préoccupaient particulièrement. Je l'assurai que, selon ma propre expérience, elles étaient sans aucun fondement. John savait que je ne mentais pas. S'il y avait eu des problèmes, je lui aurais dit la vérité. J'avais dissipé ses craintes, et il dormit bien cette nuit-là.

Le samedi 12 septembre, j'eus une autre conversation avec Jeanne, l'infirmière en chef.

« J'ai une autre faveur à vous demander, lui dis-je.

— Laquelle ? demanda-t-elle.

— Jai besoin qu'on me donne régulièrement un bain et un shampoing, dis-je. Jusqu'alors, cela se faisait quand on en avait le temps.

— Serait-il possible de me donner un bain et de laver mes cheveux trois fois par semaine ? » demandai-je de la voix la plus douce dont j'étais capable. Il s'agissait d'un compromis, car avant mon accident je lavais mes cheveux très gras, une fois par jour. Mais c'était mieux que rien, et je ne voulais pas exagérer.

À ma grande joie, Jeanne accepta sans hésiter. Peut-être constatait-elle que je me sentais mieux depuis ma coupe de cheveux. Si je voulais redevenir normal, il me fallait avoir l'air normal. Eh bien, que ce soit par pitié ou par amitié, elle me dit que le personnel allait faire un effort pour m'accommoder. Chaque mardi, jeudi et samedi, on m'extirpait de mon fauteuil et on me plaçait sur une civière. Je restais étendu sur le dos, ma tête dépassant à l'une des extrémités. Il leur était ainsi plus facile de me laver les cheveux et le corps sans que mon appareil leur nuise. Ils n'étaient pas aussi habiles que Lori à Virginia Beach, mais je dois admettre qu'ils nettoyaient bien mes cheveux. Mon apparence soignée dans la mesure du possible était la récompense des efforts que je déployais en thérapie. Les petites choses peuvent faire toute une différence !

Je contrôlais de plus en plus certaines fonctions corporelles fondamentales. Ma vessie fonctionnait avec régularité, et je pouvais uriner par mes propres moyens. Cela veut dire que je n'avais pas à porter de sac à la jambe. Quand je devais me rendre aux toilettes, je me glissais simplement dans mon fauteuil roulant.

Plusieurs infirmières m'avaient averti des risques que comportait une telle pratique. Elles me disaient que je devais demander de l'aide pour descendre de mon lit ; je n'avais qu'à appeler et quelqu'un viendrait. Je savais que l'on me disait cela pour mon bien, mais à chaque jour qui passait j'étais de plus en plus confiant que je pouvais m'en tirer seul. J'aurais dû les écouter.

Le samedi soir 15 septembre, à 22h environ, j'eus besoin de me rendre aux toilettes. Je m'assis, me glissai jusqu'au bord du lit et culbutai. J'avais perdu l'équilibre et j'étais tombé en avant.

Mon front heurta une corbeille de métal avec une telle force qu'il y fit une entaille de la taille d'une monnaie de 50 ¢. Deux tiges métalliques de mon appareil se prirent dans la structure du lit et me tordirent le cou. Une rivière de sang s'échappait de mon nez. Mon cou était si douloureux que je crus me l'être brisé à nouveau.

Je criais aussi fort que je le pouvais. Mes cris et le bruit de ma chute réveillèrent John qui demanda de l'aide. Trois infirmières et deux préposés se ruèrent dans la chambre. Ils ne furent pas trop de cinq pour me tirer de ma fâcheuse posture. Lorsqu'on m'eut recouché, Wanda, l'infirmière de garde, revint avec un sac à glace.

« Mettez ça sur votre nez pour arrêter les saignements, dit-elle. Je crois qu'il est brisé. » Mon nez était enflé, mes yeux se noircissaient, et j'avais si mal qu'il me fallut un somnifère pour dormir.

Le lendemain, on me conduisit chez un médecin de Staunton qui examina mon nez. Bien sûr, il était fracturé. Au moment de mon accident au mois de mars, une fracture du nez aurait été le moindre de mes soucis. Mais maintenant, alors que tout allait si bien, c'était vraiment agaçant, sans parler de la douleur.

À 12h j'étais de retour à Woodrow, et je fis une brève sieste. Je me réveillai à 13h15, et même si je n'avais pas envie d'aller en thérapie, je décidai d'y aller quand même. Peut-être qu'en me tenant occupé j'oublierais ma douleur au nez.

Presque tout le monde blaguait à propos de mon nez enflé et de mes yeux noircis. Quand Dave m'aperçut, il fronça les sourcils et dit : « Je constate que vous avez eu un différend avec les infirmières.

— Non, répondis-je, une simple altercation avec une corbeille têtue. » Il me lança un regard perplexe, et je lui dis que je lui raconterais plus tard. Mettons-nous au travail afin que je sorte d'ici avant que je ne me tue accidentellement. » Comme si rien ne s'était produit, nous avons travaillé sur ma mobilité pendant tout l'après-midi.

Le mardi, en thérapie, je rencontrai Dave Walker, un ami. Il me semblait changé, mais je ne savais pas pourquoi. Enfin, après 20 minutes, je compris.

« Tu t'es fait couper les cheveux, dis-je.

— Exact, » répondit-il. « Comment me trouves-tu ? »

Je dois admettre que quelqu'un avait fait du très bon travail. Je posai des questions et j'appris de la bouche des infirmières qu'il y avait un coiffeur à Woodrow, même si tout le monde disait qu'il n'était pas très bon. La plupart des étudiants préféraient éviter celui qu'ils appelaient le « boucher résident. »

« Où t'es-tu fait couper les cheveux ? demandai-je finalement à Dave. Chez le coiffeur d'ici ?

— Jamais de la vie, répondit-il. C'est une coiffeuse. Nancy Cunningham, qui me les a coupés hier soir. Elle vient ici une fois par semaine environ pour coiffer les gens. »

J'étais impatient de terminer ma session de thérapie. Avant d'aller manger, je me rendis tout droit au poste des infirmières pour demander de me faire coiffer régulièrement. On m'apprit alors que la coiffeuse devait venir le soir même ! La préposée me promit de demander à Nancy si elle pouvait m'ajouter à sa liste.

À mon retour de thérapie pendant l'après-midi, je trouvai sur mon lit une note disant que Nancy viendrait me coiffer à 20 h. À l'heure prévue, elle arriva et se mit au travail.

« Pouvez-vous vous pencher au-dessus de l'évier ? demanda-t-elle.

— Je le crois, » dis-je. Cela était difficile et exigeant pour mon cou, mais je me penchai assez longtemps pour qu'elle puisse me laver les cheveux. Après qu'elle eut fini de couper et de sécher mes cheveux, je lui demandai combien je lui devais.

« Rien du tout, » dit Nancy. Mais je lui donnai deux billets de 10 $. Elle remit l'un des billets dans le sac situé derrière mon fauteuil.

« Faisons un compromis, dit-elle. Dix dollars est une somme amplement suffisante. Si jamais vous avez besoin d'une coupe de cheveux, dites-le à Sandy, la femme de la réception, et elle me contactera.

— Comptez sur moi ! lui dis-je. Vous pouvez me considérer comme un client régulier. »

En physiothérapie, je m'efforçais toujours de marcher et d'améliorer mon équilibre. Pour diverses raisons, je n'étais pas très solide sur mes jambes. D'abord, le poids de tout ce métal sur ma tête, deuxièmement, le problème de mes orteils ; tous les orteils de mon pied gauche étaient constamment recroquevillés : j'avais l'impression d'essayer de marcher sur une balle de caoutchouc. Nous n'avions pas encore trouvé le moyen de corriger ce problème. Mais ma plus grosse difficulté était la réaction neurologique inadéquate de tous les muscles et les nerfs de mon côté gauche. À l'époque cependant, je n'étais pas conscient de cette difficulté, alors je poursuivais mes efforts, me disant que tout cela s'arrangerait à force de pratique.

Maintenant que je me levais plus tôt, je me rendais en thérapie occupationnelle à 8h. Cela me permettait de travailler sans interruption à fortifier la partie supérieure de mon corps. La pièce était sombre et déserte à mon arrivée le matin, mais je me mettais au travail sans attendre, habituellement avec la presse d'imprimerie et la ponceuse. À l'entrée des thérapeutes à 8h45, j'exerçais avec Julie mes réflexes moteurs. Écrire, taper à la machine, enfiler des perles, ramasser des plombs à l'aide de pinces à cils, enfiler des rondelles dans des vis, assembler des puzzles et mettre des pièces de formes diverses dans des trous n'étaient que quelques-unes des activités conçues pour améliorer la coordination de la main et de l'oeil et pour remettre en forme les petits muscles des doigts et des mains.

Quand arriva le vendredi 18 septembre, je laissai échapper un soupir de soulagement. J'avais eu une longue et dure semaine, et je comptais passer un week-end tranquille et reposant. Mais le sort en avait décidé autrement.

Le soir, les vis de mon appareil se relâchèrent de nouveau, et je passai tout le week-end à souffrir terriblement. Le lundi matin, on me conduisit chez le docteur Whitehill à Charlottesville. Je dus subir encore une fois la douloureuse épreuve du serrage des vis, mais cette fois pointait une lueur d'espoir. Le docteur Whitehill me donna un rendez-vous pour la prise de radiographies la semaine suivante. On allait peut-être pouvoir m'enlever mon appareil pour de bon.

Naturellement j'étais heureux, mais j'évitais de me faire trop d'illusions. La dernière fois, j'avais eu l'impression de tomber d'une falaise. Cette fois-ci j'allais demeurer réaliste de manière à ne pas être trop déçu.

Dick Manson, un vieil ami, me fit une visite surprise le mercredi. L'attente de mon rendez-vous à Charlottesville me rendait fou, alors ce fut une distraction agréable. Dick et moi avions passé d'innombrables heures à chasser, à pêcher, à voler et à fréquenter les mêmes endroits depuis des années.

Nous nous rappelions l'une de nos expériences qui raviva les souvenirs de mon écrasement. En novembre 1980, cinq mois à peine avant mon accident, Dick, un fermier du nom de Tom Smith et moi étions allés chasser le canard aux îles Barrier. Nous avions décidé d'utiliser un avion et de nous poser sur la plage plutôt que de nous servir d'une embarcation ; les îles n'étaient reliées à la terre ferme par aucun pont. La plage étant immergée à marée haute, un homme du nom de Robert Scott accepta de nous accompagner et de ramener l'avion sur la terre ferme. Six heures plus tard, à marée basse, Page Scott devait atterrir et nous prendre à bord de l'avion.

La piste était courte, il y avait des lignes à haute tension (les mêmes que j'avais heurtées en mars) et nous étions chargés à capacité, alors le décollage était une manoeuvre délicate. Nous avions évité les fils électriques de justesse et mes passagers devenus blêmes étaient restés cois tout le reste du voyage. Mais la journée avait eu des moments plus agréables.

Comme nous observions un couple de canards noirs se poser dans l'étang, Tom suggéra que Dick et moi tentions de les surprendre. Je me mis en route et Dick me suivit. Peu de temps après, j'entendis crier derrière moi. Me retournant, j'aperçus Dick, pris jusqu'à la taille dans le sable mouvant et qui s'enfonçait rapidement. Je revins prestement sur mes pas pour l'aider. Je lui tendis la main et je le tirai de là, mais ses bottes y restèrent. Puis sa main m'échappa, et nous fûmes à nouveau au point de départ. Le visage de Dick, qui avait été blanc peu de temps auparavant, était maintenant noir de boue. Il jurait et je tirais, et finalement je parvins à le désembourber.

Tom venait d'assister à tout un spectacle : il n'avait rien perdu de la scène. En fait, il riait tellement qu'on aurait pu l'entendre à un kilomètre à la ronde.

La conversation entre Dick et moi porta sur des récits de ce genre pendant trois heures, puis il dut repartir. Cette visite me remonta énormément le moral. En me faisant oublier mon important rendez-vous, cela me détendit et me permit de passer à travers les jours qui suivirent. Je me mis à penser qu'un jour je me retrouverais à nouveau dans les champs et autour des étangs en compagnie de bons amis, profitant au maximum de la nature.

Aujourd'hui sera agréable, me dis-je le samedi matin. Je m'étais inscrit à une session de bowling au département récréatif. À 10h, un volontaire me conduisit au cente récréatif. J'étais impatient de montrer ce que je pouvais faire ; après tout, j'avais joué trois matchs formidables à The Towers, et j'avais appris à mieux maîtriser mes mouvements depuis.

On m'installa un dispositif semblable à celui que j'avais déjà utilisé. Après avoir soigneusement visé, je laissai rouler la boule le long de la rampe.

« En plein dans le mille ! » dis-je en regardant la boule se diriger vers la première quille. Mais au dernier moment, la boule bifurqua vers la gauche. Déçu, j'essayai à nouveau. Cette fois, juste avant de toucher les quilles, la boule obliqua vers la droite.

C'est l'allée qui avait un défaut, et non pas moi ; elle n'était pas droite. Je jouai deux matchs et je ne dépassai pas le score de 100. Déçu, je décidai que je ne jouerais plus sur ces allées. Pourquoi me donner du mal si le score était davantage une question de chance que d'adresse ?

De retour dans ma chambre, je m'apprêtais à aller prendre le lunch quand j'entendis une voix familière : « Quoi de neuf, champion ? » C'était Doug Martin. Le moment ne pouvait être mieux choisi. Je lui fis part de mes déboires au bowling et lui parlai de mes progrès. La conversation se poursuivit pendant près de trois heures et nous mena à divers endroits. Encore une fois, un ami m'aidait à surmonter mon impatience et à oublier mon voyage imminent à Charlottesville.

Enfin arriva le mercredi, jour de ma visite au bureau du docteur Whitehill. J'étais éveillé avant le lever du jour, et mon impatience était à son comble. Je devais encore lutter pour ne pas me faire trop d'illusions, mais je ne pouvais m'empêcher de penser que tout irait pour le mieux et que l'on me débarrasserait de mon encombrant appareil.

À 10h, j'étais au bureau du médecin et j'attendais les radiographies. On me fit attendre une heure. Encore combien de temps cela prendrait-il ? Combien de temps pourrais-je tenir ?

« Eh bien, tout me semble très bien, » dit le docteur Whitehill en entrant dans la pièce. « Que diriez-vous si on vous enlevait ce truc ? » Le suspense était donc terminé. Surpris et soulagé, j'acquiesçai.

Il ouvrit un tiroir et y prit une clé semblable à celle dont il s'était déjà servi à trois reprises pour serrer les vis. Dieu merci, cette fois il s'agissait de desserrer les vis.

«Cela pourra vous faire un peu mal, me dit-il.

— Allez-y, rétorquai-je. Ça ne peut faire plus mal que lorsque vous avez serré les vis.» J'aurais supporté n'importe quelle douleur pour que l'on m'enlève cet appareil pour de bon.

À ma surprise, cela ne prit que quelques minutes et la douleur fut insignifiante. Aussitôt l'appareil enlevé, ma tête tomba en avant. Depuis six mois, je n'avais pas utilisé les muscles de mon cou, qui étaient devenus très affaiblis, comme ceux d'un nouveau-né.

«Il faudra beaucoup de temps pour que les muscles de votre cou se fortifient,» me dit le docteur Whitehill. «En attendant, je vais vous faire porter un collier orthopédique. Je veux que vous le portiez continuellement jusqu'à notre prochain rendez-vous, dans cinq semaines environ.»

On me conduisit ensuite dans une autre pièce, ou une femme m'installa le collier en question. Une pièce de styromousse fut coupée de manière à épouser le contour de mon cou et de mon menton. Le collier était constitué de deux parties, reliées par des bandes de velcro. Il était facile à enlever et à remettre.

Le collier m'irritait énormément le cou et le menton. Je deviendrais fou bien avant la fin des cinq semaines prévues. Heureusement, les infirmières de Woodrow Wilson savaient ce qu'il fallait faire. Elles recouvrirent l'intérieur du collier de gaze, ce qui me le rendit supportable. Il était quand même quelque peu agaçant, mais comparativement à l'appareil que j'avais porté, c'était merveilleux. Cependant, je n'avais pas prévu porter quoi que ce soit au cou. Je dus me répéter que, si je m'étais rendu à ce point, je pouvais tenir le coup quelques semaines de plus.

Maintenant que je n'avais plus mon appareil, je pouvais me livrer à une nouvelle activité : la natation. Depuis que j'avais aperçu la piscine au cours de ma première visite des lieux, je souhaitais me baigner. Mais les règles étaient strictes à cet égard : les étudiants qui, comme moi, portaient un appareil, n'avaient pas le droit d'utiliser la piscine. La raison était que le plastron moulé de l'appareil était recouvert de laine à l'intérieur, et cette laine aurait mis plusieurs jours à sécher. Mais je n'avais plus d'appareil et j'allais avoir du plaisir.

Avant l'accident, j'étais un assez bon nageur et j'aimais la sensation de l'eau fraîche et vive. Alors dès le lendemain à l'heure du lunch, je demandai l'horaire de la piscine. Le hasard voulait qu'une période de natation soit prévue le soir même. Amy Bridge, la responsable des activités récréatives, me demanda si je voulais y aller. Je lui répondis que j'étais prêt et impatient.

Après le repas du soir, je me joignis à d'autres étudiants au centre récréatif. On nous affecta une volontaire chacun, qui nous conduisit au bord de la piscine. Puis on nous aida à retirer nos vêtements et à enfiler nos maillots de bain ; le mien était un peu serré mais je parvins à l'enfiler.

Mon assistant m'aida à entrer dans l'eau et m'installa des flotteurs autour de la tête et sous les bras parce que je ne pouvais utiliser suffisamment mes bras ou mes jambes pour nager. Le flotteur exerçait une grande pression sur mes épaules, ce qui me causait une douleur au cou. Je croyais que l'eau fraîche atténuerait la sensation de brûlure que je ressentais aux jambes, mais ce fut le contraire. La partie de plaisir tournait à la séance de torture.

La natation dura deux heures, deux heures de trop. Ce fut la première et la dernière fois que j'utilisai la piscine. À mon retour à l'hôpital, toutes les infirmières me demandèrent ce qui n'allait pas. Ma déception devait sauter aux yeux. J'essayai de sourire et de leur dire que tout s'était bien passé, mais elles ne furent pas dupes.

Le lendemain, à mon arrivée en physiothérapie, Dave m'annonça qu'il avait une surprise pour moi.

« J'ai décidé de confisquer votre fauteuil roulant et de le remplacer par une marchette, dit-il.

— Vous ne pouvez faire cela, répondis-je.

— Pourquoi pas ? demanda-t-il.

— Parce qu'elle ne vous appartient pas. Je l'ai achetée avant d'arriver ici, dis-je. Cela le prit au dépourvu, mais il réagit rapidement.

— D'accord, dit-il, mais je ne veux plus voir le fauteuil ici, sinon je le ferai entreposer jusqu'à votre départ. » Sur ces mots, il s'empara de mon fauteuil et le rapporta à ma chambre.

À son retour, il me confia une marchette.

« Elle est à vous. À compter de maintenant je veux que vous l'utilisiez pour vous rendre ici et retourner à votre chambre. »

— D'accord, je veux bien essayer, » lui dis-je.

Dave me dit alors qu'il me réservait une autre surprise, mais qu'il ne la dévoilerait qu'après la session de l'après-midi. Je me servis donc de la marchette toute la journée, me demandant ce qu'il me réservait d'autre.

À l'heure du lunch je me rendis tant bien que mal à ma chambre, je réintégrai mon fauteuil et j'allai prendre mon repas. Je devais ensuite retourner à ma chambre, prendre ma marchette et retourner en thérapie. Je m'y rendis, mais je soufflais comme un vieillard. Finalement, la session prit fin, et Dave me demanda si j'étais prêt pour la seconde surprise.

« Oui, répondis-je.

— Attendez-moi ici, » dit Dave, puis il s'empara de ma marchette et sortit. Il revint environ dix minutes plus tard.

— Je l'ai portée dans votre chambre, » me dit-il. Maintenant tout ce qu'il vous reste à faire est d'aller la chercher.

— Vous n'êtes pas sérieux, » répondis-je. Mais il était tout à fait sérieux.

— Bon, allons-y, dit Dave. Je vais vous accompagner. » Ainsi, en compagnie de Dave qui me tenait par la ceinture, je pris la direction de ma chambre. Ma destination me semblait à plusieurs kilomètres de là où j'étais, mais j'étais déterminé à m'y rendre. Plusieurs fois je chancelai et je perdis l'équilibre, mais Dave fut toujours là pour m'empêcher de tomber. Et il fallut s'arrêter à plusieurs reprises pour que je reprenne mon souffle.

Quand je parvins à ma chambre, j'étais trempé de sueur. En me voyant, on aurait dit que je venais de passer 10 heures à travailler très fort en plein soleil. Je tombai sur mon lit comme un sac de farine. Mais j'arborais un sourire qu'aucune douleur ou fatigue n'aurait pu effacer.

Plus je progressais du fauteuil roulant à la marchette et que j'apprenais à marcher seul, les saisons avançaient aussi. Les chaudes journées d'été s'effaçaient pour des cieux clairs comme le cristal. Du jour au lendemain ou presque, le paysage, qui encore hier affichait de riches tons de vert, avait maintenant adopté des tons jaunes, rouges et orangés. Les nuits fraîches annonçaient la venue prochaine de la neige et des grands vents glacés. Les oiseaux migrateurs me rappelaient que moi aussi j'allais bientôt devoir quitter ce lieu. Chez moi à Noël, chez moi à Noël, me répétais-je constamment.

En thérapie le lundi 5 octobre, j'attendais l'arrivée de Dave pour m'exercer à marcher quand un nouvel étudiant fit son entrée. Son fauteuil était poussé par l'une des thérapeutes.

« Je vous présente Frankie Campbell, » dit-elle en s'arrêtant devant moi.

— Bonjour, Frankie, » dis-je. Il me jeta un regard distant.

— Comment allez-vous ? demanda-t-il.

— Très bien, et vous ? demandai-je.

Il répéta : « Comment allez-vous ? »

Il serinait sans arrêt la même question. C'était tout ce qu'il pouvait dire. Frankie avait été victime d'un accident de la circulation et il avait subi des dommages cérébraux. Le soir une infirmière m'apprit qu'il avait une femme et un enfant.

Chaque fois que Frankie me voyait à l'heure des repas, dans le couloir ou en thérapie, il venait me voir et me posait sans cesse la même question. On aurait dit qu'il voulait à tout prix avoir une conversation. Cette « conversation », il la tenait avec tous les étudiants, les infirmières et les thérapeutes. Plusieurs étudiants s'en amusaient, mais moi j'avais pitié de Frankie. Avant de m'endormir le jour de notre première rencontre, je récitai une prière à son intention et je remerciai comme d'habitude Dieu de ce qu'il me donnait.

Le mercredi je rencontrai Duane, mon conseiller, après ma session de thérapie. En me fixant rendez-vous, il m'avait confié qu'il souhaitait discuter de quelque chose avec moi. J'entrai dans son bureau, je m'assis et j'attendis qu'il prenne la parole.

« J'ai parlé avec Meg aujourd'hui, » dit-il. Meg Harris avait pris la place de Julie, qui la semaine précédente avait terminé son stage et était rentrée chez elle. « Meg croit avoir fait tout ce qu'elle pouvait pour vous. Elle souhaite vous dispenser de thérapie occupationnelle et vous renvoyer chez vous. Je n'ai pas encore interrogé vos physiothérapeutes, mais je compte rencontrer Dave demain matin pour voir ce qu'il en pense. »

Évidemment, j'étais stupéfait. Cela était tout à fait inattendu. On avait prévu me renvoyer chez moi en mars. Je voulais partir à Noël. Mais tout de suite ? C'était trop tôt.

« Qu'en pensez-vous ? demanda Duane.

Vous me prenez vraiment au dépourvu, lui dis-je. Je ne crois pas que je sois apte à retourner à la maison. Je fais encore des progrès, et il est certain que Sandy n'est pas encore prête. Elle est sur le point de vendre notre maison et de déménager dans une villa. Pendant mon séjour à la maison, nous avons trouvé un endroit mais elle n'a pas encore emménagé. »

Une nouvelle rencontre entre Duane et moi fut fixée à l'après-midi du lendemain ; nous en discuterions de façon plus détaillée. En attendant, Duane allait parler à Meg et à Dave, et moi j'allais téléphoner à Sandy.

Ce soir-là je téléphonai à la maison. Sandy me confia qu'elle avait commencé à emballer nos choses et qu'elle comptait déménager dans une semaine ou deux. Il lui faudrait ensuite deux autres semaines pour tout mettre en ordre. Il n'était pas question que je rentre à la maison pour le moment.

Fort de ces renseignements, je rencontrai Duane le lendemain, espérant le convaincre que le moment ne pouvait être plus mal choisi. Il m'apprit qu'il avait parlé avec Meg et Dave, et qu'une entente avait été conclue. Dave croyait que la physiothérapie m'était encore nécessaire, mais Meg était convaincue que je n'avais plus besoin de son aide.

Nous avions donc opté pour une solution de compromis. J'allais être exempté de thérapie occupationnelle, mais je pourrais utiliser l'équipement comme bon me semblait. La même chose s'appliquait à la physiothérapie. Les thérapeutes pourraient m'aider à condition de ne pas être trop occupés.

« Nous allons suggérer votre congé définitif le 13 novembre, conclu Duane. Je téléphonerai à Sandy pour régler les détails. »

Lorsque je quittai le bureau de Duane cet après-midi-là, j'étais encore sous le choc. Le 13 novembre ne me laissait que cinq semaines. Jamais je n'aurais osé imaginer que je pourrais rentrer chez moi pour la fête de l'Action de grâces. J'étais ému ; je ressentais un mélange confus de joie et de crainte, d'espoir et de découragement, alors qu'une sorte d'angoisse subtile minait mon assurance. Toutes les questions me venaient à l'esprit puis s'estompaient avant que j'aie pu leur trouver des réponses. Une chose était certaine : il allait me falloir plusieurs jours pour retrouver ma concentration et en apprendre le plus possible sur la réhabilitation avant de quitter pour de bon le milieu protecteur de Woodrow.

Il était environ 14h30 de l'après-midi le vendredi 9 octobre, quand je vécus une expérience que je préférerais oublier. Je soulevais des poids en thérapie. Incapable de lever un poids de 5 kg au-dessus de ma tête, je travaillais à une technique spéciale en position couchée. Un thérapeute me plaça sur un panneau incliné, et je devais soulever l'haltère sur une pente de 45 degrés environ. J'avais déjà réussi à soulever jusqu'à 15 kg depuis le début de cet exercice. Aujourd'hui je comptais effectuer cinq séries de dix. Je terminais la troisième série quand un signal d'alarme se déclencha.

« Que se passe-t-il ? » demandai-je à un thérapeute qui passait en courant.

« C'est l'alarme d'incendie, cria-t-il. Sortons au plus vite. » Puis il disparut.

Tous les thérapeutes se pressaient, installant les gens dans des fauteuils roulants et les poussant vers la sortie. Les gens couraient comme des poulets à qui on aurait tranché la tête.

« Aidez-moi à me débarrasser de ces poids ! » criai-je aussi fort que je le pouvais. Avec tout le bruit que l'on faisait, personne ne sembla m'entendre. J'étais là, incapable de me débarrasser du poids qui pesait sur ma poitrine ; je ne pouvais le soulever suffisamment pour me libérer. Finalement, un thérapeute comprit la situation et m'en débarrassa.

« Aidez-moi à sortir d'ici ! » lançai-je. Mais avant que j'aie fini ma phrase, il était disparu. Presque paniqué, je regardai autour de moi à la recherche de ma marchette. Dans la confusion, quelqu'un l'avait changée d'endroit, et je ne la voyais nulle part. Avant de paniquer, je remarquai un fauteuil roulant abandonné. Sans perdre un instant, je m'y installai et me dirigeai vers la porte.

Tout cela s'était passé en quelques minutes. Dehors, sur la pelouse, une foule d'environ 500 personnes attendait de savoir ce qui se passait. C'est alors qu'on nous informa qu'il ne s'agissait que d'un exercice. Pour lui donner une apparence de réalité, on n'en avait même pas averti les thérapeutes à l'avance. La direction de l'hôpital désirait voir comment tout le monde réagirait. L'expérience n'était pas très concluante, du moins dans la salle de physiothérapie. Mais une chose était sûre : ils m'avaient causé une peur bleue !

Ce soir-là un ami représentant en assurances, Karl Steen, me téléphona pour m'annoncer qu'il me rendrait visite le lendemain en compagnie de sa femme. C'était une excellente nouvelle. Ils étaient déjà venus une fois à Woodrow, et j'étais désireux de leur montrer les progrès accomplis. Ils m'avaient rendu visite peu de temps après mon admission, alors que je ne pouvais à peu près rien faire de moi-même. Je leur réservais quelques surprises.

Le lendemain, peu après le lunch, Karl et Liz arrivèrent. J'étais assis dans mon fauteuil roulant lorsqu'ils entrèrent dans la chambre. Quand je me levai pour embrasser Liz, elle faillit s'évanouir. Puis un large sourire éclaira son visage.

«Je n'arrive pas à le croire!» s'exclama-t-elle.

Je les conduisis au centre récréatif, qui était plus tranquille, et leur visite fut agréable. Je leur racontai ce que j'avais appris en thérapie occupationnelle et leur expliquai que je dépendais peu de mon fauteuil roulant pour mes déplacements. En leur parlant de mes progrès, je constatai que j'étais peut-être prêt à rentrer chez moi.

Nous avions dû nous rendre dans un endroit plus tranquille à cause de mon nouveau compagnon de chambre. Même si je faisais l'impossible pour bien m'entendre avec lui, c'était inutile. Il était tout à fait égocentrique. Malheureusement, il logeait du même côté de la chambre que moi, et nous devions partager le téléviseur. Avant son arrivée, chacun avait l'habitude de regarder ses émissions favorites à tour de rôle, mais cet homme voulait en faire à sa tête en tout temps.

Quand il n'avait pas gain de cause, sa réaction aurait fait damner le diable lui-même; il y avait de quoi se demander pourquoi ils ne mettaient pas un terme à ses jours. Je suis certain que tous ceux qui l'avaient approché auraient sauté de joie. Chaque fois que j'essayais de regarder une émission, il mettait le volume de sa radio au maximum. Sa musique favorite était le rock and roll. En un mot, il me rendait fou. Et le bruit se poursuivait jusqu'à 23 h le soir, même si tout le monde avait éteint postes de radio et téléviseurs.

Samedi, cela avait duré toute la journée, et à 23h je croyais devenir fou. Au moins maintenant je serai tranquille, me dis-je en fermant les yeux.

J'entendis alors un bruit qui ressemblait à celui d'un moteur en marche. J'appelai une infirmière pour savoir en quoi consistait ce bruit. C'était encore lui. Il était assis dans son lit, son séchoir à cheveux dirigé vers lui. Il prétendait qu'il avait chaud et que c'était le seul moyen qu'il avait pour sécher sa sueur. Vous le croirez si vous voulez, mais l'infirmière a fermé les yeux et le bruit s'est poursuivi toute la nuit! Je ne pouvais pas dormir dans de telles conditions. Et il n'y avait pas que le bruit. Je m'inquiétais des risques d'incendie : le moteur pouvait surchauffer et mettre le feu à son lit. Peut-être étais-je paranoïaque après ma peur en physiothérapie lors de l'exercice d'évacuation, mais la menace me semblait réelle.

Le dimanche, la situation fut encore pire. Il s'éveilla à 7h30 et commença son vacarme. J'en avais plus qu'assez. Je m'habillai, je mis une cassette de John Denver dans mon magnétophone — il détestait John Denver — et je mis le volume au maximum. Puis je quittai la pièce. Le bruit était assourdissant. Je dois avouer que j'avais effectué cette manoeuvre pour lui être désagréable et que j'avais un peu honte. Mais tout le monde a ses limites.

Quand je revins à ma chambre, j'y trouvai une infirmière et l'un des administrateurs de l'hôpital. On parla longtemps, et ils me dirent qu'ils comprenaient mon exaspération, mais que personne ne voulait partager sa chambre avec lui.

« Nous avons cru que votre compagnie lui ferait peut-être du bien, me dit l'administrateur, mais je crois que nous nous sommes trompés. »

Mon compagnon fut invité à discuter du problème, et on se mit d'accord pour réduire le volume de nos appareils, mais quelques minutes plus tard le vacarme reprit de plus belle. Le soir venu, j'étais sur le point d'exploser. Il fallait faire quelque chose.

En me levant le lundi matin, je me rendis demander à Duane de m'aider. Il appela aussitôt le poste des infirmières pour solliciter mon transfert dans une autre chambre. On lui dit que la situation serait envisagée, mais qu'il faudrait entre quatre et cinq jours pour prendre des mesures. Je suppliai Duane de voir s'il était possible d'agir plus tôt. Mes nerfs n'allaient pas tenir très longtemps. Il promit de faire son possible.

À mon retour de thérapie cet après-midi-là. Savoy et Bobby, deux préposés, étaient dans ma chambre et empilaient mes effets personnels sur mon lit.

« Nous avons reçu ordre de vous transférer de chambre, expliqua Savoy. À votre retour de dîner, nous aurons vidé vos tiroirs et vos placards et nous serons prêts à vous déménager.

Faisons-le tout de suite, dis-je. Je commanderai quelque chose à la cafétéria plus tard. » Mais ils devaient donner un coup de main pour le dîner, alors il me faudrait attendre.

Je mangeai et je retournai aussitôt à ma chambre. Savoy et Bobby arrivèrent peu de temps après.

« Finissons-en avec cela, » dit Bobby. J'étais prêt, et on partit pour ma nouvelle chambre. c'était une chambre à deux lits, comme celle de Terry et Kenny. J'avais cru que la leur était la seule de ce genre de tout l'étage. *Quelle surprise agréable après tous ces ennuis*, pensai-je.

Mon nouveau camarade de chambre était Billy White, un jeune homme victime d'un accident de voiture qui avait subi des dommages considérables au cerveau. Il était aveugle et presque totalement paralysé. Il était aussi incapable de parler.

Encore une fois, je constatai à quel point j'avais de la chance.

Plusieurs personnes souffraient beaucoup plus que moi, et à cause de l'importance de leurs blessures, ils ne s'en remettraient jamais.

Je demeurai dans cette chambre pendant le reste de mon séjour à Woodrow. J'appréciais vraiment la paix et la tranquillité. Je pouvais aller et venir à mon gré et regarder la télévision quand bon me semblait. J'essayai de demander à Billy s'il y avait quelque chose qu'il aurait voulu écouter, mais il ne pouvait pas me comprendre.

Jusqu'à mon accident, je n'avais jamais été conscient de toute la souffrance et la misère qui existent aux États-Unis. Bien sûr, j'avais voyagé un peu partout dans le monde. J'avais vu la misère et la pauvreté. Mais ces malheurs étaient d'ordre matériel et semblaient étranger à tout ce que je connaissais de l'Amérique.

Il y avait toute cette misère mentale et physique autour de moi, et je ne l'avais jamais vue. Maintenant j'aurais aimé avoir une baguette magique pour guérir des corps et ces esprits qui souffraient, et les transformer à nouveau en êtres humains vivants et sains.

Cette nuit-là j'eus encore du mal à dormir. Cette fois ce n'était pas à cause du bruit provenant de l'extérieur ; le bruit était en moi. On dit que tout ce qui arrive convient aux desseins de Dieu. Je me demandais bien quels pouvaient être ses desseins. Pourquoi une chose semblable existait-elle ? Ce que j'avais vu et vécu mettait vraiment ma foi à rude épreuve, mais je persistais à croire en lui. Même si je ne comprenais pas ses desseins, ils existaient sûrement ; ils devaient exister.

Le vendredi 16 octobre, je pus me rendre en thérapie et revenir à ma chambre sans l'aide d'une marchette. Les premières fois que j'essayai de marcher seul, je restai près des murs. Chaque fois que je chancelais, ce qui se produisait souvent, je pouvais m'appuyer au mur et reprendre mon équilibre. Mais à force de pratique, j'étais capable de me passer d'appuis, comme les murs par exemple, sans craindre de m'écrouler sur le plancher. L'application et la concentration que cela exigeait de moi étaient épuisantes. Pas étonnant que les bébés se cramponnent si longtemps aux rebords des tables à café. Le réapprentissage de la marche exigeait plus de temps et d'efforts que j'aurais pu l'imaginer. Mais j'avais réussi. Bien sûr, il y avait encore place à beaucoup d'amélioration, mais compte tenu du nombre de ceux qui avaient cru que je n'y arriverais jamais, je faisais d'excellents progrès. Un autre but avait été atteint ; je n'avais pas fini ; je ne finirais peut-être jamais. Je ne retrouverais peut-être jamais la démarche naturelle dont j'avais été capable avant mon accident, mais je pouvais marcher, c'était indubitable.

Je m'améliorais aussi à d'autres égards. Ma main droite avait retrouvé 70 % de sa capacité, même si la gauche était à peu près inutilisable. Dieu merci, j'étais droitier.

Je n'avais plus à subir de programme de stimulation de l'intestin. Mon intestin avait retrouvé un fonctionnement normal et je mangeais des repas normaux. On ne peut s'imaginer ma joie quand j'appris que je n'aurais plus à me soumettre à cet embarrassante routine quotidienne à la maison.

Assis dans mon fauteuil roulant, le coude appuyé sur le rebord de l'évier, je pouvais me raser, me laver le visage, me mettre du désodorisant et me brosser les dents. Je ne pouvais toujours pas coiffer mes cheveux, ne pouvant lever suffisamment le bras ni atteindre le derrière de ma tête.

Je pouvais me vêtir, mais certaines tâches étaient plus difficiles que d'autres. J'avais du mal à enfiler une chemise. Je ne pouvais lever les bras à un angle supérieur à 20 degrés, alors il m'était très difficile d'enfiler les deux manches et de remonter la chemise sur mes épaules. Et il y avait les boutons. Cela me prenait un certain temps, mais j'y parvenais. Attacher mes chaussures n'était pas facile non plus.

Parfois j'étais très en colère contre moi-même de n'être pas capable de faire certaines de ces choses aussi rapidement ou aussi bien que je l'aurais voulu. Je devais constamment me rappeler qu'il fallait à la plupart des enfants les cinq ou six premières années de leur vie pour apprendre. Mon cerveau se rappelait comment procéder, mais mes muscles devaient repartir à zéro. «Un pas à la fois.» C'était tellement vrai. Et mes pas commençaient à s'accumuler.

Plus approchait le moment de mon congé définitif, plus d'étudiants me disaient à quel point j'allais leur manquer. Je leur servais d'exemple, et ils me vénéraient presque comme quelqu'un qui a tenté l'impossible et a réussi. Je me mis à passer la majeure partie de mes moments libres à parler avec eux, à essayer de les aider à voir les aspects positifs de la vie. Je n'avais pas l'intention de leur dépeindre une vie de délices ou de leur donner de faux espoirs. Je voulais leur montrer, par exemple, ce qu'ils pouvaient accomplir à condition d'être prêts à payer le prix, tant spirituellement et mentalement que physiquement.

Le lundi matin, l'un des étudiants me procura l'une des plus belles expériences de ma vie. J'étais assis sur un banc en physiothérapie lorsque j'aperçus Tommy Elridge, un ancien compagnon de chambre à l'hôpital de l'université de la Virginie. Tommy était debout et marchait à l'aide d'appareils et de béquilles. Il vint jusqu'à moi et s'assis à mes côtés.

«Morris, je tiens à vous remercier, dit-il.

— Pourquoi? demandai-je.

— Pour m'avoir donné le courage de marcher, répondit Tommy. Lorsque nous étions tous les deux à l'hôpital universitaire et que je souffrais et m'apitoyais sur mon sort, votre courage me frappa. J'étais dans mon lit et je vous regardais, avec tous vos problèmes; vous aviez toujours le sourire et vous encouragiez tout le monde. J'avais honte.

«Bien que sérieux, mes problèmes n'étaient rien comparés aux vôtres. Mais il me fallut plusieurs mois pour comprendre vraiment. Vous ne le savez pas, mais un jour, il n'y a pas très longtemps, j'étais ici en thérapie alors que vous luttiez pour apprendre à marcher. Je vous regardais chanceler et tomber, puis vous relever et recommencer. Ce jour-là je me suis dit : «S'il peut le faire avec tout ce qu'il a souffert, moi aussi je le peux.»

«Une centaine de thérapeutes et de médecins peuvent dire la même chose à une personne, mais le voir de ses propres yeux est ce qu'il y a de plus convaincant au monde. Ce jour-là, je me suis promis de me débarrasser de mon fauteuil roulant. alors je veux simplement vous dire merci.

Je ne crois pas que mes pieds aient touché le sol du reste de la journée. Je me sentais tellement satisfait de savoir que j'avais aidé quelqu'un à retrouver le courage et la détermination de lutter par ses propres moyens. La phrase célèbre de Zig Ziglar me vint à l'esprit : « Vous pouvez avoir tout ce que vous voulez dans la vie si vous aidez suffisamment les autres à obtenir ce qu'ils veulent. » J'avais aidé Tommy et il m'avait aidé. C'est cela qui donne un sens à la vie.

Le mercredi soir, alors que je regardais la télévision, une infirmière du nom de Betty Galope entra ; elle transportait quelque chose qui ressemblait à un étui de guitare. C'était effectivement une guitare.

« Je vous ai apporté quelque chose, dit-elle. Cette guitare traînait dans un coin à la maison, et je me suis dit que vous aimeriez peut-être en jouer pendant que vous êtes ici. » Avant que j'aie eu le temps de répondre, elle l'avait posée et était partie.

Elle doit être folle, pensai-je. *Moi jouer de la guitare ? C'est tout à fait ridicule. Avant mon accident je jouais très bien de la guitare, et maintenant cela me manquait. Mais avec mes pauvres mains, il était hors de question que je joue. Mais la tentation d'essayer était trop grande.*

Je me levai lentement de mon fauteuil et me dirigeai vers l'instrument. À force de persistance, je parvins à ouvrir l'étui et à en retirer la guitare. Sans la force de la soutenir, je m'assis sur le lit et la posai sur mes genoux. J'essayai ensuite de faire un simple accord de ré. Je luttai pendant 30 minutes, mais sans succès.

Souriant, je replaçai la guitare dans son étui. Je jouerai à nouveau, me dis-je, même si cela doit me prendre 20 ans.

L'après-midi du lendemain, le jeudi 22 octobre, j'étais en physiothérapie et j'observais un groupe rassemblé autour de Frankie Campbell et de l'un des thérapeutes. Frankie demandait encore aux gens comment ça allait, mais pas aussi souvent ou de façon aussi répétitive. Il pouvait tenir une conversation superficielle et sa mémoire à court terme s'améliorait, mais à long terme il avait des difficultés à se souvenir.

Je me levai et me dirigeai vers le groupe. Frankie me regarda, le regard vague.

« Hé mon ami, comment ça va ? demanda-t-il.

— Très bien, Frankie, répondis-je.

— Je vous ai déjà vu quelque part, non ? poursuivit-il. Comment vous appelez-vous ?

— Ronald Reagan, répondis-je.

— Ronald Reagan, êtes-vous vraiment Ronald Reagan ? demanda-t-il. J'ai voté pour vous, » dit Frankie en esquissant un geste pour me serrer la main. « De quelle ville êtes-vous ? »

— De Dover Hollow, dis-je sans hésiter.

— Dover Hollow ! s'exclama-t-il. C'est la ville d'où je viens. Je ne vous ai jamais vu là-bas. » Les membres du groupe souriaient. « Comment s'appelle votre père ? demanda ensuite Frankie.

— Archie Campbell, dis-je.

— Archie Campbell, dit-il avec étonnement. C'est mon père aussi. Nous devons être soeurs. »

Tout le monde éclata de rire. Nous ne voulions pas rire aux dépens de Frankie ou être cruels. Frankie aimait attirer l'attention et tous appréciaient la meilleure médecine qui soit au monde : le rire. Malheureusement, une semaine plus tard environ, Frankie dut rentrer chez lui. Il devait d'abord s'améliorer avant de revenir subir des traitements. Je ne sais pas ce qu'il est devenu, mais j'espère qu'il est bien. Il a donné à plusieurs d'entre nous, à Woodrow, l'occasion de sourire, même s'il nous semblait que nous n'avions aucune raison de nous réjouir. Merci encore Frankie.

Depuis plusieurs mois, je craignais de tomber, surtout depuis que je me déplaçais seul. Quand je me retrouvais par terre, je devais y rester jusqu'à ce que l'on me relève. Je n'avais pas assez de force dans les jambes, ni assez d'équilibre pour me relever seul. À Woodrow, ce n'était pas vraiment un problème : il y avait toujours quelqu'un pour me surveiller. Les membres du personnel me disaient de ne pas m'en inquiéter, mais je m'en souciais quand même.

À la maison, ce serait une tout autre histoire. Naturellement, dans le cas où quelqu'un serait présent, j'aurais de l'aide. Mais je ne voulais pas avoir à dépendre d'une présence constante. Ce serait un trop grand fardeau, pour moi comme pour les autres. Alors je m'étais fixé un objectif : avant mon congé définitif, je devais être capable de me relever seul.

J'y travaillais depuis quelques semaines. Chaque jour, je passais plusieurs heures à fortifier mes jambes et à travailler sur mon équilibre en me servant des barres parallèles. Chaque fois que l'un des thérapeutes était disponible, je m'étendais par terre et j'essayais de me relever. J'y réussissais généralement à moitié, mais alors mes jambes cédaient, je perdais mon équilibre et le thérapeute arrêtait ma chute.

Le vendredi 23 octobre, trois semaines seulement avant la date de mon départ, j'avais l'impression que j'allais réussir à me relever complètement. Après une série d'exercices légers destinés à m'assouplir les jambes, je m'assis et me reposai pendant près d'une heure. Pendant tout ce temps, je m'imaginai me relevant sans l'aide de personne. Lorsque je me sentis d'attaque et prêt à faire une tentative, je demandai à Dave de me surveiller. Je m'étendis par terre. Allons-y, me dis-je. J'avais presque réussi, mais je retombai.

«Voulez-vous essayer encore une fois?» demanda Dave.

«Tu parles!» répondis-je. Je fermai les yeux et me concentrai autant que je le pouvais. Attention, me voici, me dis-je. Rien ne peut plus m'arrêter. Je me relevai. Encore une fois j'avais réussi, à force de détermination et de volonté. L'attitude positive et optimiste qui m'avait valu de réussir dans la vente allait me permettre de réussir à retrouver une vie normale.

Je passai la majeure partie du week-end à écouter mes cassettes de motivation. Trois de mes meilleurs amis, Terry, Kenny et John, avaient obtenu leur congé. Un autre grand ami, John Marshall, devait partir au début de la semaine suivante. Dans trois semaines ce serait mon tour. Le moment était venu de recharger mes batteries et de me préparer à frapper le dernier grand coup. Bien sûr, j'allais continuer à travailler à la maison, mais il me fallait apprendre autant de techniques possibles pour mieux diriger mes efforts. Le retour à la maison n'allait pas être facile; au contraire, ce serait très difficile, et je devais m'y préparer.

Au cours des 10 années précédentes, j'avais accumulé beaucoup de livres et de cassettes sur la motivation. J'en possédais de centaines d'auteurs aussi éminents que le docteur Robert Schuller, le docteur Norman Vincent Peale, Earl Nightingale, Og Mandino, W. Clement Stone, Napoleon Hill et Cavett Roberts.

Il y avait une série de cassettes que je ne me lassais jamais d'écouter ; en fait je les écoute encore aujourd'hui. Elles sont du maître de la motivation, Zig Ziglar. Son enthousiasme et ses talents de communicateur sont incomparables. Son livre *Rendez-vous au sommet** est un classique. Je conseille à quiconque se cherche dans ce monde complexe qui est le nôtre de se procurer quelques livres et cassettes de Zig ou des autres bons auteurs du monde de la motivation. Si vous le faites, vous serez gagné pour de bon.

En fermant les yeux le dimanche soir, je me sentais un homme nouveau. Mes batteries étaient tout à fait rechargées et je me sentais prêt à combattre des tigres, ou à tout le moins ces muscles peu coopératifs que je devais dompter.

Je me rendais compte que mon retour au monde extérieur serait comme une renaissance. Mon cordon ombilical serait coupé, ce qui me priverait de la protection de Woodrow. Le monde serait un environnement beaucoup plus froid et hostile. Ce serait à moi de m'adapter, et non aux autres de s'ajuster à moi. Pour reprendre la place laissée vacante, j'allais devoir faire d'énormes efforts.

Pour faciliter ma transition, j'espérais équiper ma maison de quelques-uns des exerciseurs que j'utilisais quotidiennement. Cela m'aiderait à améliorer mon tonus musculaire. Le lundi soir 26 octobre, je téléphonai à mes grands amis Bill Hermann et Page Scott pour leur demander un service. Ils étaient tous deux très habiles de leurs mains et j'espérais qu'ils pourraient construire certains des appareils dont j'avais besoin.

Deux appareils étaient en tête de ma liste. L'un d'eux était la ponceuse, la boîte dans laquelle on déposait des poids pour fortifier le haut du corps. L'autre était un appareil de forme cylindrique terminé par une poignée. Il permettait d'accroître la portée des mouvements du poignet et de l'avant-bras. On pouvait y ajouter des poids pour une résistance accrue. J'avais toute la flexibilité voulue dans la main droite, mais je pouvais à peine manoeuvrer l'appareil avec la main gauche. Ces deux appareils fabriqués par le service d'ingénierie de Woodrow n'étaient pas disponibles sur le marché. Je devais faire appel à l'adresse et à la créativité de Bill et de Page.

---

* Publié sous format de livre et cassette aux éditions Un monde différent ltée.

Ils acceptèrent de venir, de jeter un coup d'oeil aux appareils, de tracer quelques esquisses et de voir s'ils pouvaient concevoir la même chose à mon intention. Le mardi matin, Page me téléphona et m'annonça que Bill et lui comptaient venir en avion dès le lendemain.

« J'irai en avion à Norfolk et je passerai prendre Bill. Nous devrions arriver avant 11 h, me dit Page.

— Je vous attendrai, » lui répondis-je. Dans les moments difficiles, on pouvait vraiment compter sur ces gars.

Bill et Page arrivèrent à 10h45 le mercredi matin. Ils étaient vraiment très heureux de me voir, et c'était réciproque. La conversation porta sur leur vol. Ils me décrivirent la belle température et les merveilleux paysages d'automne, et je regrettais de ne pas les avoir accompagnés. On se dirigea vers la salle de thérapie occupationnelle. Je les présentai à quelques-uns des thérapeutes et expliquai ce que nous voulions faire, puis Bill et Page se mirent au travail : Bill dessinait et Page prenait les mesures.

« Il n'y a aucun problème, dit Page. Je peux faire cet exerciseur pour poignets très facilement. » Bill m'assura ensuite qu'il se chargerait de la ponceuse.

C'était presque l'heure du lunch, alors je leur demandai de rester et de m'accompagner à la cafétéria. Je n'y étais pas allé depuis un certain temps. En général j'allais à la salle à manger qui était moins éloignée et où on pouvait m'aider avec ma nourriture. Nous nous dirigions vers la porte quand Duane arriva.

« Permettez-moi de vous présenter deux de mes amis, » dis-je. Je fis les présentations, et au moment où Duane s'apprêtait à partir, il me regarda et secoua la tête.

« Je vous ai joué tout un tour, n'est-ce pas ?

— C'est certain, répondit-il. Lorsque vous êtes arrivé ici, je n'aurais pas donné 5 ¢ de votre peau. »

— Et aujourd'hui il vaut au moins 25 ¢ », ajouta Page. Duane sourit et s'éloigna.

Après le lunch je me rendis en compagnie de Bill et de Page à l'immeuble administratif où ils devaient prendre leur taxi. Au moment de leur départ je compris que je n'aurais pas à attendre plusieurs mois pour les revoir. J'allais bientôt rentrer chez moi.

« Je vous verrai dans quelques semaines, » dis-je alors qu'ils montaient dans le taxi. La date de mon départ approchait à grands pas. L'impossible allait enfin se réaliser.

Le service récréatif avait prévu une sortie pour la soirée de jeudi. Nous devions nous rendre dans une ville proche et y prendre un repas au restaurant. Chacun serait responsable de ses dépenses, mais Woodrow fournissait le moyen de transport de même que le personnel qui devait aider les étudiants en fauteuil roulant et ceux qui avaient de la difficulté à se nourrir seuls. Le moment me sembla bien choisi pour sortir en compagnie du groupe pour une soirée d'adieu.

Vers 17 h, 20 d'entre nous étions rassemblés dans l'immeuble administratif pour y attendre l'autobus. Il arriva bientôt, et j'eus la mauvaise surprise de constater qu'il s'agissait de celui dans lequel j'avais fait une chute à notre retour de la visite de Woodrow plusieurs mois auparavant. J'avais juré que je ne défierais plus le sort en y remontant, mais j'y montai quand même. Bien sûr, on se rendit à la ville sans incidents, mais le voyage ne fut pas une détente pour moi, et je laissai échapper un soupir de satisfaction dès que je fus sur la terre ferme.

Il y avait du pâté de crabe au menu, et je ne pus y résister. J'avais envie de vrais fruits de mer pour me rappeler la maison et aussi pour satisfaire mes papilles. Mais j'aurais dû attendre de pouvoir aller à un restaurant situé plus près de la mer. Les fruits de mer frais sont un délice. En pays montagneux, ce n'est que de la nourriture ordinaire. Je me laissais encore une fois emporter par mes attentes. Le repas était décent ; je m'étais simplement attendu à mieux.

La soirée fut néanmoins agréable. La joie de sortir avec des amis et de rire un peu valait les tensions du voyage et la petite déception du repas. Pendant plusieurs heures, tout le monde oublia ses problèmes et eut du plaisir.

L'après-midi du vendredi 30 octobre marqua la fin d'une autre semaine. Il ne me restait que deux semaines avant mon départ. Maintenant que j'étais habitué à l'idée, je comptais les jours avec enthousiasme, et non plus avec appréhension.

Après ma session de thérapie, je rencontrai Duane.

« Avez-vous un moment ? demanda-t-il.

— Bien sûr, » répondis-je.

— Rendez-vous à mon bureau. J'aimerais vous parler quelques minutes, » dit-il. Alors je longeai le couloir et je l'attendis. Cinq minutes plus tard environ, il entra, ferma la porte et s'assit devant moi.

« Eh bien, avez-vous envie de partir ? demanda-t-il.

— Maintenant, oui, répondis-je. Il y a quelque temps je me faisais du souci, mais plus aujourd'hui. »

La conversation porta sur mon départ imminent. Puis Duane me regarda. Il avait l'air très sérieux, et je craignais qu'il n'ait quelque chose de décourageant à m'annoncer.

« Vous savez, dit-il, je tire un enseignement de tous ceux avec lesquels je travaille. »

— Et qu'avez-vous appris avec moi ? » demandai-je.

Il répondit : « Toute ma vie j'ai étudié les attitudes positives. J'ai lu des livres, écouté des cassettes, assisté à des colloques, et je croyais bien comprendre le sujet, jusqu'à votre arrivée. Pour la première fois, j'ai vu quelqu'un mettre tout cela en pratique. J'ai appris de vous la véritable signification de ce que l'on appelle une attitude positive. Je me souviendrai longtemps de votre court séjour ici. »

Je planais assez haut en quittant son bureau. Il avait derrière lui des années de formation comme conseiller et était en contact avec des centaines d'étudiants chaque année. Pourtant il avait tiré une importante leçon de mon attitude. Il avait vu que la pensée positive fait plus que de changer l'attitude d'une personne ; elle peut transformer la vie. Plutôt que de sourire béatement assis dans mon fauteuil roulant, j'avais fait appel au pouvoir positif de la confiance en soi pour me pousser à la limite, pour m'améliorer autant que je le pouvais. Et je n'avais pas encore fini.

Au moment même où j'étais prêt à retrouver ma liberté et j'avais accepté l'adaptation à laquelle j'allais devoir me soumettre, la confusion s'installait de nouveau. La date de mon congé approchait à toute vitesse, et j'éprouvais une certaine crainte. L'univers que j'avais connu pendant 35 ans allait me sembler très étranger. Je devais rentrer à la maison, je le voulais, c'était mon objectif, mais ça n'allait pas être facile.

J'eus quelques visites surprises pendant les deux dernières semaines de mon séjour à Woodrow. Un soir de la première semaine de novembre, j'étais assis dans ma chambre et j'attendais une pizza qu'un taxi devait me livrer. Le menu de l'hôpital n'ayant pas été très attrayant ces derniers temps, j'avais décidé de me gâter un peu. Depuis le départ de Kenny et de Terry, j'avais presque arrêté de commander de la pizza. Mais ce soir-là, je comptais m'offrir un repas solitaire, mais délicieux.

J'entendis quelqu'un entrer et je fis pivoter mon fauteuil, m'attendant à apercevoir le chauffeur du taxi. Mais il s'agissait plutôt de mon ami et avocat Mel Friedman, accompagné de Phyllis, sa fiancée. Mel expliqua qu'ils s'en allaient faire du camping et qu'ils avaient décidé de me rendre visite en passant. Je leur offris de partager ma pizza et je passai quelques moments agréables.

Au moment de leur départ, je leur dis que je les verrais dans quelques semaines. Mel savait que j'allais obtenir mon congé, mais Phyllis sembla étonnée.

« Nous irons manger ensemble, dit-elle.

— C'est d'accord ! » dis-je.

La pensée de n'avoir aucun visiteur m'était particulièrement pénible le lundi 9 novembre, jour de mon anniversaire. Je n'allais pas pouvoir être avec ma famille et manger du gâteau et de la crème glacée au son de « Bonne fête... », ni déballer mes cadeaux. C'est un peu puéril, mais je suis comme ça.

Cet anniversaire s'annonçait plutôt triste. Ce serait mon premier anniversaire en solitaire. Quand je réintégrai ma chambre après la thérapie de l'après-midi, je trouvai un colis sur mon lit. Je trouvai sur-le-champ une infirmière pour l'ouvrir.

Sandy avait prévu à la perfection le moment de l'arrivée de mon cadeau. Elle m'avait acheté un beau pantalon et un chandail assorti et, bien sûr, il y avait une carte. Sandy choisit les plus belles cartes, auxquelles elle ajoute ses propres pensées. Son cadeau et sa carte me firent un peu oublier le sentiment de vide que j'éprouvais, mais pas tout à fait.

Aussitôt mon repas du soir terminé, elle me téléphona pour me souhaiter un joyeux anniversaire. Puis ma mère, ma soeur et mes beaux-parents me téléphonèrent à leur tour. Le fait de parler à tout ce monde me fit beaucoup de bien. La journée était presque terminée. Je décidai de me mettre au lit plus tôt que d'habitude.

Alors que je me dirigeais vers ma chambre, une infirmière m'aborda.

« Il y a quelqu'un pour vous dans la salle à manger dit-elle. Je ne voyais pas qui cela pouvait bien être.

« Bon anniversaire ! » lancèrent-ils tous à mon entrée dans la pièce. Il y avait à peu près 20 de mes amis, avec un gâteau et de la crème glacée. Je soufflai les bougies et tout le monde attaqua le gâteau. *Quel bel anniversaire après tout,* me dis-je ce soir-là. *Et il ne me restait plus que quatre jours avant de rentrer enfin chez moi.*

Le jeudi soir, je téléphonai à Sandy pour m'assurer que rien n'avait été oublié. La transition serait plus facile ainsi. Pat et elle comptaient arriver vers 22 h le lendemain. Mon dernier rendez-vous était prévu pour 23 h. À moins d'incidents de dernière heure, nous devions nous mettre en route vers midi.

Jour du départ. Vendredi treize. Cela semblait inquiétant, mais je n'ai jamais été superstitieux. Très tôt j'étais debout et habillé, et une infirmière m'aida à faire mes valises. Quand tout fut prêt, je fus étonné de tout ce que j'avais avec moi. À leur arrivée, à l'heure prévue, Sandy et Pat me trouvèrent faisant les 100 pas. Elles commencèrent tout de suite à mettre mes choses dans l'auto, afin que nous puissions partir dès la fin de la réunion.

Environ 20 minutes avant le début de la réunion, je distribuai des cadeaux et je fis mes adieux au personnel. J'avais demandé à Sandy et à Pat d'acheter des cadeaux à l'intention des gens qui avaient travaillé avec moi. Elles avaient choisi de très belles illustrations encadrées de la ville de Norfolk, en Virginie, comme elle était voilà 50 à 100 ans. Chacun des tableaux avait été peint par un artiste de talent, Casey Holtzinger.

Une session d'exercices sur le matelas était en cours en physiothérapie. J'attendis quelques minutes, et Martha interrompit la session afin que tout le monde puisse me dire au revoir. C'était la première fois depuis mon arrivée que je voyais une session de physiothérapie interrompue. Alors que je m'éloignais, j'entendais tout le monde compter en cadence avec Martha. La session avait repris son cours.

Enfin, le moment de la réunion arriva. On se dirigea tous les trois vers la salle de conférence, où j'avais passé mes derniers moments à Woodrow Wilson.

Deux des personnes attendues n'avaient pu venir. Une conseillère du nom de Becky Messer remplaçait Duane Anderson, et Irene McClay, physiothérapeute, avait pris la place de Dave Summer, mon thérapeute régulier. Ni l'une ni l'autre n'avait travaillé avec moi ou ne me connaissait personnellement. Il y avait cependant des visages familiers : Betty, une infirmière ; Meg, du service de thérapie occupationnelle, et le docteur Richard M.

Auld, qui avait été chargé de mon dossier à la suite du docteur Spicuzza, étaient tous présents.

Meg prit la parole. Elle résuma ce que j'avais fait en thérapie occupationnelle et conclut en disant qu'à son avis, j'avais encore des progrès à faire au point de vue des aptitudes motrices. Ensuite Betty déclara que, selon elle, j'avais besoin de très peu d'aide concernant les soins personnels et l'hygiène.

Puis vint le tour de Becky. Elle recommanda que je continue à voir un conseiller pour apprendre à surmonter mon handicap. *Comment pouvait-elle dire une telle chose ? Elle ne me connaît pas*, pensai-je. *Je faillis dire quelque chose mais je décidai de me taire. Il était inutile de faire des vagues désormais. Dans quelques minutes tout serait fini et je serais parti pour de bon.*

Dès que Becky eut terminé, Irene prit la parole. Elle recommanda que je rentre chez moi et que je réapprenne à vivre une vie normale. À son avis, je n'avais plus besoin de physiothérapie. *J'avais envie de gueuler, mais je me tus. Cette réunion devient ridicule*, pensai-je. *Je pensais aussi à mon assurance. À moins que les documents ne stipulent que j'avais encore besoin de traitements, ma police ne couvrirait pas les sessions de thérapies que j'allais suivre une fois rendu à la maison. Et je savais que j'avais encore besoin d'aide.*

Finalement, ce fut le tour du docteur Auld. Il fut plus réaliste. Il déclara que des sessions intensives de physiothérapie allaient être nécessaires, et c'est ce qu'il avait indiqué dans le rapport préparé. La réunion prit ensuite fin. Toutes les personnes présentes me souhaitèrent bonne chance et me demandèrent de garder le contact et de leur faire part de mes progrès.

Le soleil de midi était radieux et réchauffait l'air frais de l'automne quand je m'éloignai de l'endroit qui m'avait servi de foyer pendant cinq longs mois. Un indescriptible sentiment de joie et de satisfaction m'animait et me remplissait d'espoir en l'avenir. Mon cheminement avait été difficile, mais j'avais persévéré et réussi, en dépit de difficultés apparemment insurmontables, des doutes constants de mon entourage et de ces muscles auxquels je n'avais pas laissé une seconde de repos et qui avaient dû reprendre les fonctions oubliées à la suite de mon accident et de nombreuses semaines d'inaction. Comme le dit si bien Zig Ziglar : «Je n'avais pas payé le prix de la victoire. Je jouissais de ce prix. »

Chapitre 10

Un nouveau départ

Mais que faire si je n'atteins pas mon but ?
Je n'ai qu'à garder mon calme,
Sécher mes larmes et rire de ma chute,
À me relever et à recommencer.

Elizabeth Barrett Browning

Tout avait été routinier, identique, jour à près jour depuis mon hospitalisation et tout au long de ma réhabilitation, et maintenant tout était différent, nouveau, comme si un défi avait été lancé à ma faculté d'adaption. La maison, mes rapports avec la famille et les amis, les thérapeutes, les technique permettant de calmer la douleur, tout et tous représentaient un changement.

D'abord il y avait la maison. Sandy et moi ne pouvions nous permettre de conserver le train de vie que nous avions mené avant l'accident. Alors nous avions arrêté notre choix sur une petite maison modeste au lieu de notre ancien « palace ». Le jour de mon départ de Woodrow, Sandy débordait d'enthousiasme et était impatiente de me montrer ce qu'elle avait fait de notre nouvelle demeure. Elle avait gardé une partie du mobilier de l'ancienne maison et avait bien décoré les lieux. Tout était déballé et bien rangé. Je ne comprenais pas comment elle avait pu tout faire en moins de deux semaines sans aucune aide. Pourtant, j'allais avoir besoin de temps pour m'adapter aux nouvelles pièces, aux nouveaux voisins, à ma nouvelle demeure.

Un aspect de la maison représentait un défi particulier : l'escalier. Nous avions installé une rampe additionnelle, pour en compter une de chaque côté de l'escalier, mais gravir et descendre 14 marches n'était pas facile. Les chambres étaient en haut, et j'étais toujours content de trouver un lit accueillant après la montée de l'escalier. La descente était une tout autre histoire. Elle représentait un long et douloureux exercice. Mais cela était nécessaire à l'amélioration des muscles de mes jambes et de mon équilibre, puisqu'il me faudrait parfois gravir des escaliers de toute façon.

Malgré l'appui incessant de la famille et des amis, nos rapports avaient changé à la suite de l'accident. Je n'étais plus un être humain tout à fait indépendant. Malgré mes énormes efforts, j'allais avoir besoin d'aide pour peigner mes cheveux et quand il s'agirait de me rendre à mes sessions de thérapie par exemple. Mes progrès depuis l'écrasement tenaient du phénomène, mais j'étais loin d'avoir retrouvé la vélocité d'antan, à l'époque où je volais d'un endroit à l'autre pour assister à des assemblées et à des conférences. J'avais des limites. Je m'étais efforcé de repousser constamment ces limites, mais elles existaient.

J'allais avoir de nouveaux thérapeutes. Cela voulait dire que nous allions devoir faire connaissance, tester mes capacités, mettre au point un programme, tout cela après avoir déniché ces thérapeutes et m'être rendu à leur bureau pour mes rendez-vous.

Les deux types de thérapie pouvaient m'aider à améliorer ma coordination musculaire et mes capacités, mais ils ne dissiperaient pas les sensations intenses de brûlure que je ressentais toujours. *Il doit certainement exister un moyen de me débarrasser de cette douleur*, pensai-je. *J'étais déterminé à tout essayer ce qui pourrait atténuer, sinon éliminer cette torture.*

Oui, j'avais beaucoup d'adaptation à faire, et il me restait beaucoup de chemin à parcourir avant de pouvoir dire que j'étais guéri. Mais, pour la première fois depuis huit mois, je pouvais m'adapter, travailler et me détendre chez moi.

Je passai la première semaine et demie à me reposer et à m'habituer à mon nouveau milieu et à ma nouvelle routine. Avant que j'aie pu m'en rendre compte, nous étions à l'Action de grâces. À l'époque de The Towers, j'avais juré de ne jamais plus manger de la dinde, mais j'attaquai la dinde traditionnelle comme l'aurait fait un homme affamé. Ma mère nous reçut, et elle nous prépara un festin de roi. Nous étions aussi en excellente compagnie. Mes tantes Hilda, Dorothy et Eloise étaient là. Pat et sa fille Ashley nous rendirent visite. J'eus même droit à une visite de mon cousin Ted, qui vint nous saluer à la fin de la journée. Ce fut la plus belle fête d'Action de grâces de ma vie.

Le lundi matin 30 novembre, mon repos prit fin. Je décidai que le moment était venu de me mettre au travail. Alors je me mis à la recherche de thérapeutes. Après plusieurs appels et recherches, je découvris une physiothérapeut du nom de Diane Petry, qui habitait à quelques kilomètres de chez moi et qui possédait son propre bureau. Je pris un rendez-vous pour la rencontrer, lui parler de ma situation et voir si elle croyait être en mesure de m'aider.

Quelques jours plus tard, en arrivant à son bureau. J'eus la surprise d'y rencontrer un vieil ami, Garrett Snyder. Garret avait travaillé à Woodrow Wilson, y avait effectué son dernier stage et travaillé avec moi, alors mon état lui était familier.

« Qu'est-ce que vous faites ici ? demandai-je.

— Je remplace quelqu'un pour quelques semaines, répondit-il. Prenez un siège et je vous ferai visiter les lieux dans un moment. »

À son retour, Garret me fit voir les lieux. C'était petit mais bien aménagé, et l'endroit me convenait à merveille, car c'était très près de chez moi. Je parlai ensuite avec Diane. Elle m'assura qu'elle pouvait m'aider à améliorer mon sens de l'équilibre et ma démarche, alors une date fut fixée pour mon évaluation.

« Vous désirez aussi faire de la thérapie occupationnelle, ajouta Diane.

— C'est exact, » répondis-je.

Elle me confia qu'elle connaissait une excellente thérapeute. *Formidable*, pensai-je. *Pour une fois, les choses étaient plus faciles que prévu ; deux thérapeutes d'un seul coup.* Diane me dit qu'elle contacterait la thérapeute et lui demanderait de me téléphoner.

Ce soir-là, Susan Morales me téléphona. Elle me dit que sa spécialité était la thérapie des mains. Pouvait-elle me rendre visite ? Je répondis oui sans l'ombre d'une hésitation. C'est exactement ce dont j'avais besoin. Alors je lui fixai un rendez-vous à la maison. Enfin tout allait bien.

Il me fallait cependant faire quelque chose à propos de la douleur ressentie dans la partie inférieure du corps. La sensation de brûlure devenait intolérable. Toute la journée et même toute la nuit, quelle que soit ma position ou la fréquence avec laquelle j'en changeais, la douleur persistait. Je n'avais pas une seconde de repos. Vous savez ce que vous ressentez lorsque vous vous brûlez à un doigt. Cette douleur très localisée peut vous rendre fou. Imaginez une pareille sensation sur la moitié de votre corps, et ce, en permanence.

Les médecins attribuaient cette douleur au dommage subi par mes nerfs à la suite des blessures subies à la moelle épinière. Certains éprouvent une telle douleur même s'ils sont paralysés et ne ressentent absolument rien d'autre. Parfois cela s'améliore et peut même disparaître. Parfois, rien à faire. Je n'allais pas me borner à attendre et à voir ce qui allait arriver.

J'avais parlé de ce problème à Duane Anderson ; je lui avais aussi parlé de la douleur constante que je ressentais à la hauteur du cou et des épaules. Une émission de télévision traitant de l'ancien art chinois de l'acupuncture avait attiré mon attention, et j'espérais qu'il me suggérerait le nom d'une personne à ce sujet. À l'époque, Duane m'avait répondu qu'il ne connaissait personne dans la région qui pratiquait l'acupuncture. Mais il avait bien précisé qu'il avait eu connaissance de résultats encourageants dans un autre centre de réhabilitation. Alors mon prochain but était de mettre la main sur un spécialiste de l'acupuncture. Et dans une région aussi vaste que celle de Tidewater, il devait bien en exister un.

En posant des questions aux amis, aux membres de la famille et à des membres de la profession médicale, j'obtins finalement de l'un de mes cousins le nom du docteur Robert K. Su. Il avait son bureau à Portsmouth, en Virgine, soit à une heure de chez moi, mais ça valait la peine d'essayer. Je téléphonai à son infirmière et la suppliai de me donner un rendez-vous. Au début, elle tenta de me faire attendre trois semaines, mais je plaidai si bien ma cause qu'elle accepta de me recevoir le lendemain.

Lorsque je rencontrai le docteur Su le lendemain, je fus impressionné par son attitude directe. Il ne me fit aucune promesse, pas plus qu'il ne peignit un sombre tableau de ma situation.

« Je n'ai jamais vu une blessure comme la vôtre, expliqua-t-il. Je ne peux rien vous promettre, mais je suis disposé à essayer. » Cela me suffisait amplement. Je devais lui fournir un rapport médical complet du docteur Rish avant de commencer le traitement, alors il me faudrait attendre.

« Je lui téléphonerai demain et vous reverrai ici dans deux semaines, » dit le docteur Su. Même si je ne supportais pas l'idée de ce délai, je ne pouvais rien y faire. Je souffrais depuis près de neuf mois. Deux semaines de plus n'allaient pas me faire mourir.

Une semaine avant Noël, le vendredi 18 décembre, l'association des assureurs-vie de Norfolk tenait son assemblée de fin d'année. Selon mes souvenances, cette assemblée s'était toujours tenue juste avant Noël ; c'était une tradition. J'avais fait partie de l'association, composée de plus de 500 agents d'assurance-vie de la région de Norfolk, depuis mes débuts dans l'assurance en 1971. Mais je n'étais pas un simple membre. J'y avais tenu un rôle actif, faisant partie de nombreux comités de même que du conseil de direction. Les membres étaient mes amis. Même si nous participions à un secteur d'activités très concurrentiel, nous partagions nos vies, nos amitiés et nos amours.

Les objectifs communs que nous détenions et qui nous permettaient d'aller de l'avant étaient les suivants : faire en sorte que le monde soit plus viable et atténuer les difficultés financières à la suite du décès du pourvoyeur d'une famille. Cette capacité de se soucier des autres se manifesta de façon frappante à l'annonce de la nouvelle de mon accident. Les lettres et les cartes étaient arrivées par centaines. Russ Gills, agent de la Mutuelle Minnesota avait offert d'aider à diriger mon entreprise jusqu'à ma guérison. J'avais pleuré comme un enfant lors de la lecture de cette lettre par une infirmière.

Alors ce vendredi matin, je souhaitais plus que tout au monde assister à cette assemblée. Je voulais avoir l'impression d'appartenir au groupe à nouveau. Heureusement, un voisin et ami de toujours, Jim Parker, offrit de m'y conduire. Il est agent chez Jefferson Standard et membre de l'association.

Tout le monde fut surpris de me voir. Le président, Phil Todd, insista pour que Jim et moi prenions place à la table d'honneur. Après avoir déclaré l'assemblée ouverte, Phil commença à parler de mon retour. On aurait pu entendre une mouche voler ; un calme absolu régnait. Son discours fut bref mais touchant. Il conclut en disant : « Je crois que c'est Winston Churchill qui l'a le mieux exprimé lorsqu'il a dit : « N'abandonnez jamais, jamais, jamais, jamais. »

Dans un vacarme étourdissant, tout le monde se leva et applaudit. Tout le monde versait des larmes. Ce fut un moment très spécial que je n'oublierai jamais.

Noël arriva et je m'étais astreint à un horaire rigoureux qui me laissait à peine le temps de respirer et de manger. Maintenant que j'étais à la maison, mes limitations étaient plus évidentes. Comme un obsédé, j'avais le sentiment de ne mériter de repos qu'après en avoir accompli autant qu'il était humainement possible. Mon désir d'une vie normale me tenaillait constamment. Je voulais marcher sans craindre de tomber. Je voulais conduire une automobile, améliorer la coordination de mes yeux et de mes mains et devenir assez résistant pour retourner chasser. J'étais déterminé à relever ces défis.

Les lundis, mercredis et vendredis, je m'habillais, je prenais mon déjeuner et j'arrivais au bureau de Diane pour une session de physiothérapie de 9 h à 10 h 30. Je rentrais ensuite à la maison pour prendre le lunch et reposer mon cou pendant quelques minutes. À 13 h 30, Sandy et moi nous rendions au bureau du docteur Su à Portsmouth. Nous quittions rarement son bureau avant 16 h 30. Compte tenu du temps pour m'y rendre et du temps qu'il fallait au médecin pour me voir et compléter mon traitement, il était 18 h 30 ou 19 h à notre arrivée à la maison pour le dîner.

Les mardis, jeudis et samedis, la matinée commençait par une visite de Susan pour la thérapie occupationnelle. Après le lunch, je faisais des exercices dans le gymnase aménagé à la maison pendant quatre heures environ.

Le dimanche était le seul jour où je me permettais de me détendre. Souvent nous rendions visite à ma mère pendant mon jour de congé. Les premières semaines se passèrent très bien, mais bientôt tous ces déplacements eurent raison de la résistance de Sandy. Je ne pouvais conduire, elle devait constamment me servir de chauffeur et cela l'épuisait. Pour le moment cependant, nous étions d'accord pour dire qu'il était nécessaire de prendre le risque de subir des traitements d'acupuncture. En attendant d'être certain que c'était inutile ou de trouver une alternative, il fallait absolument que je fasse quelque chose à propos de la douleur, tant pour des raisons psychologiques que physiques.

Noël fut pour chacun de nous une pause bien méritée. Susan et le docteur Su devaient s'absenter et ne seraient de retour qu'après le Nouvel An. Alors je mis temporairement fin à mes sessions de physiothérapie. Cela nous donna une semaine et demie de repos dont nous avions désespérément besoin.

Le jour de Noël fut l'occasion d'une joyeuse réunion de famille. Tout le monde se réunit chez ma mère pour célébrer : nous allions passer une autre année ensemble. Pat et Ashley, de même que deux de mes tantes, étaient là. Après l'échange des cadeaux, un merveilleux repas. J'éprouvais encore énormément de plaisir à manger de la bonne nourriture maison après tant de mois de repas pris en institution. Avant le repas, une prière spéciale fut récitée pour remercier Dieu d'avoir permis que je sois là en cette heureuse journée.

Le soleil se couchait quand Sandy et moi sommes rentrés à la maison ce soir-là. J'étais si fatigué que j'aurais juré qu'il était minuit si les couleurs de la fin du jour ne m'avaient persuadé du contraire. Je retirai mes vêtements et enfilai mon pyjama en un rien de temps. Au moment même où j'allais m'endormir, la sonnette de la porte retentit. *Qui donc cela peut-il être?* me demandai-je. Je jetai ma robe de chambre sur mes épaules et je descendis ouvrir. C'était Cathy, la fille du docteur Oden.

Elle me dit qu'elle ne pouvait rester qu'un moment et ne voulait pas me priver de mon repos, mais que son père avait tenu à ce que j'aie son cadeau dès aujourd'hui. Elle me remit alors la grosse boîte de carton qu'elle tenait. Elle partit aussitôt et je demandai à Sandy d'ouvrir la boîte. Le suspense me rendait fou. À l'intérieur se trouvaient les plus belles oranges que j'avais vues de ma vie. Leonard les avait commandées de Floride, alors j'étais certain qu'elles étaient aussi fraîches et délicieuses qu'elles le semblaient. Je ne fus pas déçu. Nous eûmes beaucoup de plaisir, Sandy et moi, à dévorer ce festin de roi. Aussitôt que j'eus fini de lécher le jus de mes doigts et que je fus rendu à ma chambre, je téléphonai à Leonard et à sa femme Ginny pour les remercier.

«À dimanche,» dit Leonard en riant, content du plaisir produit par son cadeau.

Leonard me rendit effectivement visite le dimanche suivant, comme beaucoup d'autres personnes. Tout le monde m'aida à célébrer ma victoire sur le destin. Au mois de mars précédent, nul n'aurait cru que je pourrais rentrer chez moi pour Noël, et encore moins que je serais en aussi bonne santé. En mars, tout le monde avait cru voir ce pauvre Morris une dernière fois. Mais je suis un survivant, un gagneur, un représentant qui s'est convaincu de la valeur de la vie. À force de volonté, de persistance, et grâce au pouvoir du Tout-Puissant, j'avais surmonté tous les obstacles. J'imagine qu'Il n'en avait pas encore fini avec moi. Malgré la douleur et les handicaps, je n'avais aucune objection.

Le soir du jeudi 31 décembre, alors que s'écoulaient les dernières secondes de 1981, je priai pour qu'aucun d'entre nous n'ait jamais plus à passer à travers une autre année aussi difficile que l'avait été la dernière. Mon accident avait transformé la vie de bien des gens. Ceux qui m'étaient les plus chers avaient été profondément affectés, émotionnellement et financièrement. Même mes amis et connaissances avaient été touchés, comme si mon avion avait été un caillou lancé dans un étang, qui fait des vagues qui se dissipent lentement, perdant de leur force à mesure que s'agrandit leur cercle. Je souhaitais que jamais plus un caillou ne tombe dans l'eau, et que nos vies puissent désormais se poursuivre dans le calme, comme un étang qui dort.

Pendant ce week-end, je fis le bilan de ma situation. Les Fêtes étaient terminées et le moment était venu de m'attaquer à mes programmes de thérapie avec une ardeur renouvelée. Il y avait tellement d'aspects auxquels je voulais m'attaquer que je décidai de dresser la liste de mes priorités. Ça me permettrait de me donner des tâches précises sur lesquelles concentrer mes énergies et subdiviserait l'énorme objectif de ma guérison en étapes plus modestes et plus facilement réalisables.

Le problème le plus immédiat était cette constante sensation de brûlure et de douleur que je ressentais dans la partie inférieure de mon corps. À certains moments c'était si intense que j'avais envie de me frapper la tête contre les murs. Il devait pourtant exister une solution. Si l'acupuncture ne donnait rien, je trouverais bien une autre forme de thérapie.

Une autre difficulté pressante était le manque de force de mes épaules. Mes deltoïdes, les muscles qui recouvrent les omoplates, et ma ceinture scapulaire, qui normalement supporte les bras, étaient atrophiés. Ils étaient si faibles que je pouvais à peine lever les bras à un angle de 20 degrés environ (pour les lever au-dessus de ma tête, ils devaient atteindre 180 degrés, alors je n'étais pas au bout de mes peines). Cela voulait dire que je ne pouvais enfiler un chandail, un lourd manteau, ou que je ne pouvais prendre un verre dans l'armoire. Je me rasais et je mangeais en appuyant mon coude sur la table. À Woodrow, les thérapeutes m'avaient dit que je ne pourrais jamais plus lever les bras au-dessus de la tête, mais je ne l'entendais pas ainsi. Bien sûr, cette faiblesse dans mes bras ou dans mes épaules ne pourrait compenser l'usage normal de mes mains. Susan était confiante à cet égard : à force de pratique, je pourrais retrouver l'usage de mes mains. Et je pratiquais ! Elle me donnais toutes sortes d'exercices à faire : je me servais de plasticine, de bandes élastiques, de pinces à linge, de chevilles et d'appareils de conception artisanale. J'étais convaincu qu'à force d'utiliser mes mains, elles allaient continuer à s'améliorer. Quand je ne les utilisais pas, mes doigts restaient ouverts grâce à des attelles que Susan avait fabriquées. Comme les orteils de mon pied gauche, mes mains avaient tendance, au repos, à reprendre une position fermée et étaient difficiles à ouvrir. Cependant, les attelles rendaient toutes les autres activités plus difficiles.

Mes jambes avaient aussi besoin de gagner des forces. Je ne pouvais faire que 100 pas environ avant qu'elles ne se mettent à chanceler et qu'elles refusent de me supporter. Là encore, les muscles avaient manqué d'exercices et devaient être réentraînés.

Mais ce n'était pas ma seule difficulté au moment de marcher. Mon équilibre était si fragile qu'à chaque deux ou trois pas effectués, j'amorçais une chute et je devais m'arrêter et me ressaisir. Sans doute à cause d'un contact neurologique déficient, l'apprentissage de la marche allait exiger du temps, car on ne pouvait rien faire pour accélérer la guérison de mes nerfs endommagés. Les médecins m'avaient dit que cette guérison pouvait prendre jusqu'à cinq ans, et rien ne garantissait qu'ils se rétabliraient un jour complètement. En fait, la chance d'une guérison complète dans ce domaine est infinitésimale. Mais avec moi, tout était différent. J'avais accompli des tours de forces dans tous les autres domaines, alors les médecins hésitaient à faire des prévisions.

Il me semblait que le dernier aspect auquel je devais m'attaquer était celui de l'élocution. Mais comme pour les nerfs endommagés, les dommages subis par mes cordes vocales et mon larynx prendraient un certain temps à guérir. Les médecins et les thérapeutes s'entendaient pour dire qu'il me faudrait attendre au moins une autre année avant de prendre ce problème de front.

Puis d'innombrables autres tracas, mais ceux-là étaient les plus immédiats. En pouvant m'y concentrer avec la même intensité que celle dont j'avais fait preuve pour réaliser mes objectifs antérieurs, j'allais réussir.

Nous étions à la mi-juillet à l'occasion de mon premier rendez-vous avec le docteur Rish, depuis mon congé définitif. Quatre mois plus tôt, je l'avais vu pour donner suite à mon séjour d'un week-end à la maison. À cette époque je pouvais à peine poser un pied devant l'autre avec l'aide d'une marchette, et mes mains étaient raides, fermées et à peu près inutiles.

Cette fois c'était différent. Il fallait voir son expression quand j'entrai dans son bureau, sans l'aide d'une marchette, et je lui tendis la main.

« Je vous avais dit que j'entrerais dans votre bureau pour vous serrer la main, lui dis-je.

— Je m'en souviens très bien, répondit-il. Mais jamais de la vie je ne vous aurais cru. » Puis il se mit à m'examiner de la tête aux pieds. J'étais devenu son cas le plus célèbre, et il voulait connaître tous les détails. Dire qu'il semblait surpris, abasourdi, serait un euphémisme. Lorsque je m'étendis par terre et je me relevai, il n'en croyait pas ses yeux.

« Je n'arrive pas à le croire, dit-il.

— Quand pourrai-je vraiment commencer à fortifier mes épaules et mes bras ? » demandai-je. Je voulais éviter d'aller trop vite et d'aggraver mes problèmes.

— C'est encore trop tôt, me dit-il. Nous ne voulons pas prendre le risque de vous briser à nouveau le cou au même endroit ; votre cou est encore en train de guérir. En mars prochain nous prendrons une série complète de radiographies et nous aviserons à ce moment. Il se sera écoulé un an depuis votre accident. Si tout semble bien aller, je donnerai à vos thérapeutes la permission de travailler sur votre ceinture scapulaire. »

Avant de partir, je lui posai des questions à propos de mon collier orthopédique. Je le portais encore pour soutenir mon cou, mais il était inconfortable et je rêvais de m'en débarrasser. Encore une fois, on me conseilla d'être patient. *C'est lui le médecin*, pensai-je. *Je ne vais pas risquer de me créer davantage de problèmes en faisant de l'excès de zèle et en compliquant les choses.*

À la fin de janvier, je commençais à me déplacer avec un peu plus de facilité, et un beau dimanche je décidai d'aller saluer mes infirmières à l'unité des soins intensifs de l'hôpital général de Norfolk. J'arrivai en compagnie de Sandy et je pris l'ascenseur. Au moment où les portes s'ouvraient, je pensai aux jours extrêmement difficiles passés à peine 10 mois auparavant. Et maintenant je me tenais sur mes jambes et je parcourais les mêmes couloirs qui j'avais traversés sur une civière, branché à toutes sortes de tubes et de moniteurs.

Les infirmières étaient stupéfaites ; cela se voyait sur leur visage. Même avec toute l'imagination du monde, aucune d'en-

220

tres elles n'avait cru qu'elle me reverrait un jour, et encore moins sur mes jambes.

« Je vous avais promis que je reviendrais, » leur dis-je en souriant. « Me voici. » Plusieurs des infirmières qui m'avaient soigné étant absentes, je promis de revenir quelques semaines plus tard pour les saluer. Ce fut une visite très agréable.

Le mois de février s'annonçait désastreux. Le temps froid, mouillé et venteux m'empêchait de mettre le nez dehors la plupart du temps. Tout ce qu'il manquait à ma vie, c'était de glisser sur une plaque de glace et de me fracturer autre chose. Les procédures de ma faillite progressaient plus lentement que je ne l'avais espéré. Mes problèmes financiers et la température me causaient beaucoup de stress.

Je téléphonai à Mel Friedman et le suppliai de faire le nécessaire pour que l'on accélère les choses. Il me suggéra de communiquer avec un autre avocat spécialisé dans les faillites, et je lui donnai mon accord. « Fais ce que tu peux pour régler la situation, » lui dis-je. Ajouté à mon stress, ce problème prenait trop d'importance pour moi. Je voulais le régler au plus vite.

Pour contrer les effets du stress, je reprenais progressivement mon programme vitaminique et nutritif. Je consommais déjà beaucoup de vitamines, une pratique que la plupart des médecins considèrent comme une simple perte de temps. Jamais ils n'allaient m'en convaincre. Je me sentais mieux, physiquement et mentalement, et j'étais persuadé que c'était le résultat direct de ma diète et de mes suppléments nutritifs.

Mais je ne fus pas déprimé très longtemps. Un soir, comme je regardais la télévision, je reçus un appel de ma tante Goldie Mogul.

« J'ai parlé avec Butch Pierce aujourd'hui, et il m'a demandé si tu accepterais de réciter la prière à l'occasion du Congrès des vendeurs de Tidewater, dit-elle.

— C'est tout un honneur, répondis-je. Je serais très heureux de le faire. » Elle me donna le numéro de téléphone de Butch et me demanda de l'appeler. Thurman B. (Butch) Pierce était responsable du congrès, un événement annuel tenu sous l'égide des assureurs-vie de Norfolk. Cet événement d'une durée d'une journée mettait toujours en vedette des orateurs éminents de partout au pays. J'étais vraiment emballé.

Ce soir-là je téléphonai à Butch et j'acceptai son invitation. Le vendredi 19 février, à l'hôtel Omni dans le centre-ville de Norfolk, j'allais prendre la parole devant mes collègues courtiers. Seule la mort ou une autre tragédie aurait pu m'empêcher d'y aller.

Le grand jour arrivé, Sandy me conduisit et me déposa à l'hôtel. Mon vieil ami Doug Martin, qui participait au congrès à titre d'exposant, me ramènerait chez moi.

Ce jour-là la douleur était terrible, et j'allais devoir faire un effort pour respecter mon obligation. Au début, j'avais décidé de rester pendant toute la durée du congrès, mais ce matin je savais qu'aussitôt la prière finie, je demanderais à Doug de me ramener à la maison.

Quelle déception ! J'aurais vraiment voulu rester et entendre parler Frank E. Sullivan. Frank est une légende dans le monde de l'assurance. Il a remporté tous les honneurs possibles. Je ne l'avais jamais rencontré, mais il était un de mes héros depuis mon arrivée dans le secteur de l'assurance. J'aurais juste voulu lui serrer la main.

Butch me présenta et le silence se fit dans la salle. Deux de mes collègues m'aidèrent à monter sur scène, et je commençai la prière.

Père du ciel, merci de nous avoir rassemblés aujourd'hui. Faites que ce soit une journée d'apprentissage, de sagesse nouvelle et de meilleure compréhension de nous-mêmes et de notre prochain. Au cours de la prochaine année, nous ne vous demandons pas de nous donner des occasions en fonction de nos capacités, mais d'aider chacun de nous à acquérir des habiletés à la mesure des occasions qui se présenteront. Père céleste, protégez nos orateurs, qui ont si généreusement accepté de donner de leur temps et de leur talent. Faites que leurs propos touchent chacun de nous et nous servent d'inspiration. Et mon Dieu, en ce qui concerne ceux qui envisagent de quitter ce grand secteur d'activités, dirigez-les vers moi afin que je leur ouvre mon coeur pour leur dire ce que cet univers, et ceux qui en font partie, ont fait pour moi au cours des 11 derniers mois. Je ne sais comment j'aurais pu tenir sans les prières et les pensées de mes collègues et sans avoir été convaincu que, grâce au merveilleux monde de l'assurance-vie, ma famille allait pouvoir survivre malgré tout ce qui pourrait m'arriver. Père du ciel, je crois que nous en som-

mes venus à bien nous connaître au cours des 11 derniers mois,
et si je n'avais qu'une prière à vous adresser, je vous demanderais
d'être aussi bon pour tout le monde au cours de l'année qui vient
que vous l'avez été pour moi pendant l'année qui se termine. Amen.

Soudain tout le monde se leva pour applaudir, ce qui est plutôt rare à la fin d'un prière ! Pendant plusieurs minutes, 600 personnes applaudirent et versèrent des larmes. Puis j'allai serrer la main de Frank Sullivan. J'eus une merveilleuse petite conversation avec lui pendant que le silence revenait peu à peu, et ce fut le début d'une belle amitié.

Frank me confia que ma prière était la plus édifiante qu'il eut jamais entendue à l'ouverture d'une assemblée. Par la suite, plusieurs personnes me dirent que jamais, au cours des centaines d'assemblées auxquelles elles avaient assisté, elles n'avaient été témoin d'une ovation debout à la suite d'une prière. À tous, je répétais que Dieu s'était simplement servi de moi pour leur parler.

Nous étions à la veille du mois de mars. Bientôt une année entière se serait écoulée depuis mon accident. En thérapie, mes progrès étaient lents, mais constants. Semaine après semaine, la routine demeurait la même : thérapie occupationnelle, physiothérapie, traitements d'acupuncture et exercices à la maison. J'avais l'exerciseur pour poignets que Page Scott m'avait fabriqué, la ponceuse construite par Bill Hermann et un exerciseur complet pour la maison. J'avais aussi des haltères et des poids pour les chevilles et les poignets. Le jour où je finirais mon programme de réhabilitation, j'allais avoir la possibilité de garder la forme !

La secrétaire du docteur Rish me fixa un rendez-vous pour des radiographies de mon cou au début de mars. Cela devait avoir lieu à l'hôpital Bayside, non loin de chez moi, avant de me rendre passer des examens. Le médecin devait téléphoner à l'hôpital pour demander les radiographies, que je lui apporterais à son bureau.

Le 4 mars, j'entrai dans le bureau du docteur Rish, je remis les radiographies à son infirmière et je me pris un siège. Après un examen de routine le docteur Rish me demanda de m'asseoir dans son bureau. Lorsqu'il revint avec les radiographies, j'inspirai profondément, espérant que tout irait bien. Il prit place derrière son bureau et me regarda dans les yeux.

« Vos radios semblent bonnes, dit-il. Je crois que vous pouvez aller de l'avant avec votre programme d'exercices. Je vais appeler Diane Petry et lui donner mon accord. »

— Serai-je capable de lever les bras au-dessus de la tête ? » demandai-je. Le docteur Rish n'osa pas se prononcer à ce sujet. Il déclara que l'avenir nous le dirait. Cette réponse ne m'étonna pas, mais j'étais surpris d'avoir posé la question. Me laissais-je envahir par le doute ? Comme si cela n'avait pas suffi, je posai une autre question.

« Serai-je capable de retourner à la chasse un jour ? demandai-je. Cette fois il fut catégorique.

— Vous ne serez jamais plus capable d'utiliser une arme à feu, affirma-t-il. L'effet de recul serait trop exigeant pour votre cou. »

Je refusai d'entendre ce qu'il me disait. J'avais chassé toute ma vie, et je savais que la meilleure partie du choc était absorbé par l'épaule, et non par le cou. Et puis j'avais entendu parler d'un homme, un certain Edward, qui avait inventé le réducteur de recul Edward, un dispositif destiné à atténuer le recul des armes à feu. En démontant une partie de l'arme pour y installer deux cylindres qui servaient de ressorts, on éliminait presque entièrement l'effet de recul.

Je me promis d'écrire à l'homme dès mon retour à la maison. Bien sûr, il me faudrait fortifier suffisamment mes bras et mes épaules pour soulever une arme à feu ; pour le moment, mes bras ne pouvaient même pas supporter leur propre poids. Mon prochain objectif était donc fixé. J'allais y mettre toute mon énergie et ma concentration, et cela suffirait certainement, compte tenu de l'effet qu'avaient produit sur moi les propos du docteur Rish.

Le 10 mars, anniversaire de mon accident, fut une journée difficile. Mon esprit me ramenait sans cesse à l'écrasement : les fils, l'impact au sol, le transport en ambulance, l'arrivée à l'hôpital, les regards horrifiés des gens. Tout cela était très net. Le soir je parlai avec ma mère, ma soeur et mes beaux-parents.

« Espérons que cette année sera meilleure pour chacun de nous, » me dit ma belle-mère avant de raccrocher.

— Je l'espère bien, » répondis-je. L'accident avait été difficile pour les parents de Sandy. Je souhaitais qu'ils n'aient plus à subir de tragédies familiales. Mais le destin l'entendait autrement.

Alors que Sandy et moi regardions la télévision dans la soirée du samedi 13 mars, le téléphona sonna. Sandy répondit, à son timbre de voix et à certains commentaire, du genre « Oh ! mon Dieu ! » et « Comment ? », je compris qu'il était arrivé quelque chose.

« Qu'est-ce que c'est ? Qu'est-ce qui se passe ? lui demandai-je.

— C'est ma soeur, murmura Sandy. Debbie se meurt. » Puis elle descendit se servir du téléphone de la cuisine afin que je puisse utiliser l'autre appareil. Je me sentait tout drôle en me saisissant du combiné.

« Qu'est-ce qu'il y a ? demandai-je. Mes beaux-parents pleuraient tellement que j'avais beaucoup de mal à les comprendre.

— C'est Debbie, dirent-ils en sanglotant. Notre Debbie se meurt. Selon les médecins elle ne passera pas la nuit. » Après des questions additionnelles, j'appris que Debbie avait contracté une sorte de maladie du sang que les médecins ne parvenaient pas à identifier. Tout son système était touché, et elle avait sombré dans le coma.

Debbie était allée subir un examen une semaine auparavant. Le médecin était absent, alors une infirmière avait procédé à l'examen. Elle avait effectué un test de Pap et avait décelé un germe inconnu. Mais Debbie n'avait pas subi d'autres tests et elle avait été renvoyée chez elle avec certains médicaments. Elle n'avait rien dit de tout cela à ses parents et n'avait fait qu'une remarque à ce sujet à l'un de ses camarades. Et maintenant elle était à l'hôpital et se mourait.

Aussitôt que les parents de Sandy eurent raccroché, je téléphonai aux compagnies aériennes pour m'enquérir des horaires des vols ; il nous faudrait attendre au lendemain. Il fut décidé que Sandy s'en irait chez ses parents et que moi de demeurerais chez ma soeur ou chez une tante. Je n'étais pas en état d'effectuer un tel voyage. Mais si Debbie devait décéder, j'allais assister à ses funérailles quoi qu'il advienne.

Je réservai un place d'avion pour le lendemain et je rappelai mes beaux-parents. Nous allions demeurer en contact toute la nuit. Advenant un changement de l'état de Debbie, ils étaient censés nous appeler.

Je passai toute la nui en état de choc. Debbie n'avait que 27 ans. De plus, elle venait d'avoir un enfant. Le 10 novembre, trois jours seulement avant ma sortie de l'hôpital et le lendemain de mon anniversaire, elle avait donné naissance à un petit garçon. Elle risquait maintenant de ne jamais le voir grandir. Cela me semblait impossible. Sandy et ses parents n'étaient pas tout à fait remis du choc de mon accident, et maintenant il fallait que cela arrive. Ce n'était pas juste.

À 9 h environ le lendemain matin, mes beaux-parents téléphonèrent et je les informai de l'horaire de la journée. Ma valise était préparée et tant Lena avait accepté de me prendre avec elle jusqu'au retour de Sandy. Ma soeur passerait nous prendre, déposerait Sandy à l'aéroport et me conduirait chez ma tante. Mais mon beau-père déconseilla à Sandy de venir tout de suite. L'état de santé de Debbie s'était quelque peu amélioré au cours de la nuit. Il promit de nous rappeler s'il se présentait une autre modification.

L'état de Debbie était encore critique cependant, et les médecins nous avaient déconseillé d'entretenir de trop grands espoirs. Mais après ce que j'avais traversé, tout le monde savait que tout était possible. En un certain sens, il s'agissait d'un tour cruel que nous jouait le sort. Mes beaux-parents attendaient un second miracle. Sandy remit donc son voyage à plus tard, et les appels téléphoniques se poursuivirent presque quotidiennement au cours des semaines qui suivirent. À certains moments, les choses semblaient s'améliorer pour Debbie, mais cela fut chaque fois suivi d'une rechute plus grave que la précédente.

À la mi-avril, elle n'était plus maintenue en vie qu'à l'aide d'appareils, et de nombreux tests indiquèrent que son cerveau ne fonctionnait plus. Pour les médecins, elle était légalement morte. Mais mes beaux-parents ne désespéraient pas. Ils se répétaient sans cesse que, tant qu'il y avait de la vie il y avait de l'espoir.

Je n'essayais pas de les en dissuader, mais je savais que Debbie n'était plus avec nous que de corps. Son âme et son esprit étaient désormais avec Dieu.

À peu près à la même époque, Susan Morales décida qu'elle ne pouvait plus m'aider. Elle me confia un programme d'exercices et me dit de lui téléphoner en cas de nécessité. Ma main droite était désormais fonctionnelle, et ma gauche était toujours secouée de spasmes. Mais Susan croyait qu'elle avait accompli tout ce qu'il lui était possible d'effectuer et que c'était à la nature et à Dieu de faire le reste. Elle avait bien travaillé. Lors de notre dernière rencontre, je la remerciai de son aide et l'assurai que j'allais poursuivre mes exercices et demeurer en contact avec elle.

Cependant, les sensations de brûlure et la douleur de mes jambes ne montraient aucune amélioration. Sandy et moi trouvions difficile de nous rendre à Portsmouth trois fois par semaine. Cela en valait-il la peine ? J'en parlai au docteur Su, qui m'apprit qu'il connaissait un autre médecin, le docteur Gerald Acierto, qui pratiquait l'acupuncture. Ce dernier tenait son bureau à Norfolk, à 15 minutes seulement de chez moi. Je demandai au docteur Su de me prendre un rendez-vous avec ce médecin. Moins d'une semaine plus tard, j'étais sous les soins du docteur Acierto. Ses méthodes étaient les mêmes que celles du docteur Su, mais il essaya d'autres points de traitement. Cela donna peu de résultats. Pour le moment toutefois, je n'avais pas d'autre option ; jusqu'à ce que je trouve une autre méthode de traitement, je devais conserver celle-ci et garder espoir.

Dieu merci, le mois de mai arriva, et avec lui la température plus chaude. Je pouvais désormais sortir prendre l'air plus souvent. Mon exigeant horaire de thérapie se poursuivait, mais le temps plus doux, l'air frais, les fleurs et le soleil me rendaient tout cela plus facile à supporter.

Un jour je m'arrêtai au bureau de Landon Browning afin de lui rendre visite. Il me confia qu'un nouveau médecin venait tout juste d'emménager dans son immeuble à bureaux. Landon lui avait décrit mon cas et le médecin s'était dit intéressé à me rencontrer. Il s'agissait du docteur Jack Kenley, chiropraticien. Je manifestai peu d'enthousiasme. Je crois que j'entretenais les mêmes préjugés que bien des gens sur le compte de ces spécialistes : ce ne sont pas de vrais médecins ; ce ne sont en fait que des masseurs, et les gens qui vont les consulter se font avoir.

Plusieurs semaines s'écoulèrent, puis je décidai finalement d'aller le voir, surtout par courtoisie pour Landon. Lorsque je sortis du bureau du docteur Kenley, mon idée était tout autre. Il semblait compétent, intelligent, et il avait une bonne connaissance de mon état. Et j'adorais son attitude. J'avais vu tellement de médecins depuis quelque temps qu'il me suffisait de poser quelques questions seulement pour savoir s'ils avaient une bonne idée de mon état ou s'ils faisaient semblant. Le docteur Kenley était persuasif. Il ne me promit pas la lune, mais son attitude positive et son approche firent grande impression sur moi.

J'acceptai de lui confier mon cas afin de voir ce que cela donnerait. Jack voulait me voir à tous les jours pendant deux semaines, puis discuter avec moi des traitements à entreprendre compte tenu des résultats déjà obtenus.

Ces deux semaines furent incroyablement mouvementées. Les lundis, jeudis et vendredis, j'étais en physiothérapie de 9 h à 10 h 30, je voyais le docteur Kenley de 11 h à 13 h, je prenais le lunch, je voyais le docteur Acierto à 14 h 30 et enfin je rentrais chez moi à 17 h environ. Les mardis et jeudis étaient plus calmes, car je voyais le docteur Kenley de 10 h à 12 h et j'avais l'après-midi libre pour mes exercices à la maison. Au moins n'avions-nous plus à nous rendre à Portsmouth.

Ma conversation avec Jack eut lieu à la mi-mai. Il était convaincu de pouvoir m'aider, mais il allait falloir y mettre le temps. Au cours des deux semaines précédentes, la douleur n'avait pas diminué mais ma confiance en Jack et mon désir de tout tenter ce qui était possible m'avaient persuadé de poursuivre les traitements.

La décision fut prise de voir Jack les lundis, mercredis et vendredis. C'était un lourd fardeau pour Sandy, mais cela lui laissait les mardis et jeudis. Une fois adaptée à notre nouvel horaire, Sandy décida de travailler comme aide-infirmière bénévole à l'hôpital de Bayside à Virginia Beach. Avant notre mariage elle avait été enseignante à l'école maternelle et aide-infirmière. Elle voulait encore avoir l'occasion de se servir de tout ce qu'elle avait appris en me soignant, et elle avait besoin de rencontrer des gens. Elle allait aussi pouvoir oublier le sort de sa soeur Debbie.

En mai et en juin, l'état de santé de Debbie sembla s'aggraver de jour en jour. Nous contactions généralement les parents de Sandy au moins deux fois par semaine. Les nouvelles n'étaient jamais bonnes. Debbie était maintenue en vie à l'aide de machines, et on allait bientôt devoir prendre la décision de débrancher ces machines. Il allait être très difficile de la laisser partir. Heureusement, Dale, le mari de Debbie, semblait mieux faire face à la situation que mes beaux-parents.

Quand vint le temps de débrancher Debbie des appareils qui la gardaient en vie, mes beaux-parents nous demandèrent de venir la voir. Nul ne savait à quelle vitesse son état se détériorerait à la suite du débranchement. Cette visite avait vraiment beaucoup d'importance pour les parents de Sandy, alors la décision fut prise d'y aller.

Le vendredi après-midi, nous arrivions à Durham, en Caroline du Nord. C'était notr première rencontre avec les parents de Sandy depuis la maladie de Debbie. Après de longues effusions, tout le monde pleura. Ce soir-là, tout le monde se rendit compte à quel point la maladie de Debbie affectait ses parents. Ils passèrent la nuit à faire les 100 pas et à pleurer. Habituellement ils étaient d'un naturel heureux, souriant et accueillant, mais à présent on aurait dit que le chagrin qui les rongeait avait chassé la moindre parcelle de joie de leur vie.

Le samedi, nous nous rendîmes à Winston Salem pour rendre une dernière visite à Debbie. Ce fut très pénible de la voir là, maintenue vivante à l'aide de machines. Jamais je n'oublierai cette vision.

Je rentrai à la maison en compagnie de Sandy pour attendre la suite des événements. Rien ne pouvait nous faire oublier que notre prochain voyage à Durham aurait pour objet les funérailles de Debbie.

Au milieu de l'été ma faillite n'était pas réglée. J'avais l'impression que ma vie était constituée d'une suite de déboires. Mes ennuis financiers, ma douleur constante, ma lutte continue pour refaire ma vie et surmonter mon handicap et, bien sûr, le décès imminent de Debbie étaient sur le point d'avoir raison de ma résistance.

En physiothérapie, mes progrès avaient ralenti et atteint un plafond. Depuis un certain temps, j'avais vu très peu d'améliorations dans la force de la partie supérieure de mon corps. Oh ! je pouvais facilement lever le bras droit jusqu'au menton, mais mon bras gauche pouvait difficilement dépasser les 20 degrés ! Diane avait très bien réussi à me rendre plus fonctionnel, mais ni elle ni les autres thérapeutes ou médecins contactés ne pouvaient me dire pourquoi mes bras ne réagissaient pas mieux. Cela était peut-être dû à une atrophie musculaire ou à un problème neurologique. Je ne voulais pas d'hypothèses cependant, mais des actes. Je décidai de cesser mes consultations avec Diane. Tout en poursuivant mes exercices à la maison, je réfléchirais à une autre solution.

Le docteur Kenley me suggéra de subir un électromyogramme afin de voir si des impulsions adéquates étaient transmises à mes épaules et à mes deltoïdes. Diane m'avait conseillé en ce sens à plusieurs reprises, mais chaque fois que j'en avais parlé au docteur Rish, il avait haussé les épaules, qualifiant la chose d'inutile.

Puis au début du mois d'août, je reçus par la poste un pli me rappelant que je devais subir un électromyogramme, effectué par le docteur Charles R. Peterson à l'institut de réhabilitation de Tidewater; et la décision avait été prise par le docteur Rish. Quelle surpirse!

Le test était simple. Des aiguilles étaient placées à divers endroits de mes épaules afin de mesurer les impulsions nerveuses que recevaient mes muscles. Tous les résultats furent moyens. Armé de ces données, le docteur Kenley s'assit avec moi pour discuter des mesures à prendre. Il se livra pendant plusieurs heures à une évaluation musculaire détaillée de tout mon corps.

Jack détermina que ma ceinture scapulaire et mes deltoïdes se contractaient, mais pas suffisamment pour procéder à des exercices de résistance ou utiliser des poids. Alors nous devions changer de technique. En faisant appel à la haute tension électrique, nous forcerions mes muscles à se contracter, leur fournissant ainsi l'exercice dont ils avaient besoin pour accroître leur force. Une fois leur puissance de contraction améliorée, nous pourrions commencer à utiliser des poids.

Le docteur Kenley m'aida beaucoup avec mon collier orthopédique. Celui qu'on m'avait donné était constitué de styromousse et recouvert de tissu, et comme il avait été coupé pour moi plutôt que d'opter pour une taille précise, il ne m'allait pas parfaitement. Jack m'en donna un nouveau, de conception semblable, mais fait de tissu et de courroies qui pouvaient être ajustées à la tension appropriée. C'était fantastique de pouvoir éliminer cette douleur additionnelle au cou; oh! mon cou était encore douloureux, mais le collier n'ajoutait plus à la douleur!

Vers la fin de l'été, je décidai de cesser mes traitements chez le docteur Acierto. Il avait fait de son mieux, mais les sensations de brûlure persistaient. Le docteur Kenley était cependant plus optimiste. Il téléphonait constamment dans tout le pays, s'efforçant de trouver une solution à mon problème. À ce jour, ses traitements n'avaient pas donné de résultats non plus, mais j'allais continuer à le voir, ne serait-ce que pour son attitude positive. Je m'adaptais plutôt bien à ma situation. Je constatais qu'il me faudrait encore longtemps travailler à ma réhabilitation, et je refusais de me décourager quand je ne pouvais marcher aussi loin, tendre le bras aussi haut ou effectuer une tâche aussi bien que je le voulais. Mais il manquait encore quelque chose à ma vie : le plaisir. Ça faisait si longtemps que je n'étais pas allé à la pêche ou à la chasse. Je devais trouver une manière de manoeuvrer un moulinet de pêche ou d'épauler une arme à feu. Exister simplement ne me suffisait pas ; il fallait que je recommence à m'amuser un peu.

Chapitre 11

Dehors enfin

La passion de la chasse est profondément ancrée en l'être humain.

Charles Dickens

Pendant mes huit mois d'hospitalisation, j'avais pensé à la chasse et à la pêche chaque jour. Les sports de plein air avaient occupé une place importante dans ma vie depuis ma tendre enfance. Contrairement à un simple passe-temps apprivoisé un certain temps pour l'oublier ensuite, la chasse et la pêche constituent pour moi une sorte de seconde nature. J'en étais mordu pour la vie.

Maintenant que j'étais revenu à la maison, j'avais encore plus de mal à accepter mes limitations : surtout le manque de force dans la partie supérieure de mon corps qui m'empêchait de manoeuvrer un moulinet de pêche ou une arme à feu. J'étais prêt à voir ce que je pouvais faire. Je m'emballais chaque fois que je lisais un article sur la pêche dans le journal ou que je parlais avec le docteur Oden. Je contrôlais mieux mes mains et j'étais certain de pouvoir tenir une canne à pêche, mais je ne savais pas si j'aurais la force et l'adresse d'actionner le moulinet advenant une prise. Le temps était venu de le savoir.

J'organisai un voyage de pêche au mois d'août à bord de la nouvelle embarcation du docteur Oden. À mon arrivée au bateau dans un taxi de l'une de ses compagnies, je découvris qu'un autre vieil ami, Albert Russell, allait nous accompagner.

Quelques minutes plus tard, nous nous dirigions tous les trois vers le large. Quelle sensation formidable ! Je sentais enfin que je faisais partie de tout cela, de la vie et non seulement de l'existence. Ce jour-là, peu m'importait de prendre ou non du poisson, mais la pêche fut bonne. À la fin de la journée, j'avais accumulé 54 prises. Mes mains étaient endolories : elles n'étaient pas habituées à ce genre d'activités, et je ne pouvais même plus les ouvrir et les refermer, mais cela en valait la peine. J'étais sans doute possédé ce jour-là, car Leonard et Albert ne prirent que 60 poissons… ensemble.

Le soir on s'arrêta chez Leonard, et Ginny, sa femme, nous fit frire quelques poissons. Pendant que nous mangions, mes compagnons lui firent part de mes exploits du jour. Elle se déclara très heureuse pour moi.

«Tu n'as jamais pu le battre, dit-elle en riant à Leonard.

— C'est juste, dis-je. Il ne pouvait pas me battre jadis, et il ne le peut pas plus aujourd'hui.» Tout le monde se mit à rire.

Je fis deux autres voyages de pêche au début de septembre en compagnie de Leonard et d'Albert. C'était agréable de retrouver ce genre de plaisir. Mais d'autres chagrins m'attendaient.

Le lundi 13 septembre, Debbie mourut. Je me rendis avec Sandy à Durham, comme nous l'avions prévu. Mes beaux-parents étaient atterrés par la tragédie qui les avait frappés si peu de temps après mon accident. Pour la première fois de ma vie, je ne savais que dire. Les mots auraient été une bien piètre consolation de toute façon; seul le temps allait pouvoir guérir leurs blessures.

Les funérailles eurent lieu le mercredi à Winston Salem, où Debbie avait été hospitalisée. Une lettre rédigée par Dale, le mari de Debbie, ajouta un élément très touchant à l'éloge funèbre du rabbin. La situation était très pénible : une jeune femme, à peine adulte, arrachée à son enfant nouveau-né, à un mari aimant et à ses parents, qui étaient encore sous le choc d'un désastre récent.

Je restai avec Sandy chez mes beaux-parents jusqu'au samedi. Puis on rentra à la maison une fois de plus. Nos activités quotidiennes allaient nous aider à oublier cette perte, et même si les parents de Sandy voulaient que nous restions plus longtemps, ils avaient des amis et des parents qui pouvaient les réconforter, et leur propre vie à reprendre en main.

Les petites choses que la plupart d'entre nous tenons pour acquises me causaient encore des difficultés. La déglutition par exemple. Combien d'entre nous réfléchissent à l'acte de manger ? Il me fallait y penser sous risque de mourir étouffé. La déglutition n'était pas un réflexe pour moi, à cause des dommages subis à la gorge. Oh ! la plupart du temps je n'avais pas besoin de me concentrer intensément pour avaler, mais je ne pouvais pas parler et manger en même temps ! Et cela ne changerait jamais !

Et je ne pouvais pas encore lever les bras au-dessus de la tête. Mon bras droit s'améliorait beaucoup, mais le gauche laissait beaucoup à désirer. Je travaillais avec acharnement à régler ce problème. Pour aller à la chasse, non seulement aurais-je besoin de lever les bras, mais il me faudrait aussi tenir une arme de 4,5 kg. Le docteur Rish se disait préoccupé par l'effet de recul d'une arme et croyait que je ne serais jamais plus capable de tirer à la carabine ou au fusil. Je savais qu'il se trompait, mais une arme spéciale allait m'être utile. Avec une arme conventionnelle j'étais incapable de viser car je ne pouvais incliner la tête. En essayant de viser, ma tête tomberait vers la droite plutôt que vers l'avant, et l'arme finirait par pointer à gauche de ma figure. Une arme plus légère me serait beaucoup plus facile à manipuler, alors je devais opter pour un calibre plus modeste. Cela réduirait le recul, mais je disposerais aussi de moins de puissance et de portée.

Je réfléchissais à ces exigences spéciales quand je lus dans le magazine *Field and Stream* un article sur la Reinhart Fajen Gunstock Corporation de Warsaw, au Missouri. Cette compagnie possède une grande usine de 60 travailleurs et sa spécialité est la fabrication d'armes sur mesure. Je leur écrivis en novembre, leur expliquai mon problème et leur décrivis le type d'arme dont j'avais besoin. Six mois plus tard je me rendis sur place en avion pour voir ce qu'on pouvait faire.

Au cours des deux jours que je passai là-bas, deux des meilleurs travailleurs de l'usine reçurent ordre de s'occuper de moi. Ils construisirent un modèle à partir de «bois liquide», modèle auquel il était possible d'ajouter ou de retrancher de la matière à volonté. Ils ajustèrent l'arme selon mes besoins, et je rentrai chez moi, les laissant terminer leur travail.

J'avais fait beaucoup de recherches avant de choisir cette arme spécifique. Toute ma vie j'avais opté pour un calibre 12, mais le poids et le recul d'un tel calibre étaient trop importants pour le moment, alors je m'étais mis en quête de l'arme automatique la plus légère qui fut. J'arrêtai mon choix sur une carabine Banelli de calibre 20, fabriquée par Heckler et Koch, dont l'effet de recul est la moitié seulement de celui d'un calibre 12, et dont le poids n'est que de 2,5 kg.

Quand je reçus l'arme au mois de juillet de 1983, je constatai à ma grande satisfaction qu'elle m'allait parfaitement. Ils l'avaient fabriquée en érable blanc, le bois dur le plus léger qui soit, et avaient même vidé la crosse pour rendre l'arme aussi légère que possible. La crosse était également munie d'un épais coussin et d'un dispositif que je pouvais ajuster à mon épaule.

Aussitôt après avoir examiné l'arme je la fis parvenir à Stan Baker, à Seattle, dans l'État de Washington. Stan détient la réputation d'être le meilleur armurier du monde, alors j'avais décidé de lui confier le travail de finition. Il perça des trous à l'extrémité du barillet afin d'atténuer encore plus l'effet de recul, il ouvrit le magasin et fabriqua des tubes spéciaux. Quand je reçus l'arme au mois de septembre, j'avais acquis suffisamment de force pour la tenir et la manipuler par mes propres moyens.

Il me restait à pratiquer; je n'avais pas utilisé une arme à feu depuis plus de deux ans. Avant l'accident, j'avais été un as du tir aux pigeons d'argile, mais aujourd'hui il me faudrait faire appel aux services d'un professionnel pour reformer mes muscles et retrouver ma coordination. Je m'inscrivis à la Orvis Shooting School, située à Manchester, au Vermont. Je ne savais pas à quoi m'attendre, mais il me semblait que cela en valait la peine. Après tout, cet établissement avait été calqué sur la Holland and Holland School d'Angleterre, réputée internationalement. Si quelqu'un pouvait m'aider, c'était sûrement Orvis.

Donc, je m'y rendis dès la deuxième semaine de septembre. Je fus enchanté de l'attention individuelle dont chacun faisait l'objet. Il s'y trouvait 15 étudiants et 5 instructeurs, soit 3 étudiants seulement par instructeur. Plusieurs cours rappelant des situations de chasse étaient conçus, et chaque classe suivait ces cours à tour de rôle. Par exemple, un jour on nous amena dans les bois, et des pigeons d'argile se mirent à surgir tout autour de nous.

Pour ma deuxième journée de cours, j'avais pour camarades un neurologue de Casper, au Wyoming, et un vétérinaire de New York. Le neurologue, Malvin Cole, n'arrivait pas à croire qu'une personne ayant subi des blessures aussi graves que les miennes puisse marcher, sans parler de l'utilisation d'une arme à feu. Le vétérinaire, Alfred Grossman, tira le premier, et il toucha 3 cibles sur 10. Puis ce fut le tour de Malvin, qui obtint un score de 2 sur 10. Quand vint mon tour, je touchai les 10 cibles.

« Pas si mal pour un infirme, n'est-ce pas ? dis-je en riant.

— Pas mal pour n'importe qui, » dit Malvin. Il me confia qu'en rentrant chez lui il allait changer sa méthode. Jamais plus il ne dirait aux patients dont la moelle épinière était touchée qu'ils ne pourraient plus jamais rien faire. Quelques semaines plus tard, je reçus à la maison une note de Malvin et un exemplaire de la lettre suivante :

Le 28 septembre 1983

Monsieur Richard G. High
Éditeur, Casper Star-Tribune
170, Star Lane
Casper, Wyoming 82601

Cher monsieur,

Le secrétaire Watt n'aura bien sûr jamais à se préoccuper de devenir une femme, un Noir ou un Juif, mais en ce qui concerne cet autre membre de sa commission, il n'est pas à l'abri. En tant que neurologue, j'accorde une importance toute spéciale au terme « infirme ». Un ex-directeur de l'administration des amputés de guerre, qui avait lui-même subi une triple amputation, refusait de se considérer handicapé ; il parlait de simples « inconvénients ». Récemment, j'ai vu un homme qui avait subi de très importants dommages à la moelle épinière, affectant la majeure partie de son organisme, qui utilisait une arme à feu avec une adresse plus grande que ce dont sont capables la plupart d'entre nous. « L'infirmité » est un état d'esprit. Cela n'a rien à voir avec un empêchement d'ordre physique. J'ai beaucoup de patients qui souffrent de troubles physiques et pour lesquels le terme « infirme » n'a aucun sens. Je le répète : le terme rend compte d'un état d'esprit, et cet état d'esprit décrit peut-être mieux le secrétaire que les membres de la commission.

Cordialement,
Malvin Cole, M.D.

L'administrateur de la société des amputés de guerre était Max Cleland et, bien sûr, j'étais la personne à la carabine. La

239

lettre de Malvin parut dans le Casper Star-Tribune le 2 octobre 1983. Une fois encore j'eus le sentiment d'aider quelqu'un d'autre par ma pensée positive et ma détermination.

Le 10 novembre, en compagnie du docteur Oden, je me rendis au Maryland pour chasser l'oie. La journée fut fantastique, et chacun de nous ramena trois oies, la limite permise. Passer de ma condition de malade alité et redevenir capable de me servir d'une arme à feu : c'était là un rêve que je caressais depuis que j'avais constaté que j'étais encore vivant. J'avais eu plusieurs autres objectifs à réaliser avant celui-là, mais le temps était enfin venu, et j'avais réussi.

Ma démarche s'était améliorée au point où je pouvais parcourir une distance de 5 km ou 6,5 km par mes propres moyens... et sans fauteuil roulant, marchette ou canne. Mais mon équilibre me posait encore des problèmes et j'avais beaucoup de difficulté à monter et à descendre les escaliers. Au cours de la semaine précédant l'Action de grâces, je me rendis compte à quel point ce problème était sérieux. Je descendais l'escalier d'un immeuble à bureaux quand je perdis l'équilibre. J'arrivai au bas de l'escalier sur mes deux jambes, mais je continuai à avancer. Je me trouvais en haut d'une côte, et je ne pouvais plus m'arrêter. Quand je réussis à me freiner enfin, j'avais heurté une voiture avec une telle violence que la tôle s'était enfoncée. Ma tête saignait, j'avais les genoux, les coudes et les bras à vif, un oeil noir et des égratignures au visage. On dut me transporter en ambulance.

Cette fois j'étais certain de m'être blessé sérieusement, mais je n'avais rien de brisé et on me renvoya chez moi. Le médecin me dit que j'étais l'homme le plus résistant qu'il ait jamais vu ; à son avis, rien ne pouvait me tuer. Eh bien, je n'en suis pas aussi certain que lui, et depuis ce temps je suis plus prudent dans les escaliers. J'eus mal à la tête pendant une semaine environ. Mais, comme vous le savez sans doute maintenant, j'ai l'habitude de la douleur, alors cela ne m'empêcha pas d'aller chasser le week-end suivant.

Aujourd'hui, au début de 1984, je m'efforce toujours de réaliser mon plus important objectif : la guérison complète. Mon horaire est encore très chargé. Le lundi, le mercredi et le vendredi, je me réveille à 6 h et je rampe par terre pendant 30 minutes environ en me servant d'un dispositif me permettant de ramper tout en demeurant sur place. Le but de cet exercice est de réhabituer le cerveau aux combinaisons bras gauche-jambe droite et bras droit-jambe gauche. Les enfants le font tout naturellement, juste avant d'apprendre à marcher. Il me fallait enseigner à nouveau cela à mon cerveau, afin de pouvoir marcher avec moins de difficultés. Je pratique cet exercice depuis le mois d'août 1983.

À 9 h, je me rends en physiothérapie et je travaille jusqu'à 10 h 30 environ. Puis je vois le docteur Kenley pour plus de thérapie et des traitements contre la douleur. Ces traitements se terminent à 12 h ou 12 h 30. Après le lunch, je rampe à nouveau et je travaille dans mon gymnase.

Le mardi, le jeudi et le samedi je rampe pendant 30 minutes environ, et ce, trois fois par jour (le matin, le midi et avant le coucher), et je travaille avec des poids pour fortifier le haut de mon corps. Le dimanche, à l'exception du fait que je rampe trois fois par jour, je me repose. Je dois avouer que le samedi et le dimanche, mon horaire est parfois annulé quand je vais chasser ou pêcher.

L'un de mes buts principaux est pour le moment d'améliorer mon équilibre pour pouvoir marcher plus facilement. Mon côté gauche fonctionne encore assez mal, pour toutes sortes de raisons. Premièrement, les muscles de mon côté gauche sont beaucoup plus faibles que ceux de mon côté droit. Alors je suis une thérapie destinée à fortifier ces muscles. Cependant, cela ne mettra pas fin aux spasmes qui caractérisent mon côté gauche. Je ne tremble pas continuellement, mais mes muscles se raidissent et je ne peux pas poser le pied à plat ; par conséquent, il m'est impossible de conserver mon équilibre. Depuis quelque temps je porte un appareil, un stimulateur de réactions neuromusculaires. Au début je l'utilisais pour exercer mes muscles, mais j'ai découvert que je peux redresser mes orteils en plaçant les tampons adhésifs munis d'électrodes sur le dessus de mon pied. Je n'obtiens pas encore la réaction sensorielle dont j'ai besoin, mais mon pied me facilite quelque peu la marche. D'autres muscles de mon côté gauche ne peuvent se contracter ou se détendre au moment approprié, à cause d'impulsions inadéquates allant des muscles au cerveau. Cela nuit à mon équilibre. En thérapie, je m'efforce d'exercer ces muscles afin d'atténuer le problème. Finalement, ma coordination laisse beaucoup à désirer, alors je fais mes exercices au sol pour réapprendre la coordination gauche-droite qui m'aidera à conserver mon équilibre quand je serai debout.

Ma priorité suivante sera de fortifier la partie supérieure de mon corps. Je peux maintenant lever le bras au-dessus de la tête en soulevant un poids de 1,3 kg. Mais cela ne m'est possible qu'à une ou deux reprises le matin. Mon but est de lever un poids de 2 kg au-dessus de ma tête avec chaque bras. Naturellement, quand j'aurai réussi, j'accroîtrai la valeur des poids. Mes capacitées actuelles me permettent d'épauler et de tirer à la carabine, mais j'aimerais être en mesure d'utiliser un jour un plus gros calibre.

Mes efforts pour retrouver l'usage de mes mains ont vraiment été récompensés. Je puis désormais utiliser mes deux mains. Mais la main gauche réagit lentement et il reste encore place pour une amélioration : quand j'essaie de l'ouvrir et de la fermer rapidement, il arrive qu'elle fige. Je crois que cela s'améliorera avec le temps.

Et bien sûr, la sensation de brûlure persiste toujours. Mes traitements chez le chiropraticien ne m'ont pas beaucoup soulagé, alors je continue d'espérer un nouveau type de thérapie qui éliminera cette douleur constante. Certains jours, cela me rend presque fou, mais je fais des progrès à d'autres égards et j'essaie de ne pas trop penser à ce problème.

Il reste un autre aspect sur lequel je voudrais travailler : mon élocution. J'ai essayé de m'améliorer, et la plupart des gens n'ont pas de mal à comprendre ce que je dis. Cependant, de la thérapie en ce sens me serait sans doute très utile. J'ai déjà été un excellent orateur, et j'ai prononcé des allocutions dans tout le pays. J'étais un très bon guitariste et chanteur. Il est très important à mes yeux de parler de mon accident et de ce que j'ai tiré de mes expériences, alors je vais faire mes propres exercices jusqu'à ce que je surmonte mes problèmes physiques les plus pressants, après quoi je m'efforcerai de retrouver une voix tout à fait normale. Peut-être ne pourrai-je jamais plus chanter comme avant, mais je vais essayer, c'est certain.

Je suppose qu'à ma place, bien des gens auraient abandonné depuis longtemps. Plusieurs croient ce qu'on leur dit : ils ne peuvent atteindre qu'un certain niveau de compétence, de réussite ou d'aisance financière, et il ne sert à rien d'essayer d'en faire plus. Ce n'est pas pour eux.

Aujourd'hui je peux faire la plupart des choses que font les gens normaux. Je viens de passer mon permis de conduire, et j'espère m'acheter une automobile. Je peux marcher suffisamment pour me déplacer et je peux fonctionner à la maison sans avoir besoin d'une présence continuelle. Je peux manger, taper à la machine, téléphoner, m'habiller et faire 100 autres choses que nous tenons pour acquises depuis que nous les avons apprises au cours de notre enfance.

Les détails de ma faillite ne sont pas encore réglés. J'ai opté pour une faillite de catégorie 11, ce qui veut dire que je rembourserai tout ce que je dois. Je crois que c'est la seule option vraiment morale. Chaque mois, je reçois 3 000 $ en commissions sur des ventes faites avant mon accident, et je mets tout cela à la banque. De plus, je compte vendre certaines propriétés, ce qui me permettra de rembourser les 80 000 $ que je dois au cours de l'année prochaine. J'ai perdu beaucoup de biens, y compris mon bateau, *Miss Sash*, à la suite de ce malheur. J'espère pouvoir un jour acheter un autre bateau afin de pêcher aussi souvent qu'avant.

Ma police d'assurance-invalidité me rapporte 3 000 $ par mois, ce qui couvre les dépenses quotidiennes. Heureusement, mes polices auprès de Integon et Union mutuelle ont couvert tous mes frais médicaux. Si j'avais dû payer tout cela, ou même une partie (ils se chiffraient à près de 250 000 $), j'aurais été complètement ruiné. J'espère retrouver mon mode de vie d'antan en gagnant ma cause contre le fabricant de l'avion que je pilotais, et contre le fabricant du moteur du même avion (une poursuite de 10 000 000 $).

Ma femme et moi connaissons toutes sortes de difficultés. Quel que soit le dénouement, je n'oublierai jamais l'appui qu'elle m'a fourni pendant tous ces mois. Son amour et sa tendresse m'ont permis de tenir bon alors que mes handicaps semblaient vouloir tout détruire autour de moi.

Et je caresse encore des rêves. Je ne blaguais pas quand je disais au docteur Bolander, au moment de quitter The Towers pour Woodrow Wilson, que j'irais un jour abattre un éléphant. L'année prochaine j'ai l'intention d'entreprendre un safari. J'ai déjà décidé de me faire fabriquer une nouvelle arme en prévision de ce voyage. Est-ce impossible ? Probablement pas. Suis-je convaincu que je peux le faire ? Oui. Ce n'est pas la difficulté d'une tâche qui rebute la plupart des gens, mais la perception qu'ils ont de cette difficulté. Il reste des choses que je ne puis faire pour le moment ; peut-être en serai-je incapable pendant deux ou trois ans encore, mais il est certain que je ne serai jamais capable de les faire si c'est ce que je crois.

Aujourd'hui je vais bien. Demain j'espère aller mieux. Il ne s'agit pas d'un espoir vague, aveugle, ni de châteaux en Espagne. Il s'agit plutôt d'un projet concret et bien structuré, fondé sur le travail acharné et la détermination de réussir. Je veux montrer aux autres comment ils peuvent entretenir et conserver un tel espoir. Par le biais de rencontres personnelles, de livres, d'articles de revues, de conférences et d'autres médias qui me permettront d'influer sur la vie des gens, j'espère faire la preuve de la puissance de la pensée positive et de la confiance en soi. L'être humain est doté de la merveilleuse faculté d'apprendre en se servant des autres. Ma vie a été transformée par la tragédie. La vôtre pourra peut-être être métamorphosée par le récit de ma tragédie. Je le souhaite.

Épilogue

Le sens de la vie est de trouver de la valeur à ce que l'on fait.

Gerhard Gschwandtner

Il y aura bientôt trois ans que mon accident est survenu, trois ans depuis que j'ai entrepris un combat pour retrouver une vie qui en vaille la peine. Et ma lutte ne prendra fin qu'au moment où je me retrouverai de nouveau en présence du Seigneur et qu'Il me dira que j'ai accompli ce pour quoi il m'avait renvoyé sur terre en cette terrible journée de mars.

Je ne veux pas vous faire de sermon. Je ne suis pas un prédicateur. Mais je suis un vendeur, et je veux vous vendre vous-même. À mon avis, réussir c'est utiliser au maximum tous les talents et capacités donnés par notre Dieu Tout-Puissant. Dieu n'existe peut-être même pas à vos yeux, mais vos talents et vos capacités existent. Et vous ne pouvez les utiliser au maximum si vous ne croyez pas en vous-même.

Pour obtenir tout ce que vous voulez dans la vie, vous devez donner à la vie tout ce que vous avez. J'ai à coup sûr bénéficié de nombreux miracles : j'ai survécu à l'écrasement, à l'intervention chirurgicale au cou, à plusieurs pneumonies et même à de nombreuses mésaventures avec le fauteuil roulant motorisé (rappelez-vous l'accident avec Delores et l'escalier dans lequel j'ai failli tomber). Tout cela est arrivé et j'y ai survécu, mais je ne pouvais rien y changer. Cependant, d'autres miracles ne se seraient jamais produits si je n'avais pas fait d'énormes efforts. J'ai refusé de vivre dans un état végétatif. J'ai donc fait des exercices de respiration, je me suis exercé à parler et j'ai travaillé avec acharnement à l'amélioration de ma mobilité jusqu'à ce que j'obtienne des résultats. J'aurais pu abandonner et m'éviter les douleurs additionnelles des séances de thérapie, mais je ne l'ai pas fait. J'aurais pu me laisser aller à l'influence négative d'autres personnes, et croire que jamais je ne redeviendrais un être humain normal, mais je ne l'ai pas fait.

Ne vous laissez pas avoir par les influences négatives des autres. Je ne suis pas plus capable de pensée positive et je ne suis pas plus immunisé contre le désespoir que vous ne l'êtes. Je me sers simplement davantage de cette capacité de surmonter les obstacles que nous possédons en chacun de nous. Je crois, comme le docteur Norman Vincent Peale, que « tout problème contient le germe de sa solution. » Il faut de l'énergie, de la détermination et de la concentration.

Si vous vous demandez constamment ce que vous devriez faire, assoyez-vous et demandez-vous pourquoi. Le problème est probablement le suivant : trop d'objectifs, ou des objectifs trop vagues ou trop complexes. Alors fixez-vous un objectif unique, puis définissez-le, précisez-le et subdivisez-le en étapes plus modestes. Je ne pouvais parler ou manger avant d'apprendre à respirer. Je ne pouvais pas apprendre à marcher avant de pouvoir rester assis dans un fauteuil roulant, de me lever debout et de faire mes premiers pas à l'aide d'une marchette. Le succès exige du temps et des efforts.

Peut-être aussi avez-vous un objectif, mais vous empêchez-vous inconsciemment de le réaliser, en vous disant qu'il est hors de votre portée. Essayez de faire appel à votre imagination. Voyez-vous réussissant et atteignant votre but. Ensuite, si vous avez l'usage de vos mains, écrivez ou faites un dessin portant sur la réalisation de votre objectif. Rappelez-vous ensuite constamment votre texte ou votre dessin. Enfin, agissez comme si vous aviez vraiment réussi. J'imagine que mes amis et ma famille me prenaient en pitié quans ils me voyaient me brosser les dents. Je ne pouvais même pas presser le tube de dentifrice, et je me brossais les dents très maladroitement. Mais je m'imaginais sans cesse me brossant correctement les dents. Je croyais pouvoir le faire, et je finis par réussir.

Les attentes sont indispensables, mais il doit s'agir de vos attentes propres. Dans mon cas, la plupart des attentes des autres étaient plutôt négatives. Peu après l'accident, un médecin avait dit à un ami qu'il aurait été préférable pour tout le monde que je sois mort lors de l'écrasement. Si je m'étais conformé aux attentes de mes médecins, je ne serais probablement pas ici aujourd'hui. Peut-être les attentes de votre patron, de votre conjoint ou d'une autre personne vous empêchent-elles de réaliser pleinement vos possibilités ? Par ailleurs, certains ont peut-être, à votre sujet, des attentes qui vous semblent trop élevées ? Vous avez peut-être le sentiment d'échouer constamment ? C'est pourquoi vous avez besoin de déterminer vos propres attentes, des attentes positives et constructives que vous savez pouvoir réaliser.

Le simple fait que vous ayiez vos propres attentes ne veut pas dire que vous n'avez pas besoin des autres. Nous dépendons tous les uns des autres. La puissance des rapports positifs avec les êtres chers, les amis et les associés peuvent nous sauver la vie. Le partage des joies et des peines peut donner un sens à la vie et dissiper la solitude et le sentiment de doute que nous ressentons tous à certains moments de la vie. Ma femme, ma famille, mes amis et mes collègues m'ont aidé à traverser l'une des époques les plus difficiles de ma vie. Je ne suis pas certain que j'aurais réussi sans eux.

Finalement, j'aimerais citer mon ami Gerhard Gschwandtner, qui a écrit : «On ne peut contrôler la vie ; on ne peut que l'influencer.» Lorsque mon moteur est tombé en panne, je n'avais aucune influence sur mon destin. Mais en reprenant conscience, j'ai compris que j'avais le choix. Je pouvais attendre la mort, ou me battre pour vivre au maximum. Je me suis convaincu de vivre. Plutôt que d'abandonner et de me retirer du monde, j'ai cligné des yeux, j'ai souri et je me suis acharné. N'ayez pas peur d'essayer, et n'ayez pas peur d'échouer, car la leçon tirée de ma mésaventure est la suivante : Peu importe le nombre de fois où l'on tombe ; ce qui importe, ce sont les fois où l'on se relève.

Appendice

Cartes codées et mode d'emploi

Carte-alphabet

Mode d'emploi : (1 clignement : oui ; 2 clignements : non).

1. Demandez si la première lettre se trouve dans le rectangle no 1 (attendre la réponse), dans le no 2 (attendre la réponse), dans le no 3 (attendre...) ou dans le no 4 (attendre).
2. Après avoir trouvé le rectangle approprié, demandez si la lettre se trouve sur la première ligne (attendre la réponse) ou sur la deuxième (attendre la réponse).
3. Après avoir trouvé la ligne appropriée, lire chacune des lettres qui la composent et surveiller les clignements. La personne clignera des paupières aussitôt que vous prononcerez la bonne lettre.
4. Passez à la seconde lettre du premier mot, etc., puis au second mot, puis au troisième, etc.

Suggestions :

Si vous êtes attentif, vous verrez quel rectangle le patient regarde, ce qui vous permettra d'éliminer la première étape.

Signaux : On peut aussi dire non en secouant la tête. Un sourire peut indiquer qu'un mot est correct ou complet. Des clignements répétés des paupières peuvent marquer la fin d'un mot.

Exemple d'utilisation de la carte-alphabet

Vous : Est-ce le rectangle 1, le 2, le 3 ? *Clignement.*
Vous : La première lettre est dans le rectangle 3 ? *Clignement.*
Vous : Est-ce la première ligne ? (Aucune réponse ou un « non » catégorique), la ligne 2 ? *Clignement.*
Vous : P,Q,R... *Clignement.* (La première lettre est R).
Passez à la seconde lettre.

Mode d'emploi pour sujets de conversation

I

1. *Santé*

   Demandez si la carte-corps est nécessaire.
   Veut savoir comment il va.
   Désire voir un médecin ou une infirmière.
   Veut savoir quelles prévisions sont faites à son sujet.

2. *Temps*

   Quelle heure est-il ?
   Quel jour sommes-nous ?
   Quelle est la date d'aujourd'hui ?

   Voyez si le patient désire parler du passé, du présent ou de l'avenir en rapport avec le sujet identifié (santé, travail, etc.)

3. *Sentiments*

   Besoin d'exprimer des émotions : crainte, agacement, colère, douleur, rejet, bonheur, amour, confusion, préoccupation, répulsion, méfiance, plaisir, etc.

4. *Personnes*

   Demandez si le patient a besoin de la carte-personnes. Sinon, demandez-lui d'épeler le nom de la personne.

5. *Sport*

   Le patient peut désirer parler d'événements sportifs récents, ou vouloir un journal, un poste de radio, un téléviseur, etc.

II

1. *Questions financières*

   Secteurs possibles :
   a. famille ou amis
   b. biens (maison, auto, bateau, avion)
   c. assurance-hospitalisation
   d. finances
   e. avocat ou comptable

2. *Bureau et assurances*

   Secteurs possibles :
   a. associé ou personnel du bureau
   b. avocat ou comptable
   c. Integon
   d. Union Mutuelle
   e. autres assureurs (ex. : Metropolitan)
   f. propriétés ou biens
   g. finances

3. *Besoins récréatifs*

   a. magnétophone, poste de radio, téléviseur, lectures.
   b. changement de point de vue.

Carte-alphabet

1

1. A B C

2. D E F

2

1. G H I

2. J K L

3

1. M N O

2. P Q R

4

1. S T U V

2. W X Y Z

Carte-sujets

I

1. Ma santé
2. Temps
3. Sentiments
4. Personne
5. Informations récentes événements sportifs

II

1. Affaires personnelles
2. Bureau; assurance et questions d'affaires
3. Besoins récréatifs
4. Carte-alphabet

Carte connaissances et numéros de téléphone

Famille	Amis et associés	Personnel médical
1. Sandy Goodman (femme) 481-5420 Sam et Jeanette Fink (beaux-parents)	1. Joe Leibowitz (comptable) 499-9922 Mel Friedman (avocat) 460-6000	*Médecins* Docteur Rish 623-3303 Docteur Derring
2. Pat Paul (soeur) Rés. : 623-1487 Trav. : 461-1008 Dare Goodman (mère) 853-7986 Pete Goodman (oncle) 625-7805 Ted Gardner 481-7318	2. Fred Day (919) 799-5357 Doug Martin 3. Page Scott 337-3615 Landon Browning 340-4567 Henry Law 499-7041 4. Autres Lori (secrétaire) 499-7041 Docteur Vashell Leonard Oden	*Infirmières* Pam Pat Beth Mary Ann Debbie *Autres* Thérapeute de la respiration Physiothérapeute Thérapeute de la parole Préposé
3. Autres		

Questions-clés pour carte-personnes

La personne fait-elle partie de la *famille* ? Attendez la réponse.
La personne est-lle un *ami* ou un *associé* ? Attendez la réponse.
La personne fait-elle partie du *personnel médical* ? Attendez la réponse.

Si la personne fait partie de la famille, est un ami ou un associé, posez des questions du genre :

1. Voulez-vous voir cette personne ?
2. Voulez-vous que je lui téléphone ou que je lui fasse un message ?
3. Y a-t-il quelque chose que vous voulez savoir au sujet de cette personne ? (Ex. : Comment va-t-elle ? Où est-elle ?)

Si la personne fait partie du personnel médical, posez des questions du genre :

1. Avez-vous besoin d'un médecin, d'une infirmière ?
2. Désirez-vous voir un médecin ou une infirmière spécifique ?
3. Y a-t-il urgence médicale ?
4. Voulez-vous que je demande quelque chose au médecin (ou à l'infirmière) ?
5. Le médecin (l'infirmière) sont-ils les seules personnes à pouvoir vous aider présentement ?

Carte-corps

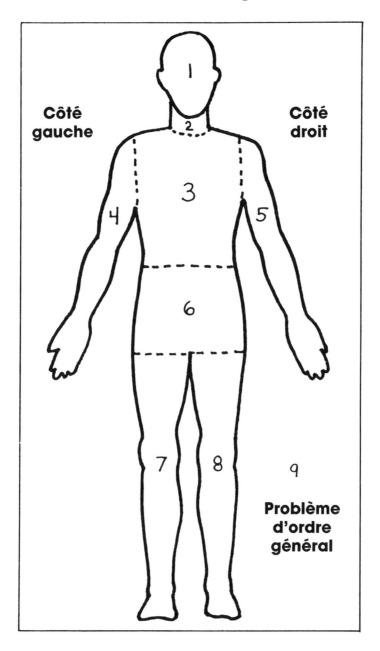

Carte-personnes

Famille	Amis ou associés	Personnel médical
1. Sandy Sam Jeanette	1. Joe Mel	Médecin Infirmière Autres
2. Pat Maman Oncle Pete Ted	2. Fred Doug	
3. Autres Tante Oncle Cousin	3. Page Landon Henry	
	4. Autres	

Mode d'emploi carte-corps

Les questions médicales sont liées à la *douleur* ou aux *besoins*.
Les questions liées à la *douleur* sont en *rouge*.
Les questions liées aux *besoins* sont en *bleu*.
(Après avoir identifié la partie du corps, demandez s'il y a démangeaison, puis poursuivez).

Tenez la carte-corps et demandez :

« Le problème se situe-t-il au-dessus de la taille ? (Secteurs 1-5)

« Le problème se situe-t-il au-dessous de la taille ? » (Secteurs 6-8)

« S'agit-il d'un problème d'ordre général ? » (Secteur 9)

Si le problème se situe au-dessus de la taille, énumérez les secteurs 1 à 5 jusqu'à l'identification de la partie du corps recherchée.
S'il se situe au-dessous de la taille, énumérez les secteurs 6 à 8, etc.
Posez ensuite des questions sur la partie du corps mentionnée.

Partie 1. La tête

Douleur : yeux, nez, bouche, oreilles, joues, menton, migraine.
Besoins : Yeux : lunettes, nettoyage, démangeaison.
Nez : tube, nettoyage des narines, démangeaison.
Bouche : succion, lèvres sèches, bouche sèche, besoin d'un nettoyage de la bouche, des dents, faim
Oreilles : nettoyage
Cheveux : coiffer, laver
Visage : laver
Tête : tourner ou bouger

Partie 2. Gorge/Cou

Douleur : Liée à la trachéotomie
À l'arrière du cou, à l'emplacement de la blessure ou de l'intervention
Mal de gorge
Besoins : Massage du cou, mouvements de la tête ou du cou.

Partie 3. Poitrine/Estomac (Demandez s'il s'agit de l'une ou de l'autre, ou s'il s'agit du dos)

Douleurs à la poitrine : poumons (respiration), côtes, coeur.

Besoins liés à la poitrine : vider les poumons, frotter, laver, tousser, chaud/froid.

Douleurs à l'estomac : faim, indigestion ou autres.

Besoins liés à l'estomac : nourriture, antiacide, frictionner, laver.

Douleurs au dos : retourner le patient pour soulager une douleur au dos, aux muscles ou aux os.

Besoins liés au dos : laver, frictionner, retourner sur le ventre, sur le dos.

Partie 4 ou 5. Côté droit/Gauche du corps (épaules, bras (avant-bras), mains. Identifiez la partie dont il est question.

Douleur : bouger le bras ou l'épaule pour atténuer la douleur ou un malaise, les crampes, les maux à l'ossature et les irritations.

Besoins : Bouger le bras, la main, l'épaule.
Exercice.
Laver, frictionner, froid/chaud (couvrir/découvrir)

Partie 6. Bassin ou Intestins ; Fesses (identifiez).

Douleur : associée à l'élimination (miction, défécation).
au rectum, à l'anus ; irritation des fesses.
au pénis, à l'urètre ; aux reins ou à la vessie ;
aux testicules.

Besoins : Élimination ; miction, défécation ; vider les bassines ;
Lavement.
Traitement rectaux.
Laver, frictionner.

Partie 7 ou 8. Jambes (cuisses, genoux, mollets), Pieds.

Douleur : Bouger une jambe ou un pied pour dissiper une douleur ou un malaise, calmer les crampes, les maux et malaises divers.

Besoins : Bouger la jambe ou le pied ; besoin d'appui pour le pied.
Exercice.
Laver, frictionner, froid/chaud (couvrir, découvrir).

Partie 9. Problèmes d'ordre général

Douleur : Malaise ou douleur générale.
Besoins : Froid (couvrir) ; chaud (découvrir) ; sensation de fièvre. Besoin d'être retourné, de changer la position du lit (tête, pied) ; fatigué, somnolent ; déprimé.
Laver.

BIBLIOGRAPHIE

Livres de motivation favoris :

(Morris Goodman compte plus de 500 ouvrages dans sa bibliothèque).

Ash, Mary K., *Mary Kay*. New York : Harper and Row, 1981.

Bettger, Frank, *De l'échec au succès : Ma formule de succès dans la vente*, Saint-Hubert, éditions Un monde différent ltée, 1985.

Bristol, Claude M., La magie de croire., Saint-Hubert, Un monde différent ltée, 1979.

Carnegie, Dale *How to Win Friends and Influence People. New York : Pocket Books, 1973.*

Conwell, Russell H., La fortune à votre portée., Saint-Hubert, Un monde différent ltée, 1978.

Danforth, William H., *Je vous défie.*, Saint-Hubert, Un monde différent ltée, 1980.

Dyer, Dr. Wayne W., *Pulling Your Own Strings*. New York : Cromwell Co., 1978.

_____. *Your Erroneous Zones*. New York : Funk and Wagnalls, 1976.

Gifford, Frank and Mangel, Charles. *Gifford on Courage.* New York : Fell Publishers, Inc., 1975.

Gschwandtner, Gerhard. *Superachievers—Portraits of Success from Personal Selling Power.* Englewood Cliffs, N.J. : Prentice-Hall, inc., 1984.

Hill, Napoleon, *Réfléchissez et devenez riche.* (cassette) Saint-Hubert, Un monde différent ltée, 1982.

_____, *Accomplissez des miracles*, Saint-Hubert, Un monde différent, ltée, 1985.

Linkletter, Art. *Yes, You Can*. New York : Simon & Schuster, 1979.

_____. Linkletter Down Under. Englewood Cliffs, N.J. : Prentice-Hall, inc., 1968.

Maltz, Maxwell, *Le pouvoir magique de l'image de soi*, Saint-Hubert, Un monde différent ltée,

Mandino, Og, *Le plus grand miracle du monde*, Saint-Hubert Un monde différent ltée, 1979

Peale, Dr Norman Vincent. *The Power of Positive Thinking*. New York : Prentice-Hall, Inc., 1952.

_____, *L'enthousiasme fait la différence.*, Saint-Hubert, Un monde différent ltée, 1980.

_____, *Positive Imaging—The Powerful Way to Change Your Life*. Old Tappan, N.J. : F.H. Revell, 1982.

Robert, Cavett, *Obtenez des résultats positifs*, Saint-Hubert, Un monde différent ltée, 1984.

Schuller, Dr Robert, *La paix de l'esprit*, Saint-Hubert, Un monde différent ltée, 1981.

Shook, Robert L., *Images de gagnants*, Saint-Hubert, Un monde différent ltée, 1981.

Sullivan, Frank E., CLU. *The Critical Path to Sales Success*. Indianapolis : R & R Newkirk, 1975.

Waitley, Dr Dennis, *Semences de grandeur*, Saint-Hubert, Un monde différent ltée, 1985.

_____, *Les principes de base du succès*, Saint-Hubert, Un monde différent ltée, 1985.

Wilkins, Skip and Dunn, Joseph. *The Real Race*. Virginia Beach, Virginia : JCP Corporation of Virginia, 1981.

Ziglar, Zig, *Rendez-vous au sommet*, (livre et cassette), Saint-Hubert, Un monde différent ltée, 1982.

_____. *Dear Family*. Gretna, La. : Pelican Publications, 1984.